KB151988

HUANGHUANG JINGFANG
JICENG YISHENG DUBEN

황황교수의 **개원 한의사를 위한**

상한금궤 처방 강의록

황황교수의 **개원 한의사를 위한**

상한금궤 처방 강의록

첫째판 1쇄 인쇄 | 2022년 5월 03일
첫째판 1쇄 발행 | 2022년 5월 27일

지 은 이 황황(黃煌)
옮 긴 이 조희근
발 행 인 장주연
출판기획 김도성
출판편집 이민지
편집디자인 양은정
표지디자인 김재욱
발 행 처 군자출판사(주)
등록 제 4-139호(1991. 6. 24)
(10881) **파주출판단지** 경기도 파주시 회동길 338(서패동 474-1)
전화 (031) 943-1888 팩스 (031) 955-9545
www.koonja.co.kr

黃煌经方基层医生读本(精)

ISBN 979-11-5955-883-2

정가 40,000원

서문

경방(經方)이란 경전의 처방을 간단하게 일컫는 말로 주로 '상한론'과 '금궤요략'의 처방을 기본으로 하는 역대 경험방을 의미한다. 경방의 활용은 중국 천연약물 사용경험의 결정체이며, 중의학 임상의 주된 규범이라고 할 수 있다. 경방은 실제 임상에 기반한 신뢰할 수 있는 근거가 있고 과학성이 뚜렷하며 안전하고 효과적이면서 간단하고 경제적이기 때문에, 대중적으로 널리 활용되기에 적합한 임상 기술이라고 할 수 있다.

경방의 사용 표적이 되는 증을 '방증(方證)'이라고 한다. '방증'은 주로 병명에 체질 상태를 더하여 이루어진다. 처방은 특정 질환에 대한 효과를 전제로 투약하는 것이다. 단, 다수의 경방은 한 종류의 질환뿐만이 아니라 특정한 일련의 질환군에 효과가 있다. 이처럼 경방이 치료하는 질환의 유형을 '주치 질환의 계보'라고도 한다. 질병명은 중의학에서도, 그리고 현대의학 진단에서도 대대로 계승되어 왔다. 현대의학의 진단은 명확하게 표준화되어 있으며 질환의 자연사(自然史)도 잘 밝혀져 있어, 경방의 효과적인 사용을 위한 임상 지침으로써 의의가 있다. 환자의 체질은 환자의 체형, 행동과 심리 특성, 호발하는 질환 등으로 구성되는데 경방의 적응이 되는 체질을 분명하게 파악하는 것은 처방의 안전한 사용에 매우 중요하다. 임상에서 경방을 투약할 때, 각각의 경방 처방과 이에 대응하는 체질이나 증과의 관계를 확인하기 위한 노력을 바탕으로 '증이 있으면 처방을 쓴다'는 것이 경방의 임상 응용 원칙이며 임상의가 지속적으로 추구해야 하는 영역이다.

경방의 구조는 매우 엄밀하여 처방의 구성을 변형하면 치료효과에도 영향을 주게 되므로 가능하면 원방을 사용하는 것이 좋다. 원방은 좋은 효과와 맛을 가지며 원방을 사용하는 것은 다양한 임상 현장에서의 경험을 요약하거나 정리하기 쉽게 만들어준다. 다만, 개체에 따른 차이나 복합질환 등의 상황이 있기 때문에 경방도 ① 용량조절 ② 약물의 증감 ③ 두 가지 이상 경방의 합방 등 방법으로 가감할 수 있다. 경방의 가감은 일반적으로 경전에서의 관례와 후세의가들의 경험을 기반으로 하며 약미(藥味)의 변동은 크지 않아야 한다. 경방의 합방은 현재 임상 진료에서 흔히 활용되는 방법으로 두 가지 이상 경방의 조합으로 이뤄진다. 일반적으로 합방시에 같은 약물은 용량을 중복하지 않지만 환자의 소견에 따라 용량을 조정할 수 있다.

탕제는 가장 널리 사용되는 경방의 제형으로 주된 장점은 각기 다른 환자, 질환 및 처방시점에 따라 약물의 조정이 가능하고 효과도 비교적 빠르다는 것이다. 또한 경방에는 환제 및 산제 등의 제형도 있으며, 현재는 고제(膏劑)와 캡슐제도 임상에서 활용되고 있다.

이 책의 상편에서는 임상진료에서 널리 활용되는 30개의 경방을 선별하여 그 조성과 방증, 활용 병증, 활용 대상군, 주의사항 등을 소개하는 데 중점을 두었다. 독자가 경방사용의 기본적인 사고흐름과 지식을 이해하고 특히 방증을 숙지하도록 하는 것이 상편의 목표이다. 각 처방마다 소개된 **[방증요점]**, **[적용 환자군]**, **[적용 병증]**, **[가감변화]**, **[사용상의 주의사항]** 등의 내용을 통하여 경방의 적용병증을 알기쉽게 설명하였다.

[방증요점]는 상한론과 금궤요략의 원문을 적절히 정리한 것이다. 후세방의 적용 경험을 바탕으로 내용을 보충하였으며, 간결하고 눈길을 끌며 기억하기 쉽게 구성하는 데 역점을 두었다.

[적용 병증]과 **[적용 환자군]**은 경방의 지식들을 현대적으로 설명한 것이다. **[적용 병증]**에는 처방을 활용할 수 있는 현대적 질환들을 나열하였다. 이들은 임상보고 및 경험에서 나온 것으로 저자의 임상경험에 기반하여 쓰였다. **[적용 환자군]**에서는 적용 대상 환자군의 체형용모, 심리와 행동, 발병의 경향성 및 맥진, 복진, 설진 등의 특징을 설명하였다. 특히 망(望), 문(聞), 문(問), 절(切)이라는 전통진단의 특징을 반영하여 안전한 처방의 활용에 참조할 수 있도록 하였으므로 만성질환 환자 및 장기투약 시에 중요한 지침이 될 수 있을 것이다. 이 역시 여러 문헌 보고 및 저자의 경험을 바탕으로 작성된 것이다.

[가감변화]는 일반적으로 사용되는 가감법과 합방을 소개한다.

[사용상 주의사항]은 안전하고 효과적인 투약을 위한 주의사항이다.

[황황의 해설]은 각 처방의 방증을 구별하는 요점과 안전하고 효과적인 응용을 위한 자세한 해설로 대부분이 저자의 개인적인 경험이지만 독자 모두가 참고할 수 있다.

경방은 200여 개의 처방이 존재하지만 널리 활용되는 것은 100개 남짓이다. 상편에서는 우선 가장 중요하고 기본이 되는 처방 30개를 소개하였다. 이를 통해 일차진료 임상에서의 다빈도 질환에 유효한 처방을 제안하고 일선 의료진에게 보다 깊이 있는 경방의 학습과 운용을 위한 기초를 제공하고자 하였다.

하편에서는 일차진료 임상에서 흔히 볼 수 있는 13가지 질환군에 활용가능한 상용 경방들을 소개하였다. 여기에는 감기, 천식, 위장관질환, 고혈압, 당뇨, 불면, 신질환, 종양, 골관절염, 월경장애, 소아과질환, 피부질환, 구강점막질환 등이 포함되어 있다. 각 질병에 대한 몇 가지 상용 경방을 소개하고 그 아래에 응용의 요점과 경험을 덧붙였다. 이 내용들은 국내외의 임상 보고 및 저자의 임상 경험이 바탕이 되었다. 각 질환의 주요처방마다 제시되어 있는 전형적인 증례들은 독자들이 처방을 이해하거나 활용할 때 사고의 흐름을 돕기 위하여 수록하였다. 출처가 표시되지 않은 증례는 모두 저자의 경험이다. 증례 중 “5–2 복용법”, “3–2 복용법”

등으로 표시한 것은 각각 5일 복용 후 2일 휴약, 3일 복용 후 2일 휴약을 간략하게 표기한 것이다.

경방의 응용은 질병에 대한 처방이 아닌 증(證)에 대한 처방으로 이뤄지며 이러한 각 증을 방증(方證)이라고 한다. 임상에서는 환자마다 구별되는 개개의 경향성이 뚜렷하기 때문에 같은 질병이라고 해도 다른 처방을 활용해야 한다. 이를 "동병이치(同病異治)"라고 한다. "이치"란 방증이 다름을 의미한다. 그렇기에 한의학 서적에는 동일한 질병에 서로 다른 처방들이 제시되어 있는 것이다.

경방으로 병을 치료할 때는 병원체의 제거나 특정 증상의 완화를 목표로 하지 않는다. 이들 처방은 신체의 전반적인 기능을 조절하는 것, 즉 신체의 질병에 대한 저항력과 자연 치유능력을 최대한 활용할 수 있도록 하는 것을 목표로 한다. 따라서 경방은 환자의 정신심리상태, 수면상태, 음식 영양상태의 조정을 중시하며, 임상적 효과를 판단할 때에도 환자의 체중, 수면, 식욕, 정신상태 등의 변화를 중시한다. 이는 모두 중의학 사상의 정체관(整體觀)을 반영하는 것이다.

이 책은 질병에 따라 내용을 찾고 기억하기 쉽도록 구성하였다. 그러나 임상에서 보는 대부분의 환자들은 여러 질병을 동시에 앓고 있으며 환자마다 구별되는 경향성이 매우 뚜렷하다. 이는 임상에서 사고를 유연하게 할 필요가 있음을 의미한다. 이 책에 소개된 처방은 이 같은 복잡한 임상환경을 반영하기에 충분하지 않으며 독자 역시 처방의 활용에 있어 책의 내용에 구애받을 필요가 없다.

이 책은 일선 진료의가 경방을 편하게 활용하도록 하는 동시에 모호함을 피하고자 전통적인 방제이론이나 병인병기 등에 대한 해설은 줄이고 "어떠한 증에" "어떻게 처방해야 하는지"라는 두 가지 문제에 초점을 맞추었다. 그리하여 독자가 노련하게 처방을 활용하고 임상에서의 실용성을 향상시키는 것을 목적으로 하였다. 이론적인 해석에 있어서는 보충이 필요할 것이므로 별도의 관련 자료를 참고하기를 바란다.

본서에서는 독자들의 경방 응용을 돕기 위하여 상한론 및 금궤요략에서의 처방 용량을 바탕으로 1냥을 5 g으로 환산한 후 실제 임상에서의 처방 경향에 따라 용량을 변환하였다. 이는 후세방에서도 마찬가지이다. 모든 권장처방은 독자가 임상에서 참조하고 적용할 수 있도록 부록에 정리해두었다. 권장 복용량은 성인 1일 복용량이며 노인 복용량은 일반적으로 성인 복용량의 2/3, 3–6세 어린이의 복용량은 성인 복용량의 1/3, 6–12세 어린이의 복용량은 성인 복용량의 1/2로 적용한다.

환자의 연령, 성별, 체질, 치료할 질병의 유형 및 중증도, 약물의 품질 및 가공방법, 구성비율과 제형, 복용방법 외 기타 여러요인을 포함하는 투여용량 문제의 복잡성을 고려하여 이 책에서 권장하는 용량은 참고만 하기 바란다. 특히 부자, 마황 등을 함유한 경방을 사용할 때에는 더욱 신중해야 한다.

경방은 중의의 전부는 아니지만 중의임상의 기초와 규범을 이룬다. 진료에 경방이 널리 활용되면 안전하고 효과적이고 경제적이며 효율적인 의료 서비스를 제공할 수 있을 뿐만 아니라, 중의학의 임상경험을 한데 모으고 임상과학의 연구를 촉진하며 학술을 계승하는 데에도 도움을 줄 것이다. 즉 경방의 사용은 국가를 이롭게 하고, 국민을 이롭게 하고, 의사를 이롭게 하는 것이라 하겠다.

옮긴이의 말

한의사 선생님들과 이야기를 나누다 보면 진료실에서 자주 활용할 수 있는 중요한 처방들의 공부를 좀더 편안하게 시작할 수 있는 자료는 없는지에 대한 질문을 자주 듣게 됩니다. 아마도 이런 목마름을 가진 많은 선생님들께 이 책이 좋은 선물이 되지 않을까 생각합니다. 이 책은 中國中醫藥出版社가 펴낸 '黃煌經方基層醫生讀本'을 번역한 것으로 저자인 남경중의약대학 黃煌 교수는 한약 입문서인 經方50味藥證으로 한의계에 이미 잘 알려져 있습니다. 經方50味藥證은 상한론과 금궤요략의 중요한 약물들에 대해 현학적이지 않고 조문에 따른 간결한 설명을 제공한다는 점에서 상당히 환영받았습니다.

이 책은 經方50味藥證 특유의 간결함을 유지하면서 개별 약물이 아닌 실제 자주 활용되는 처방들의 적응증에 대해 아주 쉽게 설명합니다. 그렇다고 이 책이 몇 가지 한약 처방에 대한 단순한 입문서에 그치는 것은 아닙니다. 내용 중 '**황황의 해설**'과 같은 부분을 통해 저자가 진료경험 속 암묵지를 아낌없이 전달하려는 모습은 이 책만의 매력입니다. 이 장점을 독자들에게 더 잘 드러내기 위해 번역서의 제목은 '**황황교수의 상한금궤처방 강의록**'이라 이름 붙였습니다. 진료실에서의 한약 처방 기법에 대해 현학적이지 않고 실질적인 내용을 공부하기를 원하시는 선생님들께 이 책을 추천합니다. 이 책은 상한론과 금궤요략 처방에 관심이 있는 분은 물론, 한약 전반을 조망하는 식견을 갖추어 나가려는 분 모두에게 좋은 동료가 될 것입니다.

훌륭한 책을 번역할 기회를 주신 군자출판사와 책이 출판되기까지의 모든 과정을 살펴주신 김도성 차장님의 많은 도움을 받았습니다. 그리고 원고를 처음부터 끝까지 꼼꼼히 검토하여 소중한 의견을 주신 한방안이비인후피부과 전문의 김혜화 선생님과 한방부인과 전문의 안뜰에봄 선생님께도 특별한 은혜를 입었습니다. 한편, 한의사 백은혜 선생님의 오랜 시간에 걸친 세심한 교정이 없었다면 이 책은 결코 출간될 수 없었을 것입니다. 물심양면으로 도와주신 모든 분들께 깊은 감사인사를 올립니다.

2022년 5월

역자 조희근

조희근

한방재활의학과 전문의, 한의학 박사, 통계학 석사. 현대적 언어로 표현할 수 있는 한약의 적응증, 핵심 소재 및 작용 기전 연구에 관심을 갖고 있다.

목록

상편_ 상용경방

1. 계지탕 16
2. 계지가용골모려탕 22
3. 소건중탕 27
4. 계지복령환 33
5. 온경탕 39
6. 당귀작약산 45
7. 마황탕 49
8. 마황부자세신탕 53
9. 마행감석탕 58
10. 갈근탕 62
11. 황기계지오물탕 67
12. 대시호탕 71
13. 소시호탕 76
14. 시호가용골모려탕 88
15. 사역산 93
16. 반하후박탕 99
17. 온담탕 104
18. 반하사심탕 109
19. 오령산 114
20. 저령탕 121
21. 황련아교탕 124
22. 황련해독탕 130
23. 사심탕 135
24. 대승기탕 140
25. 이중탕 146

26. 소청룡탕 152
27. 진무탕 157
28. 사역탕 163
29. 신기환 170
30. 자감초탕 175

하편_ 질환별 처방

1. 감기 182
2. 해천 195
3. 위장질환 207
4. 고혈압 225
5. 당뇨병 242
6. 불면 257
7. 신장질환 278
8. 종양 297
9. 골관절염 315
10. 월경질환 332
11. 소아질환 349
12. 피부질환 370
13. 구강점막질환 391

부록 1. 상용경방 추천 처방 407

부록 2. 경방의 탕액 전탕법 427

상편

상용경방

1. 계지탕

고대의 강장, 피로회복 처방이다. 경전의 조화영위(調和營衛) 처방으로 해열, 항염, 진정, 진통 효능이 있으며 혈압 및 심박과 위장운동조절, 면역기능, 땀 분비에 대한 양방향 조절작용이 있다. 두근거림, 복통, 자한(自汗), 저체중, 맥약(脈弱) 등의 특징이 나타나는 질환 및 허약체질 환자의 조리에 사용할 수 있다.

[원전처방]

계지 三兩, 작약 二兩, 감초 二兩, 생강 二兩, 대조 十二枚. 이 다섯가지 약물을 물 七升에 넣고 작은 불로 三升이 되도록 달여서 찌꺼기를 버리고 적당한 온도로 一升을 마시도록 한다. 복용 후 조금 지나 따뜻한 미음 一升을 먹어 약의 작용을 돕는다. 두 시간 동안 몸을 따뜻하게 덥혀 온 몸에 땀이 촉촉하게 나게 하는데, 땀이 물처럼 흘러야 병이 낫는다. 한번 약을 복용하여 땀이 나면 약을 더 먹지 않아도 되며, 하루분을 다 먹을 필요는 없다. 땀이 나지 않으면 다시 앞의 방식대로 약을 복용하도록 한다. 그래도 땀이 나지 않으면 한나절 동안 세 차례 복용하도록 시간 간격을 당긴다. 병이 심한 경우에는 하루 종일 복용하면서 지켜보도록 한다. 하루분을 다 복용하고 나서도 증상이 남아있다면 다시 복용한다. 땀이 나지 않으면 이틀에서 사흘까지 복용한다. 약을 복용하는 동안에는 날 것, 찬 것, 끈끈한 것, 고기와 면류, 매운 것, 술과 유제

품, 냄새가 고약한 음식 등을 금한다.(《傷寒論》)

[방증요점]

기상충, 복중통, 자한, 발열, 맥부약(脈浮弱)한 환자

[적용 환자군]

1. 흰 피부와 수척한 체격: 체격은 수척한 편이고, 흉곽이 평평하며, 피부가 희고 약간 미끄러우며, 비교적 촉촉하다. 복벽은 얇고 복직근이 긴장되어 있다.

2. 설암담(舌暗淡): 설질은 옅은 붉은색이거나 어두운 색이며, 설체는 비교적 유연하고 설면은 습윤하거나 약간 끈적인다.

3. 맥허완(脈虛緩): 맥은 허완한 경우가 많으며, 가볍게 누르면 잘 잡히지만 세게 누르면 힘이 없다. 심박은 빠르지 않다.

4. 땀이 쉽게 나고 잘 두근거림: 땀이 나면 옷이 축축히 젖을 정도이다. 두근거림과 어지러움을 자주 느끼며, 잘 피로하고 지구력이 떨어진다. 발작성의 복통이 잦다. 쉽게 불면경향이 나타나고 꿈을 많이 꾼다. 추위, 통증에 민감하다.

5. 유발요인: 본 증은 체질적으로 형성되며, 큰 병을 앓은 이후 나타나는 경향이 있다. 수술 후, 항암화학요법, 과도한 약물복용, 월경기, 산후, 대량 출혈 후, 창상 후, 과도한 운동, 극도의 공황상태, 추위, 기아 등의 자극과 밀접한 관련이 있다. 선천적인 품부부족, 고령, 노화, 평소 여러 질환에 시달리는 환자들에게서 이런 소견이 자주 보인다.

[적용 병증]

아래의 병증과 위에 서술한 환자군의 특징이 부합하는 경우에 처방의 투약을 고려할 수 있다.

1. 발한이상이 나타나는 질환으로 산후 및 수술 후 자한경향, 자율신경이상 등

2. 발열, 발한이 나타나는 감기에 의한 발열, 만성열, 수술 후 발열 등

3. 한랭 두드러기로 맑은 분비물이 나오는 질환으로 알러지 비염, 천식 등

4. 복통이 나타나는 질환으로 알러지성 자반증, 위염, 소화성 궤양 등

5. 피부 병변이 붉지 않고 국소 착색이 나타나는 피부질환으로 여드름, 두드러기, 습진, 궤양불유합 등

6. 두근거림, 어지러움, 맥이 약한 소견 등이 나타나는 질환으로 저혈압, 배뇨성 실신, 심장질환, 빈혈 등

[가감 변화]

1. 가슴이 답답하고 배가 그득하며 기침이 나오고 가래가 많은 경우 후박 15 g, 행인 15 g을 더한다.

2. 변비, 복통에는 대황 10 g을 더한다.

3. 자한, 도한, 황한(黃汗), 부종, 소변불리에는 황기 15 g을 더한다.

4. 발한과다, 식욕부진이 있고 맥이 침지(沈遲)한 경우에는 인

삼 10 g을 더한다.

5. 목과 등줄기의 긴장이나 설사가 있는 경우에는 갈근 30 g을 더한다.

6. 흉복부의 박동감이 뚜렷한 경우에는 용골 15 g, 모려 15 g을 더한다.

[사용상의 주의사항]

1. 비만한 환자로 발열과 오한이 있는데도 땀이 없는 경우, 발열과 함께 번조가 있고 입이 말라서 마실 것을 찾으며 설질은 붉고 설태는 건조하거나 미끌거리는 누런색인 경우 또는 피를 토하거나 코피가 나는 응고장애 환자에는 이 처방의 투약을 금하거나 신중히 투여하여야 한다.

2. 일반적으로 5일분을 기준으로 투약한다. 5일 복용 후에도 증상이 낫지 않으면 복약을 중단한다.

[황황의 해설]

1. 계지탕의 방증을 어떻게 식별하는가? 경전의 방증으로 제시된 "기상충(氣上衝)"은 단순히 한 가지 증상만을 말하는 것이 아니라, 일종의 체질적인 상태를 의미한다. 여기에는 순환기계, 자율신경계, 소화기계 등에 발생하는 일련의 증후군이 포함된다. 기상충은 대체로 극도의 피로를 호소하고 체질이 허약하며 계속되는 정신적인 긴장이 있을 때 발생하며, 발한제나 공하제를 잘못 투여하였을 때에도 쉽게 나타난다. "자한"도 하나의 증상이 아니라 땀을 과도하게 흘리거나 피부가 촉촉

하거나 고운 상태로 땀이 나는 것을 관찰할 수 있는 체질적 상태를 의미한다. "발열"은 자각적으로 열감을 느끼는 상태로 피부의 발열, 손바닥의 발열, 심번조열 등이 해당된다. 본 증에는 자주 자한, 서맥이 동반된다. 심하면 얼굴이 붉게 달아오르고 부종이 나타난다. "맥부약(脈浮弱)"은 저혈압이나 심부전 환자에게서 다수 보이는데 맥지(脈遲), 맥완(脈緩)은 심박의 저하를 의미한다. 계지탕을 활용할 수 있는 환자들은 맥약, 자한, 발열, 기상충 등 일련의 특성을 가진 허증 체질로, 순환기계, 소화기계질환 및 영양실조에서 흔히 보이는 "榮衛不和", "陰陽失調" 소견으로 설명할 수 있다. 청대의 의가인 柯韵伯은 계지탕의 사용에 대하여 "但見一證便是, 不必悉具, 惟以脈弱自汗爲主耳."(《傷寒來蘇集》)라고 하였으므로 참고할 수 있다.

2. 계지탕은 주로 마르고 쇠약한 환자들에게 적용한다. 안면에 붉은 광택이 돌면서 배가 크고 변이 굳은 환자들에게는 계지탕이 적합하지 않다. 계지탕을 활용할 수 있는 환자들은 설상이 비교적 돌출되어 있고, 설질은 대부분 옅은 붉은 빛을 띄거나, 어둡고, 색이 옅다. 설체는 약간 유연하고, 설면은 습윤하거나 건조하고 미끌미끌한 설태가 있다. 저자는 이를 "계지설(桂枝舌)"이라고 한다. 설첨이 선홍색을 띄거나 견염설(堅斂舌, 뻣뻣한 혀 – 역자 주), 창로설(蒼老舌, 무늬가 거친 혀 – 역자 주)이 보일 때는 계지탕을 쓰지 않는다.

3. 저자는 계지탕을 대병 후, 수술 후 나타나는 식욕부진, 자한, 가슴두근거림에 쓴다. 식욕부진에는 인삼이나 당삼을 더하여 처방하고, 땀이 많고 쉽게 배고픈 경우에는 황기를 더하며, 관절통이 있고 식은땀이 나면 부자를 더하여 처방한다. 선천성 심질환, 류마티스성 심질환, 심장

판막질환, 바이러스성 심근염, 관상동맥질환, 심장수술 후 등에서 나타나는 혈압저하, 두근거림, 자한, 맥공대무력(脈空大無力)한 경우에는 보통 용골, 모려를 더하여 처방한다. 또 두궐(頭厥), 어지러움, 이명, 현기증을 호소하는 수척하고 얼굴색이 누런 중장년 및 고령 환자에서는 통상 갈근, 천궁, 황기 등을 더하여 처방한다. 일반적으로 당뇨환자에서 많이 보이는 극심한 피로, 신체 통증, 무감각, 체중 감소, 창백한 얼굴색 및 엷고 어두운 설질 등 소견에는 인삼을 더하여 처방한다(新加湯). 궤양이 유합되지 않을 때에는 황기를 더하여 처방한다(桂枝加黃芪湯). 관절통증에는 백출, 부자를 더하여 처방한다. 《傷寒論》 원문의 "熱自發 … 汗自出, 嗇嗇惡寒, 淅淅惡風, 翕翕發熱, 鼻鳴乾嘔者"라는 계지탕 조문에 근거하여 알러지 비염, 만성비염, 위축성 비염, 비전정염 등에서 한랭과민이 있고 맑은 분비물이 나올 경우 계지탕을 쓸 수 있다.

4. 계지탕은 적용범위가 넓어 땀이 있으면 멈추게 할 수 있고 땀이 없다면 나게 할 수 있다. 착안점은 땀의 유무가 아니라, 체질에 따른 불균형상태를 조절하는 것이다. 《傷寒論》에서는 "凡病 若發汗, 若吐, 若下, 若亡血, 亡津液, 陰陽自和者, 必自愈."라고 하였다. 계지탕은 음양을 조화시켜 신체의 자기치유능력을 극대화함으로써 체질 개선 및 질병 치료의 목적을 달성한다.

2. 계지가용골모려탕

계지탕의 가미방으로 강장, 안신 효능이 있으며, 주로 흉복부의 두근거림, 잦은 놀람, 불면, 다몽(多夢), 맥이 크고 무력한 소견 등을 특징으로 하는 질환에 활용한다.

[원전처방]

계지, 작약, 생강 각 三兩. 감초 二兩. 대조 十二枚. 용골, 모려 각 三兩. 이 일곱 약물을 물 七升에 넣고 달여 三升을 취한 후 따뜻하게 세 번에 나누어 마신다.(《金匱要略》)

[방증요점]

허약한 체질의 환자에게서 정신적 흥분, 흉복부의 두근거림, 쉽게 놀람, 불면, 다몽(多夢), 자한 및 도한, 몽교실정(夢交失精), 맥의 부대무력(浮大無力) 등 소견이 보이는 경우

[적용 환자군]

1. 흰 피부와 수척한 체격: 체격이 마른 편이고 피부가 희고 매끄럽다. 모발은 가늘고 부드러우며 황색을 띈다. 복직근이 긴장되어 있다.

2. 맥부대(脈浮大): 맥이 부대(浮大)하거나 혹은 비어 있으며 척맥(尺脈)이 드러난다.

3. 경광동계(驚狂動悸)가 있는 환자: 쉽게 놀라고 공황에 빠지며, 불안정하고 꿈을 많이 꾼다. 불면, 번조, 불안, 정신착란이 자주 나타난다. 가슴이 쉽게 두근거리며, 심하면 복부에 두근거림이 느껴진다.

4. 성기능장애가 있는 환자: 남자는 조루, 유정증, 성교와 관련된 꿈을 자주 꾸고 정자활력 및 정자수 감소가 나타난다. 여자는 몽교(夢交), 대하량 증가 등이 나타난다.

5. 쉽게 피로한 환자: 머리가 자주 어지럽고 땀이 나며, 쉽게 피로해지므로 체력적으로 일을 견디지 못한다.

6. 유발 요인: 체질적으로 나타난 것이거나 선천적인 요인과 관련이 있다. 또 후천적인 과로, 영양불량, 칼슘 및 아연 결핍, 일광노출부족, 운동감소, 과도한 발한, 수면부족, 설사, 대량출혈, 성생활과도, 과도한 놀람 등과도 연관성이 있다.

[적용 병증]

아래의 병증과 위에 서술한 환자군의 특징이 부합하는 경우에 처방의 투약을 고려할 수 있다.

1. 성기능장애나 생식장애가 나타나는 질환으로 성기능장애, 발기부전, 유정증, 성적인 꿈, 만성전립선염, 정자의 질 저하 등

2. 가슴 두근거림이 나타나는 질환으로 선천성 심질환, 류마티스성 심질환, 판막성 심질환, 바이러스성 심근염, 관상동맥질환, 심낭삼출을 동반한 심낭염, 부정맥, 저혈압 등

3. 불면과 자한(自汗)이 나타나는 질환으로 갱년기증후군, 신경

쇠약, 불안, 불면증 등

4. 호흡곤란 및 현기증이 나타나는 질환으로 기관지천식, 폐기종, 심인성천식, 빈혈 등

5. 자한 및 도한, 탈모, 경련 등이 나타나는 질환으로 어린이의 칼슘 결핍, 뇌전증, 뇌성마비, 대뇌발달이상 등

[가감 변화]

1. 숨이 가쁘고 땀이 많으면 오미자 10 g, 산수유 15 g, 인삼 10 g, 맥문동 20 g을 더한다.

2. 식욕부진에는 산약 30 g을 더한다.

[사용상의 주의사항]

1. 이 처방은 탕제로 사용하여야 하며 산제로는 사용하지 않는 것이 좋다. 산제로 투여하면 복부의 더부룩한 불쾌감과 식욕부진을 야기할 수 있다.

2. 심장판막질환 환자는 이 처방을 통해 증상을 개선시킬 수 있다.

3. 2주 투여에도 효과가 없으면 처방을 변경한다.

[황황의 해설]

1. 계지가용골모려탕은 정신적 증상과 생식 및 성기능 저하가 나타나는 허증 체질 환자를 대상으로 하는 처방이다. 소위 정신증상이란 대부분 초조, 불안, 불면, 다몽 등이다. 《金匱要略》 원문에는 계지가용골모려

탕이 "男子失精, 女子夢交" 및 "陰頭寒"을 치료할 수 있다고 기재되어 있다. 임상적으로 이 처방은 성적인 꿈, 꿈으로 인한 사정, 발기부전, 조루 등 성(性) 관련 증상을 비롯하여 심지어는 남성 정자의 질 저하나 여성의 갱년기장애에도 효과적이다.

2. 이 처방의 방증 식별에 있어서는 체질의 파악이 중요하다. 일반적으로는 피부가 희고 마른 체격이며 땀을 잘 흘리는 사람들에게 적합하다. 임상에서는 얼굴이 희고 마른 소아 환자에게서 증이 잘 나타나는 경향이 있다. 이런 환아는 눈이 밝고 정신이 맑지만, 겁을 잘 먹고 밤에 야제불안(夜啼不安)이 있으며 땀을 많이 흘린다. 또 청년층에서는 피부가 희고 체격이 마른 환자들이 두근거림, 불면과 다몽, 도한을 자주 호소하는 경우에 이 처방을 사용할 수 있다. 이러한 특성들에 주의를 기울이면 계지가용골모려탕증을 잘 파악할 수 있다. 저자의 경험상 계지가용골모려탕은 칼슘과 아연이 결핍된 환아의 수면부족, 번조, 다동경향, 자한, 도한 등에 상용할 수 있다. 또한 각종 심질환에서 심박이상 혹은 저혈압, 가슴두근거림, 자한, 맥공대무력(脈空大無力) 등 소견이 있는 경우에도 증상 개선 효과가 있다.

3. 진단의 관건은 맥상과 설상이다. 맥은 부(浮)하여 드러나고 크며, 무력(無力)하여야 한다. 환자가 맥침세(脈沈細), 침실(沈實)하며 크고 유력(大而有力)한 경우에는 처방이 부적절하므로 주의가 필요하다. 설질은 약간 붉으면서 촉촉하며 하얀 설태가 얇게 덮여있어, 정기가 허하지만 사기가 침습하지 않은 경우에 이 처방을 쓸 수 있다. 반면, 설질이 검붉고 견로(堅老)한 소견은 울열(鬱熱)을 시사한다. 또한 설질이 옅은 흰색이며 비대한 경우에는 한습수음(寒濕水飮)을 시사하며, 설태가 누

렇고 미끌미끌하면 담열(痰熱), 건조하면 적열(積熱), 두꺼우면서 미끌미끌하면 습탁의 상태로 모두 처방의 작용을 방해하는 소견이므로 신중하게 투약해야 한다.

3. 소건중탕

소건중탕은 경전의 허증 조리 처방이다. 항경련 및 진통의 효능이 있으므로 수척한 체격, 만성 복통, 건조하고 덩어리진 변이 특징인 소모성 질환에 적용한다.

[원전처방]

계지 三兩, 작약 六兩, 감초 二兩, 생강 三兩, 대조 十二枚를 물 七升에 넣고 三升이 되도록 달인다. 찌꺼기를 제거하고 이당(飴糖) 一升을 넣어 녹인 후에 따뜻한 물 1승으로 하여 하루 세 차례 나누어 복용한다.(《傷寒論》《金匱要略》) 주(注): 《金匱要略》에는 감초 三兩으로 되어 있다.

[방증요점]

마르고 피곤하며 배가 아프고 가슴이 두근거리면서 번조가 있다. 혹 코피, 수족번열, 실정(失精), 인후와 구강의 건조 등 소견이 있다.

[적용 환자군]

1. 흰 피부와 수척한 체격: 환자는 체격이 수척하고, 근육이 발달하지 못했거나 위축되어 있는 경향이 있다. 젊을 때는 피부가 희고 곱고 약간 윤기가 있지만, 중년 이후에 피부가 건조하고 누

런 경향을 띤다. 모발은 노란 빛을 띠고 가늘고 부드러우며 숱이 적다.

2. 쉽게 배고파하는 환자: 쉽게 배가 고프나 먹자마자 배가 쉽게 부른다. 식욕이 적고 천천히 먹는 경향으로 단 것을 좋아한다.

3. 잦은 번조: 성격이 비교적 활달하지만, 쉽게 번조가 생기고 짜증을 내는 경향이 있다. 특히 배가 고플 때 이와 같은 경향이 보인다.

4. 쉽게 피곤해하는 환자: 잘 피로하고 몸이 시큰시큰 쑤시며 아프다. 가슴이 자주 두근거리고 땀이 난다.

5. 배가 아프고 변이 굳은 환자: 복통이 잦고 변이 굳는 경향으로 심하면 밤톨처럼 보인다.

6. 맥완설눈(脈緩舌嫩): 맥완무력(脈緩無力)하고 심박의 이상이 있다. 설질은 유연하고, 설태는 얇고 흰색이다.

[적용 병증]

아래의 병증과 위에 서술한 환자군의 특징이 부합하는 경우에 처방의 투약을 고려할 수 있다.

1. 만성복통이 나타나는 질환으로 만성위염, 위십이지장궤양, 위암, 위하수, 만성장염, 과민성대장증후군, 위장신경증, 만성복막염 등

2. 변비가 나타나는 질환으로 습관성변비, 영유아변비, 불완전성장폐색, 선천성거대결장 및 허쉬스프룽병(Hirschsprung's disease) 등

3. 체격이 수척하며 얼굴이 누렇고 식욕부진이 나타나는 질환으로 만성간염, 간경화, 황달 등

4. 복통과 자반증이 나타나는 질환으로 과민성자반증

5. 체격이 수척하고 무기력감이 나타나는 질환으로 저혈압, 저체중, 저혈당, 빈혈, 불면, 신경쇠약 등

6. 통증이 나타나는 질환으로 마른 여성의 유선증식증 관련 통증, 월경통 등

7. 체격이 수척하고 얼굴이 창백한 소아의 저체중, 영양불량, 식욕부진, 빈혈, 신경성빈뇨, 두통 등

[가감 변화]

1. 얼굴이 누렇고 근육이 늘어지고 붓는 상태에는 황기 15 g을 더해 처방한다.

2. 식욕부진이 있고 얼굴빛이 초췌한 경우에는 인삼 10 g 혹은 당삼 15 g을 더해 처방한다.

3. 생리통의 개선 및 산후조리에는 당귀 15 g을 더해 처방한다.

4. 격렬한 통증에는 천궁 10 g을 더해 처방한다.

[사용상의 주의사항]

1. 비만한 환자로 발열과 오한이 있는데도 땀이 나지 않는 경우, 발열과 함께 번조가 있고 입이 말라서 마실 것을 찾는데 설질은 붉으면서 설태는 건조하거나 미끌거리고 누런색인 경우에는 처방을 금하거나 신중하게 투여한다.

2. 고혈당 환자에게는 이당(飴糖)의 용량을 적절히 줄이거나 투약하지 않는다.

3. 복약 후 장명, 설사가 나타나는 환자에게는 백작약 용량을 줄인다.

4. 증상이 해소된 후에도 용량을 절반으로 줄여 1-2개월 추가로 복용하게 한다.

[황황의 해설]

1. 소건중탕은 비위를 튼튼히 하기 위해 일차적으로 선택하는 처방으로 식욕을 증진시키고, 소화 흡수를 증가시켜 체중을 늘리고 체질을 개선시킬 수 있다. 특히 마른 아이들의 발육지연이나 영양불량, 빈혈, 천식, 알러지성 피부염, 틱장애, 대뇌발달지연, 빈뇨 등 각종 질환에 적용할 수 있다.

2. 체중의 감소를 '소수(消瘦)'로 볼 수 있다. 이는 소건중탕증 환자의 가장 중요한 특징이다. 식사량의 부족이나 영양불량 등 원인과 관련지을 수 있으며 많은 환자들에게서 피부가 누렇고 체중이 감소하는 경향이 나타난다. 피부는 누렇거나 희고 붉은 광택이 사라져 있으며, 손발도 누렇게 되어 있다. 모발은 누렇고 가늘고 연하며, 숱이 적다.

3. 복직근의 긴장은 소건중탕증의 주요 복증이다. 이들 환자들의 복부는 평평하고, 복벽은 얇고 긴장되어 있으며, 복직근의 경련이 있다. 이는 일본의 의가들이 매우 중요시하는 소견이다. 일반적으로 보면 복통이나 변비가 있더라도 복부가 비만한 환자나 복부가 크고 긴장이 없는 경우에는 소건중탕증을 나타내는 경우가 드물다.

4. 환자의 설질이 옅은 색이고 연하며 설태가 얇고 흰색인 것이 소건중탕증의 또 다른 주요 소견이다. 설질의 색이 연하다는 것은 설질이 유연하고 광택이 있다는 것을 의미한다. 이들 환자의 설질은 옅은 붉은색이거나 어둡고 색이 옅다. 또한 설태는 얇다. 환자가 설질이 견로(堅老)하고 설태가 두꺼운 경우에는 대부분 체격이 충실하고 실열(實熱)이나 어혈(瘀血)이 많으며 이들에게는 소건중탕이 부적절하다.

5. 문진 중에 쉽게 배고파하고 단 것을 좋아한다는 환자들은 소건중탕증인 경우가 많다. 소건중탕증의 환자들은 쉽게 배고파하고, 심지어는 저혈당으로 인한 두근거림, 손떨림, 찬 땀 등이 나타나는 경우도 있다. 이들 환자들은 식욕이 매우 적고 조금만 먹어도 배가 부르다고 한다. 이들 환자들은 단 것을 좋아하는데 중국 강남의 환자들은 찹쌀로 만든 음식을 좋아하는지를 통해서, 북부지방 사람들은 설탕이나 페스트리를 좋아하는지를 물어서, 소아환자에게는 사탕을 좋아하는지 여부로 문진해볼 수 있다.

6. 소건중탕에는 작약 용량이 매우 많다. 작약은 하제로 작용하므로 "작은 대황"이라고도 한다. 소건중탕증 환자들은 상당수가 변이 굳어 있으며 심지어 밤톨같이 되는 경우도 있다. 처방을 복용한 후 설사하는 경우나 대변이 풀어지는 경우에는 작약의 용량을 줄일 필요가 있다.

7. 소건중탕을 적용할 환자들은 소화기증상을 주요한 특징으로 하는 허증 환자로 전통적으로 "중허(中虛)"에 해당한다. 중(中)이란 비위를 의미한다. 이 같은 체질의 형성 원인으로는 영양실조, 기아, 피로 등과 관련이 있으며 소아에게서 많이 보인다.

8. 임상에서 소건중탕을 쓸 때는 보통 가감을 한다. 황기를 더하면 황

기건중탕이 되어 소건중탕증이면서 빈혈이나 자한이 있고 감기에 쉽게 걸리는 경우에 투여할 수 있다. 당귀를 가하면 당귀건중탕이 되는데 여성의 산후통증, 복통 및 월경통에 투여할 수 있다. 소건중탕에서 이당을 제외한 처방을 계지가작약탕이라고 하며 이당을 제거하여 단맛을 없앴기 때문에 단 것을 좋아하지 않는 환자나 경과가 빠르게 진행되는 환자, 복통이 비교적 심한 환자에게 적합하다.

4. 계지복령환

고대에 사태(死胎)를 제거하는 처방으로 사용된 경전의 활혈화어(活血化瘀) 처방이다. 계지복령환은 혈압을 낮추고 혈액점도를 감소시키며 혈중 지질을 개선하여 죽상경화반의 형성을 억제할 수 있으며, 모세혈관을 확장시키고 미세순환을 개선한다. 또한, 호르몬 분비의 조절을 통해 배란을 촉진하고 전립선증식을 억제하며 신장의 기능 및 병리변화를 개선하는 등 다양한 작용이 있다. 이 처방은 기상충(氣上衝), 소복급결(小腹急結), 기부갑착(肌膚甲錯) 등이 특징인 질환에 적용한다.

[원전처방]

계지, 복령, 목단피, 작약, 도인을 같은 양으로 가루내어 꿀과 섞어 토끼똥 크기의 丸(兎屎大)을 만들고 이를 매일 식전에 一丸씩 복용한다. 효과가 나지 않으면 복용량을 三丸까지 늘려 본다.(《金匱要略》)

[방증요점]

얼굴이 붉거나 자주색이고 복부는 충실하다. 좌하복부를 촉진하면 저항감, 압통이 있다. 두통, 어지러움, 불면, 번조, 두근거림 등이 나타나며 설질은 어둡거나 자반(紫斑)이 있다.

[적용 환자군]

1. 얼굴이 자홍(紫紅)색인 환자: 상대적으로 건장한 체격으로 얼굴빛이 붉거나 달아오르기도 하고 검붉은 빛을 띄는 경우도 있으며, 안면 피부가 거칠거나 주사(酒筱)가 나타나는 경우도 있다. 눈주위는 검고 입술은 검붉으며 설질은 어두운 보랏빛이거나 어둡고 옅은 색이고 혀 주위가 보랏빛을 띠고 있기도 하다. 설하성맥이 노창(怒脹)되어 있다.

2. 하지가 건조하고 통증이 있는 환자: 본 증의 환자들은 피부가 건조하고 쉽게 인설이 일어난다. 특히 하지피부에서 이 현상이 뚜렷하며 종아리의 근경련과 정맥류가 나타나는 경우도 많고 오래 걷기 어려워한다. 양측 하지가 모두 붓기도 하지만 한 쪽만 붓는 경우도 많으며 하지근육이 긴장되어 있다. 하지의 피부는 어둡고 검은 경향이 자주 관찰되며, 무릎 아래가 시리고 쉽게 동상에 걸리며 발바닥이 갈라지고 티눈이 잘 생긴다.

3. 소복급결: 복부가 대체로 충실하며 특히 아랫배에서 뚜렷하다. 환자들의 배꼽 양측 특히 아랫배 왼편이 단단하고 충실하다. 누르면 저항감이 있으며 대부분 압통을 호소한다. 이들 환자들은 변비, 요통, 하지통, 치질, 충수염, 골반염, 전립선 비대 등을 호소하는 경우가 많다.

4. 여광선망(如狂善忘): 환자들은 쉽게 두통, 불면, 번조, 분노, 정서적 동요를 호소한다. 곧잘 어지럽고 기억력이 저하되어 있으며 사고의 지연 및 언어 장애가 있다.

[적용 병증]

아래의 병증과 위에 서술한 환자군의 특징이 부합하는 경우에 처방의 투약을 고려할 수 있다.

1. 월경이상이 나타나는 부인과질환으로 산후의 지속되는 출혈, 태반잔류, 자궁내막증 등

2. 복통이 나타나는 부인과질환으로 월경통, 자궁내막증, 자궁선근증, 만성골반염, 만성자궁부속기염 등

3. 종괴 및 무월경이 나타나는 부인과질환으로 난소낭종, 자궁경부낭종, 자궁근종, 다낭성난소증후군, 조기난소부전 등

4. 가슴이 답답하고 호흡곤란을 수반되는 질환으로 기관지 천식, 만성폐쇄성폐질환(COPD), 폐동맥고혈압, 늑막염, 흉막삼출 등

5. 혈액 점도의 증가를 특징으로 하는 질환으로 당뇨, 고혈압, 고지혈증, 뇌경색, 심근경색, 하지의 심부정맥혈전증 등

6. 변비가 나타나는 신장질환으로 급만성신부전, 만성신질환, 당뇨병성 신질환, 통풍성 신질환 등

7. 변비와 요통을 특징으로 하는 항문직장질환으로 치질, 치열, 습관성 변비 등

8. 국소적인 피부착색이 나타나는 만성의 안면부 감염질환으로 여드름, 주사비, 맥립종, 모낭염 등

9. 피부건조 및 인설을 특징으로 하는 질환으로 건선 및 탈모 등

10. 요통 및 보행곤란을 특징으로 하는 골관절질환으로 요추추간판탈출증, 좌골신경통, 골관절염 등

11. 하지통을 수반하는 요통 및 변비가 나타나는 남성질환으로 전립선 비대, 정맥류, 발기부전 등

12. 하지통증, 부종, 궤양이 나타나는 질환으로 당뇨병성 족부질환, 하지궤양, 정맥류 등

[가감 변화]

1. 천식, 뇌경색, 당뇨, 고혈압, 고지혈증, 대사증후군 등에서 상반신이 풍만하고 상복부에 꽉 찬 느낌의 압통이 있는 경우 대시호탕을 합방한다.

2. 얼굴이 기름지고 얼굴이 검붉으며 변비가 있는 환자로 여드름, 모낭염, 고혈압, 고지혈증 등이 있는 경우에는 삼황사심탕을 합방한다.

3. 말기 당뇨, 관상동맥질환, 뇌경색, 심방세동, 만성신염, 신증후군, 경추증 등이 보이는 환자가 복부가 부드럽고 쉽게 배고파하며 부종이 있으며 땀이 많은 소견을 보이는 경우 황기계지오물탕을 합방한다.

4. 여드름, 다낭성난소증후군, 뇌경색, 경추증 등이 있는 환자의 안면이 어두운 누런색이고 목과 등줄기가 뻣뻣하며 머리가 어지러우면 갈근탕을 합방한다.

5. 우울, 번조, 불안, 가슴 두근거림, 불면이 있는 환자에게는 시호가용골모려탕을 합방하여 처방한다.

6. 얼굴이 누렇고 부은듯한 외모이며 복통과 월경부조가 있는 경우에는 당귀작약산을 합방한다.

7. 복통이 있고 팔다리가 찬 경우에는 사역산을 합방한다.

8. 폐경, 다낭성난소증후군, 자궁내막증, 오로부절, 자궁내막증, 요추질환, 치질 등에서 환자의 얼굴이 검붉고 복통과 변비가 있으면 대황 10 g, 회우슬 20 g을 더한다.

9. 만성폐쇄성폐질환, 천식, 간질성폐렴, 폐섬유화증, 심질환 등에서 환자의 얼굴이 검붉고 입술과 혀가 보랏빛을 띠며 가슴이 답답하고 숨이 가쁘면 당귀 10 g, 천궁 15 g을 가미하여 처방한다.

10. 관상동맥질환에 의한 협심증, 심기능부전 등이 있는 환자가 어두운 누런색의 낯빛을 띠고 있으며 가슴이 답답하고 배가 더부룩한 소견 등이 보이면 귤피 30 g, 지각 30 g, 생강 20 g을 더한다.

11. 요통, 복통, 심한 통풍성 통증에 대해서는 대황 10 g, 부자 10 g, 세신 5 g을 더하여 처방한다.

[사용상의 주의사항]

1. 이 처방은 모든 방증이 다 갖춰지지 않아도 한두 가지 증상이라도 해당되면 활용 가능하다.

2. 체력이 약하고 식욕부진이 있거나 잦은 오심, 설사가 있는 경우 혹은 임산부에는 신중히 투여하도록 한다. 월경기에는 약물 복용을 일시 중단하며 월경이 과도한 경우나 응고기전장애가 있는 환자에게는 처방을 금기로 하거나 신중하게 처방한다.

[황황의 해설]

1. 계지복령환은 여성질환의 주요 처방 중 하나로 사태(死胎)를 제거하고, 월경을 통하게 하며 이상 질출혈을 멎게 하는 작용을 한다. 경전의 활혈화어 처방으로 여성질환 외 각 과의 질환에 널리 활용할 수 있는 처방이다.

2. 계지복령환은 체내에 어혈이 있는 실증(實證)체질에 적합한 처방으로 얼굴이 검붉고 피부가 거칠고 건조하며, 하복부가 충실하고 통증이 나타나면서 정신적으로 불안정하고 잘 잊는 것을 주요한 객관적 징후로 보고 처방한다. 이는 현대의 당뇨, 고지혈증 등 기저질환과 유사한 특징이다. 이 처방의 적응증은 성인에 많으며, 장년층 및 고령자에서 더 많은 것이 특징이다.

3. 계지복령환을 적용할 환자군의 특징은 안면증상, 하지의 증상, 복증, 정신증상의 4대 증상이 있는 것으로 임상진료 시에는 한두 가지의 증만 갖춰져도 투여할 수 있다. 즉, 계지복령환의 4대 증은 나타나는 순서, 증상의 발현과 소실, 증의 많고 적음, 증상의 정도, 경과의 진행 정도가 서로 다르게 나타난다.

4. 금궤요략에서는 계지복령환을 환제로 투여한다. 일본의 의학자들은 환제와 탕제의 효능을 비교하기 위한 연구를 시행하였는데, 환제가 탕제에 비해 유효성분의 함량이 높다는 결과가 확인되었다. 저자 개인의 임상경험에 따른 견해로는 탕제와 환제 모두 효과적이지만, 탕제쪽이 더 빠른 효과를 나타내는 것으로 보인다. 환제는 복용하기가 쉽고, 휴대가 간편하므로 만성질환 환자들이 장기복용하기에 더 편리한 제형이라 할 수 있다.

5. 온경탕

고대의 여성질환 처방으로 경전의 월경조절 및 미용처방이다. 에스트로겐 유사 작용이 있으며 마른 체형, 입술과 구강 건조, 건조한 손바닥, 아랫배의 불편함, 설사 등을 특징으로 하는 월경부조, 폐경, 난임 등 부인과질환에 적용한다. 또한 수척하고 허약하며 피부가 메마른 여성의 체질 개선에도 사용된다.

[원전처방]

오수유 三兩, 당귀 二兩, 천궁 二兩, 작약 二兩, 인삼 二兩, 계지 二兩, 아교 二兩, 생강 二兩, 목단피 二兩, 감초 二兩, 반하 半升, 맥문동 一升을 물 一斗로 三升이 될 때까지 달여서 따뜻하게 세 차례에 걸쳐 나눠 복용한다.(《金匱要略》)

[방증요점]

사태(死殆)가 내려오지 않거나 오로가 멈추지 않는 증. 월경부조, 난임, 폐경 등에 활용한다. 주로 하복부가 긴장되고 배가 그득한 증상과 함께 손바닥에 번열이 있으며 입술과 입이 건조한 경우에 사용한다.

[적용 환자군]

1. 수척하고 메마른 환자: 보통 체격 또는 마른 편이거나 평소에는 뚱뚱하지만 최근에 마른 경우로 피부가 건조하며 누렇고 광택이 부족하다.

2. 입술이 건조한 환자: 입술이 건조하고 주름이 있으며 붉은 광택이 없고 아프거나 열감이 있다.

3. 손바닥이 건조한 환자: 손바닥, 발바닥이 건조하고 문지르면 피부가 잘 일어난다. 쉽게 갈라지거나 긁히기 쉽고 통증이나 열감이 있다.

4. 월경부조 혹은 폐경: 희발월경이나 무월경, 부정기 질출혈 등으로 월경량이 적거나 많으며 월경색은 옅은 편이거나 진한 흑색에 가깝게 나타난다. 월경통이 있을 수 있으며 난임, 유산경향이 있다.

5. 유산 혹은 만성질환 과거력: 적응증이 있는 환자들 중 다수가 산후에 대량 출혈이 있었고 임신이나 출산 경력이 많거나 유산의 기왕력이 있다. 자궁절제술을 너무 일찍 받았거나 장기간의 설사, 오랜 만성질환, 영양실조, 폐경 후 등의 기왕력이 있다.

[적용 병증]

아래의 병증과 위에 서술한 환자군의 특징이 부합하는 경우에 처방의 투약을 고려할 수 있다.

1. 무월경 소견이 나타나는 질환으로 폐경, 자궁발육부전, 난임 등

2. 자궁출혈이 나타나는 질환으로 습관성유산, 기능성자궁출혈 등

3. 갱년기 여성에게서 나타나는 원인불명의 체중감소, 반복적인 설사, 식욕부진, 입술과 손바닥의 건조, 불면 등

4. 월경량이 감소하고 월경혈의 색이 연해지면서 국소 피부의 건조 소견이 나타나는 여드름, 습진, 손발각화증, 구순염

[가감 변화]

1. 출혈에는 생지황 30 g을 더한다.

2. 대변이 건조하고 덩어리지며 피부가 비늘처럼 일어나 있는 경우 도인 15 g을 더한다.

3. 무월경 및 기초체온 저하에는 녹각교 10 g, 법제부자 10 g을 더한다.

4. 약맛을 개선하기 위하여 대조 30 g을 더한다.

[사용상의 주의사항]

1. 환자의 체격이 비만하고 건장하며 영양상태가 좋아 피부에 붉은 광택이 도는 경우에는 신중히 투여한다.

2. 난임환자가 처방을 복용하던 중 임신이 된 경우에는 즉시 복약을 중단한다.

3. 습열(濕熱)로 인하여 가슴과 배가 그득하고 구토하는 환자, 유방창통이 있는 여성, 월경량이 많은 경우 등에는 신중히 투여하거나 장기복용하지 않도록 한다.

4. 처방 복용 중에는 족발, 닭발, 소힘줄 등 콜라겐이 풍부한 음식을 많이 섭취하도록 한다.

[황황의 해설]

1. 온경탕은 여성질환의 주요 처방으로 대부분 여성질환에 사용된다. 온경탕증에는 강조해야 할 몇 가지 특징이 있다.

첫 번째는 입술과 손바닥의 소견이다. 여성의 입술은 성적인 신호로 작용할 수 있다. 젊은 여성은 입술이 붉고 촉촉하고 팽팽하며 대부분은 생리가 원활하고 생식력이 왕성하다. 같은 측면에서, 이 시기 여성은 손도 부드럽고 희다. 시경의 '手如柔荑 膚如凝脂'라는 표현이 바로 이것이다. 그러나 월경이 불규칙하거나 무월경에 이르면 입술이 질이 건조해지고 색도 어두워지고 위축되며, 손바닥과 발바닥이 갈라지고 거칠어지게 된다.

두 번째는 월경의 양상이다. 월경이 시작되는 시기의 여성의 머리카락은 어린아이의 노란 빛에서 윤기도는 흑발로 변해간다. 정상적인 월경을 하는 젊은 여성들은 기름처럼 부드러운 피부를 가지고 있으며, 향이 나고 여성스러운 아름다움이 있다. 그러나 월경이 멈추면 대부분의 여성의 체형과 피부색이 바뀌게 된다. 온경탕증 여성에서는 월경량이 적은 경우가 대다수이며 심하면 무월경에 이르는 경우도 있다. 월경혈의 색상도 어둡고 옅다. 월경혈이 선홍색이거나 자홍색을 띄고 점성이 있는 경우에는 내열이 심한 증이므로 이와 같은 환자들에게는 온경탕이 적합하지 않다.

2. 온경탕은 출혈, 과도한 출산, 장기간의 설사, 만성질환, 영양불량,

폐경 등의 유발요인과 관련이 있다.

3. 온경탕은 임신을 돕는 처방이므로 무배란, 월경량 감소, 불규칙 월경 등이 보이는 난임에 쓸 수 있다. 일본의 大塚敬節 및 矢數道明 선생은 난임에서 온경탕이 적합한 여성은 대부분 건조하고 각질화된 손바닥 피부를 볼 수 있고 문지르면 바스락거리거나 갈라지며 긁힌 자국이 있다고 하였다. 저자의 경험으로는 온경탕으로 난임 치료를 하는 것은 3개월을 하나의 치료과정으로 하여 임신까지는 통상 1-3개 치료과정이 필요한 것으로 보인다. 임신하게 되면 약물 복용을 중단한다. 비만 경향의 여성에게는 마황, 갈근을 더하여 처방한다.

4. 온경탕은 조기난소부전 환자에게 적합하다. 40세 이전에 폐경이 온 환자들은 무월경, 혈중 성선자극호르몬 수치의 증가, 에스트로겐 수치 감소를 보이며, 임상 증상으로는 안면 홍조, 발한, 성욕 저하 등이 있다.

5. 온경탕은 갱년기 여성의 불면에 사용할 수 있다. 특히 경과가 비교적 길고 점진적인 진행 양상을 보이며, 감정상태에 영향을 받지 않아 정신적 자극과 무관하게 발생하는 불규칙 월경, 체중감소, 피부 건조증이 있는 환자에게 적합하다. 과거에는 이런 종류의 불면은 심불양심(心不養心), 심혈부족(心血不足)에 의한 것이라고 보았다. 이런 종류의 소위 혈(血)이란 월경과 관련된 호르몬을 의미한다고 볼 수 있다.

6. 온경탕은 갱년기 여성의 위장병, 반복적인 설사 또는 반복적인 복통에 사용할 수 있다. 50-60세 사이 연령대의 환자가 가장 많으며, 체중감소 경향이 있다. 종양은 아니지만 기존의 치료에 반응하지 않는 만성 장염, 대장흑색증, 위축성 위염 등이 있는 환자에게 쓸 수 있다. 온경탕은 설사와 통증 완화, 식욕 증진, 역류 억제 및 체중 증가의 효과가 있다.

7. 현대 약리 연구에 따르면 이 처방이 시상하부-뇌하수체-난소 생식선 축(H-P-O axis)에 작용하고 내분비 이상에 대한 양방향 조절 효과가 있으며, 혈류를 개선하고 혈액 점도를 감소시켜 말초순환을 개선할 수 있다고 한다. 또, 온경탕은 자궁 및 주변 조직에 대해 신진대사 및 조혈을 촉진하고 진통효과를 나타내는 작용이 있다. 정리하자면 온경탕은 천연 에스트로겐이라고 할 수 있다.

6. 당귀작약산

당귀작약산은 고대의 양태(養胎) 처방으로 양혈(養血), 조경(調經), 이수(利水), 지통(止痛)의 효능이 있어 복통, 부종, 어지러움, 두근거림, 입마름, 소변불리를 특징으로 하는 질환의 치료와 여성의 혈허체질 조리에 적용할 수 있다.

[원전처방]

당귀 三兩, 작약 一斤, 천궁 半斤, 복령 四兩, 택사 半斤, 백출 四兩. 이 여섯 약물을 가루로 만들어 방촌비(方寸匕) 분량만큼 취해 술에 섞어 하루 세 차례 복용한다.(《金匱要略》)

[방증요점]

여성의 복부 통증, 부종, 어지러움, 두통, 설사, 월경부조 등

[적용 환자군]

1. 얼굴이 누렇고 빈혈기가 있는 환자: 이 소견은 중년 여성에게 많다. 안색이 누렇거나 창백하며 빈혈기 있는 외모로 부종이나 기미가 있는 경우도 있다. 피부는 건조하고 피부 광택은 없으며 손바닥은 건조하고 누렇다.

2. 부드러운 복벽, 위내정수(胃內停水): 환자들은 복벽이 부드럽고 아래로 처져 있으며 눌러서 힘을 주어도 탄성이 없다. 하복

부에 압통이 있는 경우도 있는데, 주로 우측하복부에 많이 나타난다. 위내정수가 있어 누르면 꼬르륵 물소리가 난다.

3. 어지러움, 두근거림: 두통, 어지러움, 가슴과 복부의 두근거림, 근육 경련 등이 있는 환자. 환자 대다수는 불면, 기억력 감퇴, 시력저하 등을 호소한다.

4. 월경부조, 월경량 감소, 월경혈의 색조 감소: 이런 소견을 가진 환자들은 월경주기가 불규칙하거나 무월경, 혹은 월경통이 있다. 월경량은 적고, 색은 칙칙하고 물처럼 끈기가 적다(생리대 주변으로 물자국같은 것이 남아있다). 많은 양의 백대하가 나오거나 생리혈이 물처럼 연한 색이다. 환자들은 산과질환 위험이 높고 난임, 유산, 이상태위, 산후복통 등이 나타날 수 있다.

[적용 병증]

아래의 병증과 위에 서술한 환자군의 특징이 부합하는 경우에 처방의 투약을 고려할 수 있다.

1. 복통, 출혈이 나타나는 부인과질환으로 생리통, 폐경, 난임, 기능성 자궁출혈 등

2. 부종, 설사를 수반하는 주산기 여성의 유증상성 태위부정, 태아발육지연, 조기유산, 습관성유산, 임신고혈압 등

3. 얼굴이 누렇고 부종이 주증상인 자가면역 간질환으로 간경변, 하시모토병, 철결핍성빈혈 등

4. 월경량의 감소, 설사를 수반하는 여드름, 기미, 탈항, 치질 등

[가감 변화]

1. 하시모토병, 자가면역간질환, 난임 등에서 월경량 감소, 누런 얼굴빛, 찬 것을 싫어하는 소견이 관찰되는 여성에는 소시호탕을 합방한다(柴歸湯).

2. 다낭성난소증후군, 무월경, 여드름 등에서 얼굴빛이 누렇고 어두운 경우에는 갈근탕을 합방한다.

3. 두통, 뇌경색, 다낭성난소증후군 등에서 월경부조가 있고 설진상 설질이 어두운 보라색이며 하복부가 충실한 환자에는 계지복령환을 합방하여 처방한다.

[사용상의 주의사항]

1. 이 처방 복용 후 설사를 하는 경우에는 백작약의 용량을 적당히 줄인다.

2. 이 처방을 안태 목적으로 사용하는 경우에는 용량을 줄여서 투약한다.

[황황의 해설]

1. 당귀작약산은 복통, 월경부조를 임상적 특징으로 하는 허증 체질에 적용하는 처방이다. 중의에서는 "血虛血瘀, 脾虛水停" 병태로 해석한다. 본 증은 여성, 특히 중년여성에서 많으며, 대부분 속칭 황검파(黃臉婆)라고 하는 상태이다. 즉, 얼굴빛이 누렇거나 창백하고, 빈혈기가 있으며 부종, 기미가 있으며 피부가 건조하고 광택이 사라져 있다. 그러므로 소위 "화미인(火美人, 붉고 윤택한 피부의 여성 환자를 지칭하는 저

자의 표현 – 역자 주)"에게는 신중히 투여하여야 한다. 복부가 부드럽고 위내진수음이 있는 경우에 투여하며, 배가 북처럼 탄탄하고 복통이 있을 때 배를 누르면 아파하는 경우 사용할 수 없다. 이 처방 적응증이 있는 여성의 월경량은 대부분 적고 색은 옅은 편이다. 월경량이 많고 색이 붉은 경우에는 신중히 투여한다.

2. 당귀작약산은 여성의 산과질환 외에도 습관성 변비나 산후 변비와 같은 여성의 기타 만성질환에도 사용할 수 있다. 이 같은 경우에는 반드시 백작약을 많이 써야 하는데, 탕제(湯劑)를 기준으로 30 g 이상 투여하며 60 g까지도 투여할 수 있다.

3. 당귀작약산은 항문직장질환에도 효과적이다. 《類聚方廣義》에서는 탈항이나 종통(腫痛)이 있으며 물설사가 멈추지 않는 환자에 당귀작약산이 효과적이라고 말하고 있다. 위장 내 진수음이 있는 경우 외대복령음(外臺茯苓飮)을 합방한다. 두훈, 부종이 있고 맥침(脈沈)한 경우 진무탕을 합방한다. 두통이 있으면서 어둡고 누런 얼굴빛이라면 갈근탕을 합방한다. 허리와 배가 차고 무거운 경우 감강영출탕(甘薑苓朮湯)을 합방한다.

4. 당귀작약산은 만성 간질환에도 사용할 수 있으며 남성에게도 투약이 가능하다. 만성간염, 간경화, 갑상선항진증 치료목적으로 양약을 복용한 후 발생한 간손상, 자가면역 간질환 등의 치료 시에는 소시호탕과 합방하는 경우가 많다. 이 처방의 적응증이 있는 환자들은 대체로 부종이나 가벼운 복수가 있으며 얼굴빛이 누렇고 가벼운 빈혈이 있다.

7. 마황탕

고대 상한병의 주처방이며 경전의 신온해표(辛溫解表) 처방이다. 발한, 해열, 평천, 진해, 중추신경계 흥분 등의 효능이 있어, 땀이 나지 않고 기침이나 전신통증이 있으면서 맥부유력(脈浮有力)한 증상을 특징으로 하는 질환에 적용한다.

[원전처방]

마황 三兩, 계지 二兩, 감초 一兩, 행인 七十枚. 이 네 약물을 물 九升으로 달이는데, 먼저 마황을 달여 二升이 줄어들면 위에 뜬 거품을 제거하고 남은 약을 넣어 二升半까지 달여서 찌거기를 제거하고 八合을 따뜻하게 복용한다. 이불을 덮어 약간 땀을 내되 죽을 같이 먹을 필요는 없다. 나머지는 계지탕과 같이 조리한다.(《傷寒論》)

[방증요점]

땀이 없으면서 발열이 있고 머리와 전신에 통증이 있으며 기침을 하기도 한다. 맥은 부긴(浮緊)하다.

[적용 환자군]

1. 누렇고 부은 환자: 환자들은 체격이 건장하고 어둡고 누런 얼굴빛이다. 피부는 건조하고 거칠며 광택이 없고 부은 듯한 외양

을 하고 있다.

2. 무한(無汗): 환자들은 평소에 땀이 없거나 적고 감기에 잘 걸린다. 땀을 내면 기분이 좋아진다.

3. 전신 통증: 쉽게 몸이 아프고 특히 허리 통증, 두통이 뚜렷하다. 코가 잘 막히고 기침이 잘 나타난다.

[적용 병증]

아래의 병증과 위에 서술한 환자군의 특징이 부합하는 경우에 처방의 투약을 고려할 수 있다.

1. 발열이 관찰되는 질환으로 일반 감기, 인플루엔자 발열, 폐렴, 급성유선염 초기의 발열 등

2. 운동장애가 관찰되는 질환으로 뇌경색, 중풍후유증 편마비, 다발성 경화증, 파킨슨병, 급성척수신경염, 척수막류 등

3. 신체통증이 관찰되는 질환으로 어깨통증, 강직성척추염, 좌골신경통, 관절염, 경추증 등의 통증 등

4. 피부건조, 무한(無汗)이 관찰되는 질환으로 습진, 담마진, 건선 등

5. 부종이 나타나는 질환으로 신염(腎炎)

6. 기침이 나타나는 질환으로 기관지천식, 비염, 알러지 비염 등

7. 골반장기의 무력, 하수(下垂)가 나타나는 질환으로 자궁하수, 난산, 요실금 등

[가감 변화]

1. 근육통 및 부종에는 백출 20 g을 더한다. 관절통에는 백출 20 g, 부자 15 g을 더한다.

2. 건선에는 계지복령환을 합방하며, 땀이 많고 열을 싫어하는 증에는 계지복령환을 합방하고 생석고 30 g, 법제대황 10 g을 더한다.

[사용상의 주의사항]

1. 피부가 희고 기상충(氣上衝)이 있으며 쉽게 열이 오르고 땀이 나면서 맥이 약하고 힘이 없는 환자나 평소 쉽게 어지럽고 눈이 아찔하거나 가슴 두근거림, 불면, 번조, 불안이 있는 환자로 고혈압, 심질환, 당뇨 및 항암방사선요법으로 몸이 극도로 수척해진 경우 등에는 모두 신중히 투여한다.

2. 이 처방은 공복에 복용하는 것을 피하고 커피나 차와 같이 복용하지 않도록 한다.

[황황의 해설]

1. 마황탕은 무한(無汗), 관절통을 주요 특징으로 하는 실(實)한 체질에 투여하는 처방이다. 적응증이 있는 환자들의 피부는 치밀하고 체격과 기운이 충실하다. 중의에서는 "風寒束表, 腠理閉塞"로 해석한다. 이와 같은 체질의 감모(感冒), 관절통증, 피부질환, 뇌경색 등에 안전하게 사용할 수 있다.

2. 고대에는 이 처방을 상풍(傷風)에 의한 감모로 발열이 있지만 땀

이 나지 않으며 두통과 전신통 및 코막힘이 있는 환자에게 투여했다. 전신증상은 심하지만 국소증상은 가벼운 것이 특징이다. 임상적으로는 감기, 인플루엔자, 급성비염 등에 활용한다. 이들은 대부분 한사(寒邪)와 관련하여 나타난 증으로 이 처방으로 땀을 내면 낫는다.

3. 마황탕증의 환자들은 체격이 건장하고 관절, 근육의 통증이 있으며 허리와 등의 통증, 무릎관절통 등이 많다. 이 경우에는 백출이나 창출을 가미하고 통증이 심한 경우에는 부자를 더하여 처방할 수 있다.

4. 국소환부가 건조하고 거칠며 땀을 내면 증상이 좋아지는 피부질환으로 두드러기, 건선, 어린선 등에 마황탕과 계지탕, 계지복령환, 생석고, 대황 등을 합하여 사용할 수 있다.

5. 마황탕은 대뇌중추를 흥분시키는 작용이 있어 뇌졸중 후 의식저하, 뇌경색, 가스중독, 수면제 과다복용 등에도 활용할 수 있다.

8. 마황부자세신탕

고대에 온열성 진통제로 사용되었다. 경전의 온경산한(溫經散寒) 처방으로 진통, 진정, 항염증, 항알러지작용을 가지며 아드레날린(에피네프린)과 유사한 작용을 한다. 피로감이 있고 오한은 있지만 땀이 나지 않으며 몸의 통증과 맥침(脈沈)을 특징으로 하는 질환에 활용할 수 있다.

[원전처방]

마황 二兩, 세신 二兩, 부자 一枚. 이 세 약물을 물 一斗로 달이되, 먼저 마황을 달여 二升이 줄어들면 거품을 걷어내고 남은 약을 三升이 될 때까지 달인 후 찌꺼기를 제거한다. 一升을 하루에 세 차례 따뜻하게 복용한다.(《傷寒論》)

[방증요점]

발열, 오한이 있으나 땀이 없다. 온몸이 아프고 힘들어 자고 싶어하며 맥은 침(沈)하다.

[적용 환자군]

1. 체격이 건장하고 얼굴이 검은 환자: 체격이 건장하고 얼굴빛 어둡고 누렇거나 검다. 피부에는 광택이 없고 건조하며 땀이 없다.

2. 극심한 피로: 정신이 피로하고 의기소침하며 표정이 없고 목소리에도 힘이 없거나 어지럽고 피로하여 자고 싶다. 부르면 반응은 있으나 둔하고 느리며 청각, 후각, 미각, 촉각도 둔감해져 있다.

3. 현저한 오한: 추위를 싫어해 옷을 두껍게 입고 특히 머리와 등줄기의 냉감이 뚜렷하다. 항상 머리에 스카프나 모자를 쓴다. 체온은 높아도 열감이 없는 경우도 있다.

4. 맑은 분비물: 침이 많이 나오고, 열이 나도 물을 마시지 않는다. 맑은 콧물이 흐르는데 환자는 자각하지 못한다. 묽은 가래나 맑은 소변 등의 소견이 있다.

5. 통증: 두통, 인후통, 요통, 치통 등이 있다.

6. 맥침(脈沈): 맥은 깊게 눌러야 느낄 수 있으며, 침(沈)하지만 약하지는 않다. 맥침긴(沈緊), 침세(沈細)한 경우도 있다.

7. 유발 요인: 과도한 피로, 추위, 한량(寒凉)한 처방의 남용, 월경 등

[적용 병증]

아래의 병증과 위에 서술한 환자군의 특징이 부합하는 경우에 처방의 투약을 고려할 수 있다.

1. 발열이 관찰되는 질환으로 감기, 항생제내성균감염 발열 등

2. 추위와 피로를 원인으로 하며 무한(無汗), 누런 얼굴빛 등이 특징인 돌발성 질환으로써 갑작스러운 발성장애, 돌발성 난청, 갑작스러운 시력저하, 안면신경마비, 뇌간뇌염 등

3. 통증이 나타나는 질환으로 삼차신경통, 편두통, 뇌동맥류 두

통, 좌골신경통, 요추손상, 관절통, 치통, 신결석에 의한 신교통(腎絞痛), 월경통, 갱년기 설통 등

4. 수면장애가 나타나는 질환으로 기면 및 불면

5. 서맥이 나타나는 질환으로 동기능부전증후군

6. 반응의 저하가 나타나는 질환으로 월경지연, 폐경, 변비 등

7. 비폐색이 나타나는 질환으로 알러지 비염

8. 뚜렛증후군, 파킨슨병 등에서의 떨림과 경련

[가감 변화]

1. 허리가 무겁고 피로한 경우 건강 10 g, 복령 15 g, 백출 15 g, 감초 5 g을 더한다.

2. 수척하고 식욕저하가 있으면 원방에 계지, 감초, 생강, 대조를 더하여 독성을 줄이고 효과를 높인다.

3. 두근거림, 서맥이 있는 경우 계지탕을 합방하여 처방한다.

4. 허리와 대퇴부 통증이 있는 경우 작약감초탕을 합방하여 처방한다.

5. 무월경, 돌발성 난청이 있는 경우 갈근탕을 합방하여 처방한다.

6. 갑상선기능저하가 있는 경우 진무탕을 합방하여 처방한다.

7. 여드름, 피부염에는 계지복령환을 합방하여 처방한다.

[사용상의 주의사항]

1. 마황, 부자, 세신 모두 독성이 있으나 오래 달이면 독성이 줄

어든다. 그러므로 이 처방은 탕제로만 사용할 수 있고 산제(散劑)로는 사용할 수 없다.

2. 이 처방은 장기 투약하거나 고용량 투약해서는 안된다. 일반적으로 효과를 얻고 난 이후에는 용량을 줄이거나 복용을 중단한다.

3. 이 처방은 식후에 복용하도록 하며 공복 시에 복용할 경우 발한, 무력, 가슴 두근거림 등 이상반응이 나타날 수 있다.

[황황의 해설]

1. 마황부자세신탕은 일종의 피로에 의한 신체반응의 지연상태로, 땀이 없고 정신이 피로하며 맥침(脈沈) 등의 소견이 보일 때 적용할 수 있다. 이 증은 일반적으로 피곤한 상태에서 추운 날씨나 차가운 음식에 노출되어 갑자기 나타난다. 중의에서는 "寒邪直中少陰"이라고 표현하며 "陽虛在裏, 風寒在表"의 병기로 해석한다.

2. 맥침(脈沈)은 마황부자세신탕방증의 중요한 객관적 증거이다. 맥을 깊게 잡아야 확인할 수 있는데, 침맥(沈脈)이지만 약맥(弱脈)은 아니다. 혹은 맥침긴(沈緊), 침세(沈細)할 수 있으나, 대부분 맥침완(沈緩), 맥침지(沈遲) 경향으로 이는 서맥을 의미한다.

3. 마황부자세신탕은 해열작용이 있으므로, 이에 중의에서의 양허발열(陽虛發熱)증에 활용할 수 있다. 즉, 열은 있지만 땀이 없으며 통상적인 해열약이 효과가 없는 경우, 오한이 있고 피로가 뚜렷한 경우, 콧물이 물같은 경우, 열이 나지만 물을 마시고 싶지 않은 경우 등이 해당된다. 일반적으로 이 같은 용도의 투약 시에는 가감을 하지 않는다. 약물 복용

후에는 전신에 열이 먼저 나고 계속해서 땀이 나면서 치료된다.

4. 마황부자세신탕은 좋은 진통효과가 있으므로 통증이 격렬하거나 돌발성이면서 추위로 증상이 심해지는 경우에도 활용할 수 있다. 심한 두통, 관절통, 인후통, 요퇴통, 흉통, 치통, 설통, 생식기 통증 등에 활용할 수 있다.

5. 마황부자세신탕은 심박을 증가시키는 효능도 있으므로 동기능부전증후군, 확장성심근병증, 중증방실전도차단, 심근염 등에 활용할 수 있다. 맥이 완(緩)하고 정신이 피로한 경우에는 계지, 육계, 건강, 인삼, 감초, 대조 등을 더하여 처방한다.

6. 마황부자세신탕은 항알러지 효과를 내며, 일본에서는 꽃가루 알러지, 알러지 비염, 알러지성 결막염 치료에 많이 활용한다. 이 때는 마황부자세신탕 단독으로 쓸 수 있으며, 소청룡탕이나 옥병풍산과 합방하여 쓸 수도 있다. 이 처방은 항히스타민제에서 나타나는 졸림 증상을 일으키지 않는다.

7. 마황부자세신탕은 보통 추위에 의한 급성질환에 쓰인다. 특히 월경기, 성생활 후, 또는 심한 피로 후 추운 날씨에 노출된 것과 관련이 있다. 돌발성 실명, 돌발성 난청, 돌발성 발성장애, 돌발성 하지무력 등에 마황부자세신탕을 처방할 수 있다.

9. 마행감석탕

고대의 청열평천(淸熱平喘) 처방이다. 해열과 기침을 치료하고 땀을 멎게 하는 효능이 있다. 이 처방에는 항알러지 작용이 있어 땀이 나면서 기침, 갈증, 번조 등이 특징적으로 나타나는 질환에 적용한다.

[원전처방]

마황 四兩, 행인 五十枚, 감초 二兩, 석고 半斤. 물 七升으로 마황을 달여 二升을 졸이고, 위에 뜬 거품을 제거하고 남은 약을 二升이 되도록 달이고 찌꺼기를 제거한 후 一升을 따뜻하게 복용한다.(《傷寒論》)

[방증요점]

땀이 나고 기침이 있다. 코가 막히거나 피부가 가렵고 가래가 끈끈하고 안면이 붓는다.

[적용 환자군]

1. 몸이 건장하고 피부가 거친 환자: 환자들은 체격이 건장하고 모발이 검고 윤기있으며 치밀하다. 피부는 대체로 거칠고 건조하나 기침 시에 땀이 난다. 얼굴이나 눈꺼풀은 약간 부은 모습이다. 피부는 비교적 거칠고 발진, 가려움, 두드러기 등이 잘 생긴다.

2. 더위를 싫어하고 활동적인 환자: 환자들은 활동적이고 더운 것을 싫어하며 찬 음식과 과일을 좋아한다. 가래, 콧물은 점성이 있으며 입이 마르고 입맛이 쓰다.

3. 인후가 붉고 코막힘이 있는 환자: 쉽게 코가 막히고 가려우며 재채기가 잘 난다. 콧물은 진득하고 쉽게 목이 붓고 편도체나 아데노이드 비대가 있어서 코를 잘 곤다.

[적용 병증]

아래의 병증과 위에 서술한 환자군의 특징이 부합하는 경우에 처방의 투약을 고려할 수 있다.

1. 발열과 기침이 나타나는 질환으로 인플루엔자, 대엽성폐렴, 마이코플라스마폐렴, 바이러스성폐렴, 홍역성폐렴, 기관지폐렴, 기관지염, 기관지 천식 등

2. 코막힘이 나타나는 질환으로 알러지 비염, 부비동염, 비출혈 등

3. 눈에 발적, 부종, 통증, 눈부심, 눈물의 과다분비 등 소견이 뚜렷하고 간혹 두통과 발열이 있는 안과질환으로 각막염, 결막염, 각막궤양, 누낭염 등

4. 열에 의해 가려움이 악화되는 피부질환으로 아토피성 피부염, 건선, 접촉성 피부염, 두드러기, 장미색 비강증, 여드름 등

5. 치질, 항문 누공, 야뇨증, 요저류 등에서 체격이 크고 땀을 흘리기 쉬운 체질의 환자

[가감 변화]

1. 기침, 누런 가래, 폐감염에는 연교 30 g, 황금 10 g, 산치자 10 g을 더한다.

2. 대변불통이 있고 설태가 두터우면 대황 10 g을 더한다.

3. 배가 더부룩한 증상이 있으면 지실 10 g, 후박 10 g을 더한다.

4. 인후통과 끈적이는 가래가 있으면 길경 10 g, 반하 10 g을 더한다.

[사용상의 주의사항]

소아구루병, 심장질환 환자에는 주의하여 투약한다. 일부 환아에게서 과다발한과 번조가 나타날 수 있으므로 이같은 경우에는 소량씩 자주 투여하도록 한다. 통상 한 번의 진료에 2-3일 분량을 처방한다.

[황황의 해설]

1. 마행감석탕은 발한, 기침 및 거친 피부가 특징인 체질에 쓸 수 있는 처방이다. 이 처방의 적응증은 체형이 상대적으로 비만한 소아에게서 많이 보인다. 증상의 발생은 유전, 식이, 운동부족, 감염, 알러지 등의 요인과 관련이 있다.

2. 마행감석탕은 열증(熱證) 기침에 효과적인 처방으로 각종 폐렴에 우선 선택할 수 있는 처방이 되며 바이러스성 폐렴, 기관지 폐렴, 대엽성 폐렴, 마이코플라스마 폐렴, 홍역성 폐렴 등에 활용할 수 있다. 특히 젊

은 환자, 건장한 소아환자의 폐렴에 활용할 수 있다.

3. 이 처방은 기침, 발한을 주요 특징으로 하는 급성 기관지염, 천식성 기관지염, 기관지천식 등 호흡기질환에도 투여할 수 있다. 가래가 노랗고 끈끈하면 소함흉탕을 합방한다. 가슴이 답답하고, 번조한 경우에는 황금, 치자, 연교를 더하여 처방한다. 변비에는 대황, 과루를 더하여 처방한다. 저자는 항상 껍질을 깎은 배 1개를 잘라 마행감석탕과 탕전한다. 어린이의 경우 얼음사탕(氷糖, 설탕의 일종으로 순도 높은 수크로스의 커다란 결정이며 외견이 얼음과 매우 닮아서 이와 같이 부름 - 역자 주)과 함께 복용시켜 복약을 쉽게 한다.

4. 마행감석탕은 코를 뚫는 작용이 있다. 저자는 소아의 부비강염, 편도체비대, 아데노이드비대 등에 사용하여 코골이와 코막힘 등의 증상을 호전시키고 있다.

5. 마행감석탕은 가려움을 멈출 수 있다. 저자는 이 처방에 형개, 방풍, 대황, 연교 등을 가미하여 소아의 아토피성 피부염에 사용한다. 생마황 5-10 g, 행인 15 g, 생석고 30 g, 생감초 5 g, 법제대황 5-10 g, 형개 15 g, 방풍 15 g, 연교 30 g, 박하 5 g, 길경 10 g을 처방 조성으로 물 300 mL에 달여 매번 50 mL씩 하루 2-3회 복용하도록 하고 있다.

6. 마행감석탕은 항문직장질환을 개선하는 효능도 있어 성인의 치루, 치질, 내치핵, 치열, 탈항, 항문 신경증 등에 효과적이다. 국소 증상으로 절박변의, 항문하수, 대변무력, 통증 등이 있다. 환자 다수는 건장한 체격으로 가슴의 답답함, 기침, 피부의 가려움 등 소견을 동반하기도 한다.

10. 갈근탕

고대의 온화한 발한제이다. 산한서근(散寒舒筋)하는 효능이 있으며 해열, 진통, 항알러지, 항응고, 뇌혈류 개선, 항피로, 월경 촉진 등 작용이 있다. 오한, 무한(無汗), 두통, 전신통, 목덜미와 등줄기의 강한 통증, 식후 졸음, 피로, 묽은 변 등을 특징으로 하는 질환에 적용한다.

[원전처방]

갈근 四兩, 마황 三兩, 계지 二兩, 생강 三兩, 감초 三兩, 작약 二兩, 대조 十二枚. 물 一斗에 먼저 마황, 갈근을 달여 二升이 줄어들면 흰 거품을 제거하고 남은 약물을 다 넣어 三升까지 달이고 찌꺼기를 제거한 후 一升을 따뜻하게 마시고 이불을 덮고 약간 땀을 낸다.(《傷寒論》《金匱要略》)

[방증요점]

목덜미와 등줄기가 아프고 설사가 있으며 땀이 나지 않고 근육 경련이 있다.

[적용 환자군]

1. 곰같은 허리와 호랑이 같은 등줄기(熊腰虎背): 체격이 건장하고 기육이 튼튼하며 맥이 유력하다. 육체노동을 하는 환자 혹은

청장년에서 흔히 볼 수 있다.

2. 거칠고 건조한 피부: 환자들의 피부색은 누렇고 어둡거나 검붉은 색이며 피부가 거칠고 건조하다. 등에서 얼굴에 이르는 부위에 여드름이 잘 생긴다. 적응증이 있는 환자들은 평소에는 땀이 잘 나지 않는 편이나 땀이 난 이후 질환이 잘 호전된다. 여름에는 증상이 호전되고 겨울에 심해지는 경향이 있다.

3. 쉽게 피로해지는 환자: 피로, 무기력감, 기면(嗜眠), 비교적 느린 반응 등

4. 두부 질환이 많은 환자: 목과 등 허리의 긴장, 통증, 난청, 이명, 여드름, 피부의 건선 등

5. 이상월경: 여성의 불규칙월경, 월경량 감소, 월경주기의 연장 및 무월경, 월경통 등

[적용 병증]

아래의 병증과 위에 서술한 환자군의 특징이 부합하는 경우에 처방의 투약을 고려할 수 있다.

1. 발열 및 무한이 나타나는 질환으로 감기, 초기 유선염, 초기 모낭염 등

2. 목덜미와 등줄기 및 허리와 다리의 통증이 나타나는 질환으로 경추질환, 염좌, 어깨관절주위염, 요추추간판탈출, 급성요추염좌, 만성요부근긴장 등

3. 여드름, 모낭염, 치주농양, 치수염, 부비동염, 알러지 비염 등 두면부의 만성염증

4. 이비인후과 영역의 감각장애가 나타나는 질환으로 돌발성난청, 안면신경마비, 측두하악관절장애 등

5. 어지러움이 나타나는 소견으로 뇌경색, 고혈압, 뇌동맥경화증, 음주 등

6. 월경이상이 나타나는 질환으로 다낭성난소증후군, 월경지연, 무월경, 월경통

[가감 변화]

1. 무월경이나 지연월경이 있으면서 몸이 붓는 경우 당귀작약산을 합방한다.

2. 허리가 시리고 무거우며 정신이 피로하고 힘이 없다면 백출 20 g, 복령 15 g을 더한다.

3. 요통, 요퇴통, 월경이상, 무월경 등 소견이 있으면서 얼굴빛이 붉고 변비가 있는 경우 계지복령환을 합방한다.

4. 머리의 궤양, 삼차신경통, 말초성 안면신경염, 난청, 치통과 함께 두통과 변비가 있는 경우 대황 10 g, 천궁 15 g을 더한다.

5. 비염, 부비동염에는 천궁 15 g, 신이화 10 g을 더한다.

[사용상의 주의사항]

1. 여윈 체격으로 허약하며 병이 잦은 경우나 얼굴이 희고 땀이 많은 경우, 심기능이 떨어져 있거나 심박 이상이 있는 경우 등에는 신중히 투여한다.

2. 처방 복용 후 가슴이 두근거리고 땀이 많이 나면 잠시 투약

을 중단한다.

3. 이 처방은 식후에 복용한다.

[황황의 해설]

1. 갈근탕은 목덜미와 등줄기 및 요퇴부의 통증이 주요 임상적 표현으로 두통과 어지럼증, 이비인후과 영역 감각기관의 이상으로 인한 신경혈관계의 문제 등을 치료하는 데에 사용된다. 중의에서는 이를 전통적으로 "寒邪外束, 經水不利"라 해석한다. 이는 안면부, 경항부의 혈액순환 장애 및 한선, 부신, 생식선과 같은 내분비선의 기능저하와 관련이 있다.

2. 보통의 감기에 갈근탕을 많이 쓰게 된다. 대부분 두통, 코막힘, 재채기 등의 증상이 수반되는 환자들이며, 이들은 약물 복용 후 약간 땀이 나면서 증상이 좋아진다. 인후통이 있거나 기침이 있으면서 가래를 뱉기 힘든 경우에는 길경을 더한다. 열이 나고 땀이 있으며 갈증이 심하게 나는 경우에는 생석고를 더한다. 코막힘이 잘 낫지 않으면 천궁, 신이화를 더한다.

3. 돌발성난청에도 갈근탕을 많이 쓰게 되는데 대부분 갑작스러운 발병, 추위에 의한 감기, 얼굴이 누렇고 뇌경색이 있는 환자, 고지혈증, 체격이 건장한 중고령자들인 경우가 많다. 이들에게는 통상 천궁을 더하여 쓴다. 피로해하면서 침맥(沈脈) 소견이 있는 경우 부자, 세신을 더한다.

4. 다낭성난소증후군에 대해 갈근탕을 쓸 수 있다. ① 어열(瘀熱)형 다낭성난소증후군(체격이 건장하고 체모가 많으며 안색이 검붉고 얼굴

부에 자흑색 여드름이 있으면서 하복부가 충실하고 융기되고 압통이 있는 다낭성난소증후군 환자)에는 계지복령환을 합방하고 대황, 우슬을 더하여 처방한다. ② 한습(寒濕)형 다낭성난소증후군(얼굴이 누렇고 건조하며 체모는 많지 않고 허리와 엉덩이 및 배에 탄력이 없으며 잦은 설사와 부종이 있거나 난임이 있는 환자)에는 당귀작약산을 합방한다.

5. 여드름에 갈근탕을 상용한다. 환자들의 병소는 대부분 어두운 색조이다. 창두(瘡頭)는 깊게 함몰되어 있고 등에 소견이 많이 관찰된다. 병변이 어두운 보라색이고 결절반흔이 있다면 계지복령환을 합방하여 처방한다. 농포성 여드름에는 대황, 천궁을 더한다. 안면부의 감염이 자주 있으며 피지가 많은 경우에는 사심탕을 합방하여 처방한다.

6. 갈근탕은 흥분효과가 있으므로 피로 및 기면 환자들에게 사용할 수 있다.

11. 황기계지오물탕

고대의 혈비병(血痺病) 치료 처방이며 전통적인 처방이기도 하다. 혈비를 통하게 하여 악창(惡瘡)을 치료하며 자한을 멈추는 효능이 있고, 심혈관혈류 및 미세순환을 개선시키며 면역증강작용 등의 약리작용이 있다. 주로 팔다리의 감각저하 및 저림, 자한, 부종을 특징으로 하는 만성질환에 적용한다.

[원전처방]

황기 三兩, 계지 三兩, 작약 三兩, 생강 六兩, 대조 十二枚. 이 다섯 약물을 물 六升에 넣고 二升이 될 때까지 달여 七合을 따뜻하게 하루 세 차례 복용한다.(《金匱要略》)

[방증요점]

근육이 푸석하고 늘어진다. 팔다리가 힘이 없고 무겁다. 관절의 감각저하 및 통증, 부종, 자한, 설질은 어둡고 맥은 미(微), 삽(澁), 긴(緊)하다.

[적용 환자군]

1. 얼굴이 누렇고 입술이 어두우며 부은 듯한 용모의 환자: 환자들의 체형은 비만한 편이며 얼굴이 누렇고 피부에 광택이 없다. 무표정하며 피로해한다. 피부에 탄력이 없고 목에는 셀룰라이트가 있

으며 부은 듯한 외양이다. 설진상 설체(舌體)가 비대하고 색은 어두운 보라색이고 입술도 어둡다. 중년 및 노인에게서 많이 보인다.

2. 크고 부드러운 복부: 복부가 크지만 부드럽다. 배꼽이 깊이 가라앉았고 누르면 저항감이 없다. 복부가 풍만하고 충실한 경우에도 누르면 아프지 않으며 식욕이 왕성하다.

3. 약(弱)하거나 삽(澁)한 맥상: 심기능 부전으로 맥이 힘이 없고 침약(沈弱)하거나, 침세소(沈細小)하다. 심박의 이상으로 맥이 삽(澁)하여 칼로 대나무를 자르는 것과 같이 매끄럽지 않은 흐름이 느껴진다.

4. 다리의 부종과 통증 및 궤양: 하지가 잘 붓고 국소 환부의 피부가 건조하고 어둡다. 달리면 통증이 있거나 근긴장이 잘 일어나며 감염이나 궤양 및 감각저하가 잦다.

[적용 병증]

아래의 병증과 위에 서술한 환자군의 특징이 부합하는 경우에 처방의 투약을 고려할 수 있다.

1. 팔다리의 감각저하 및 저림이 나타나는 질환으로 당뇨, 관상동맥질환, 협심증, 고혈압, 뇌경색, 중풍후유증, 경추증, 추골기저동맥허혈, 말초신경염, 당뇨병성말초신경염 등

2. 관절통증이 나타나는 질환으로 요추추간판탈출, 경추증, 골관절염, 어깨관절주위염, 좌골신경통, 퇴행성무릎관절염 등

3. 부종이 나타나는 질환으로 비만, 고지혈증, 만성신염, 신증후군, 신기능부전, 요독증, 빈혈 등

[가감 변화]

1. 팔다리의 통증, 마비 및 저림에는 회우슬 15 g을 더한다.

2. 고혈압, 관상동맥질환, 뇌경색에서 보이는 어지러움, 두통, 가슴의 답답함 및 통증에는 갈근 30 g, 천궁 15 g을 더한다.

3. 당뇨병성신병증 등에서 얼굴이 붉고 아랫배의 압통이나 종아리의 피부건조 어혈 소견이 보이는 경우 계지복령환을 합방한다.

[사용상의 주의사항]

몸이 마르고 배가 그득한 환자에게는 신중히 투여한다. 황기의 과용량 투약은 식욕을 감소시킬 수 있다.

[황황의 해설]

1. 황기계지오물탕은 팔다리의 감각저하 및 저림, 부종, 피로 등을 임상적 특징으로 하며 주로 허증체질에 활용하는 처방으로 본 증에 해당하는 대부분의 환자들은 대사이상과 혈관장애를 가지고 있다. 이와 같은 소견은 노인과 당뇨병 환자에게서 많이 보이며 관절염, 비만, 신질환, 빈혈 등에서도 흔히 관찰된다.

2. 황기계지오물탕은 만성기 당뇨에서의 주요 처방이다. 팔다리의 감각저하와 마비 및 통증을 억제하고 피로, 다한(多汗)을 개선하며 궤양의 유합을 촉진하는 효과가 있다. 얼굴이 붉고 요통과 변비가 있는 경우에는 계지복령환을 합방한다. 당뇨병성 족부궤양, 다리의 감각저하 및 통증에는 사미건보탕(四味健步湯)을 쓴다(적작약 30 g, 회우슬 30 g, 단삼 20 g, 석곡 30 g).

3. 황기계지오물탕은 심혈관 보호효과가 있다. 이를 통해 당뇨, 고혈압, 뇌동맥경화, 추골기저동맥허혈 등에서 나타나는 시력저하, 이명, 이롱, 어지러움, 사고지연, 기억력감퇴, 안면 및 팔다리의 감각이상 등을 호전시킬 수 있으며 통상 갈근, 천궁을 더하여 처방한다. 심혈관질환에서 가슴이 답답하면서 피로감과 다한(多汗)이 있을 때 적용할 수 있으며 관상동맥질환에 의한 협심증, 심근경색의 유지기 재활에도 본 처방을 상용한다.

4. 만성신질환에서 황기계지오물탕을 처방할 기회가 많다. 본 방은 당뇨병성 신질환, 고혈압성 신증, 만성신염, 신증후군 등(다량의 단백뇨, 저단백혈증, 고도의 부종, 고지혈증) 부종이 뚜렷한 소견에 처방한다. 부종에는 진무탕을 합방하고 쉽게 감기에 걸리고 자한(自汗)경향이 있는 환자에게는 옥병풍산을 합방하며 부종이 뚜렷하지 않고 얼굴이 검붉으며 변비가 있으면 계지복령환가대황을 황기계지오물탕과 교대로 투여한다. 황기계지오물탕은 부종과 단백뇨를 억제하며 혈중 크레아티닌을 감소시켜 신기능부전의 진행을 지연시키는 효능이 있다.

5. 황기를 대량투여하면 식욕을 억제할 수 있으며 일부 환자는 식욕저하와 복부팽만을 호소하게 된다. 복창이 있는 환자는 이로 인하여 번조해지고 쉽게 화를 내게 되므로 투약 용량을 줄인다.

6. 황기계지오물탕증과 대시호탕증은 서로 상당히 유사하며 두 방증에 해당하는 사람의 체격은 매우 크다. 감별점은 다음과 같다: ① 복창 및 역류의 유무, ② 복벽의 강도 차이. 복벽이 단단하고 복부가 창만하면서 통증과 위산 역류가 있는 환자는 대시호탕을 써야 한다.

12. 대시호탕

고대의 숙식병(宿食病) 치료 처방으로 전통적인 화해청열공리(和解淸熱攻裏) 처방이기도 하다. 진통, 창만(脹滿)의 제거, 통변, 강역(降逆), 청열의 효능이 있다. 아울러 이담(利膽), 보간(補肝), 지질강하, 혈압강하, 장운동 촉진, 면역조절, 항염증, 항알러지, 항바이러스, 항균작용이 있다. 상복부를 눌렀을 때 그득한 통증이 발생하는 것을 특징으로 하는 질환의 치료와 실열(實熱) 체질의 조리에 본 방을 적용한다.

[원전처방]

시호 半斤, 황금 三兩, 반하 半升, 지실 四枚, 작약 三兩, 대황 二兩, 생강 四兩, 대조 十二枚. 이 일곱 약물을 물 一斗二升으로 달여 六升이 되면 찌꺼기를 제거하고 다시 달여 一升을 하루 세차례 따뜻하게 복용한다.(《傷寒論》《金匱要略》)

[방증요점]

구토와 울체가 은근하게 나타나며 약간 답답한 증상, 한열왕래, 발열로 땀이 나는 증상 등이 해소되지 않는 경우. 심하를 누르면 그득한 통증이 있다.

[적용 환자군]

1. 상체가 크고 두껍고 실한 체격: 체격이 건장하고 안면이 넓으며 어깨가 넓고 목이 짧고 두껍다. 상복부가 크고 팽팽하고 얼굴근육이 탄탄하고 긴장되어 있다. 중년이나 고령자에서 많이 보인다.

2. 우울, 초조: 쉽게 우울해하거나 초조해하며 잘 긴장하고 불안을 느끼며 감정변화가 잘 나타난다. 항상 두통이 있고 어지러우며 피로하여 힘이 없고 수면장애 등의 증상이 있다.

3. 상복부의 압통: 환자들은 상복부가 충실하고 크고 팽팽하며 압통이 있는 경우가 있다. 설태가 두껍다.

4. 위산역류: 식욕부진, 트림, 오심, 구역 등이 많으며 위산역류로 속쓰림이 있고 입이 쓰며 변비 등 소견을 나타난다. 배가 그득하거나 복통이 있는 경우가 잦으며 식후에 더 심해진다.

[적용 병증]

아래의 병증과 위에 서술한 환자군의 특징이 부합하는 경우에 처방의 투약을 고려할 수 있다.

1. 상복부의 창만, 통증이 나타나는 질환으로 췌장염, 담낭염, 담석증, 위식도역류질환, 담즙역류성위염, 위십이지장궤양, 염식, 소화불량 등

2. 설사, 복통이 나타나는 질환으로 과민성장증후군, 담낭절제술 후 설사, 지방간 설사 등

3. 변비, 복통이 나타나는 질환으로 장폐색(유착성, 마비성), 습

관성 변비 등

4. 기침, 천식이 나타나는 질환으로 상복부 창만, 역류 증상이 있는 호흡질환. 기관지천식, 폐감염 등

5. 두통, 어지러움, 변비가 나타나는 질환으로 고혈압, 뇌출혈, 고지혈증, 비만, 뇌위축, 정신질환, 우울, 불안장애, 노년성 치매 등

6. 발열이 관찰되는 질환으로 감기, 유행성독감, 폐렴 등

[가감 변화]

1. 번조, 심하비(心下痞), 출혈경향에는 황련 5 g을 더한다.

2. 맥이 활(滑)하며 입이 마르고 땀이 많으면 생석고 30 g을 더한다.

3. 불안과 복창만에는 치자 15 g, 후박 15 g을 더한다.

4. 천식, 뇌경색, 당뇨, 고혈압, 고지혈증, 대사증후군 등이 있는 환자로 상반신이 건장하고 상복부가 충실하며 압통이 있는 경우에는 계지복령환을 합방한다.

5. 위식도역류질환, 기관지천식, 우울 등 환자에서 복창만과 많은 가래 및 인후이물감이 있는 경우 반하후박탕을 합방한다.

6. 폐감염, 고혈압, 유방질환, 위장질환에서 흉통, 누렇고 점성이 있는 가래, 변비가 있으면 소함흉탕을 합방한다.

7. 고혈압, 고지혈증, 뇌경색, 뇌출혈, 부정맥, 담낭염, 위식도역류질환 등에서 얼굴이 붉고 기름지며 입술이 붉고 누런 설태가 보이거나 출혈이 있는 경우에는 사심탕을 합방하여 처방한다.

8. 천식이 있어 기침을 해도 마른 가래를 뱉어내기 어렵다면 배농산을 합방하여 처방한다(배농산: 지각, 작약, 길경을 2:2:1 비율로 분말을 내서 매번 5 g을 쌀죽에 섞어 마시거나 차처럼 끓여서 마신다. 하루 3−5회).

[사용상의 주의사항]

1. 수척하고 허약한 빈혈경향 환자에게는 신중히 투여한다.
2. 효과를 본 후에는 복약량을 줄이고 간헐적으로 복용한다.

[황황의 해설]

1. 대시호탕은 고대의 발열성 질환에 대한 상용 처방이다. 현대 임상에서는 실열(實熱)성 체질, 대사증후군을 치료하는 데 사용한다. 임상에서 대시호탕을 활용할 때는 체질을 파악하는 것이 중요하다. 첫 번째, 체형을 살핀다: 체격이 비만하고 건장하며 얼굴이 넓적하고, 어깨가 크며 목이 짧다. 여성은 가슴과 엉덩이가 두꺼우며 남성은 배가 심하게 나와있다. 중년층 및 고령자에서 자주 볼 수 있으며 대체로 영양과잉에 의한 경우가 많다. 두 번째, 복증을 확인한다: 복진상 상복부가 창만하고 팽륜되어 있으며 압통과 저항감이 뚜렷하다. 세 번째, 심리상태를 관찰한다: 안면근육이 경직되어 있고 표정이 심각하며 쉽게 초조해하거나 화를 낸다. 본 증의 환자는 우울감이나 초조감이 잦으며 항상 두통, 현훈, 수면장애 등이 있다.

2. 구역을 멈추고 복창을 제거하며 위식도역류를 개선하는 것은 대시호탕의 주요 효능이다. 임상적으로 대시호탕은 천식, 부정맥, 고혈압, 비

만 등과 같은 위식도역류질환을 동반하는 다양한 질환에 모두 응용할 기회가 있다. 대다수의 위식도역류질환 환자는 식후에 증상이 악화되며 야간이 입안에 쓴기운이 돌고 아침에는 목에서 누렇고 끈적이는 가래가 넘어오며 입냄새가 나는 등의 소견을 보이며 특히 상복부의 창만이 주요 증상이다.

3. 대시호탕은 제번해울의 효능이 있어 불면, 우울, 불안, 강박증, 양극성정동장애, 정신분열증 등 신경정신질환에 투여할 기회가 많다. 체격이 건장하고 번조가 있으며 쉽게 화를 내는 환자에게 처방한다.

4. 대시호탕은 용량을 줄여 투여해서는 안된다. 보통 원방을 사용하면 바로 효과가 있다. 병정이 복잡하다면 합방하도록 한다.

5. 병정이 복잡한 경우 각 개인에 따라 대시호탕의 복용법도 유연하게 운용하여야 한다. 중증 및 급성질환인 경우 하루에도 2-3일분씩을 대량 투여할 필요가 있다. 만성 질환의 경우 소량으로 체질을 관리할 수 있으므로 하루나 이틀에 0.5일분씩 투여할 수 있다. 공복에 복용하는 것이 좋으나 체질의 관리를 위해 투약할 경우 잠자리에 들기 직전에 복용하도록 한다.

13. 소시호탕

고대의 해열, 항염 처방으로 경전의 화해(和解) 처방이기도 하다. 발열성질환의 지연기에 통용되는 처방이며 해열, 항염증 및 면역조절작용이 있어 한열왕래(寒熱往來), 흉협고만(胸脇苦滿), 심번희구(心煩喜嘔), 말이 적고 입맛이 없는 상태 등을 특징으로 하는 질환에 적용한다.

[원전처방]

시호 半斤, 황금 三兩, 반하 半升, 인삼 三兩, 감초 三兩, 생강 三兩, 대조 十二枚. 이 일곱 약물을 물 一斗二升에 넣어 달여 六升이 되면 찌꺼기를 제거하고, 다시 三升까지 달여 一升씩 하루 세 번 따뜻하게 먹는다.(《傷寒論》《金匱要略》)

[방증요점]

한열왕래, 증상의 호전과 악화반복, 흉협고만, 심번희구(心煩喜嘔), 말이 적고 입맛이 없는 상태. 발황(發黃), 복통, 기침, 두근거림, 갈증, 어지러움 등이 있을 수 있다.

[적용 환자군]

1. 누런 피부와 수척한 외모: 체격은 중등도에서 마른 편이고 영양상태는 일반적이거나 다소 좋지 않다. 얼굴은 황색 혹은 청색이

고 피부는 건조하며 광택이 없다. 전반적으로 허약한 용모를 나타낸다.

2. 감정의 둔마: 표정이 없고 기분이 우울하며 말이 없다. 의욕의 저하와 함께 특별히 식욕부진이 있다. 자아에 대한 부정적 인식이 있고 내향적이다.

3. 추운 날씨를 싫어하는 환자: 감기, 발열, 기침 등이 잘 나타난다. 피부가 과민하여 가려움증이나 두드러기가 잘 생긴다. 근육 및 관절의 통증이 잦다.

4. 흉협고만(胸脇苦滿): 가슴과 옆구리의 증상이 많고 흉민통(胸悶痛)이 있기도 하며 윗배 또는 양쪽 늑골 아래를 누를 때 가슴이 답답하고 통증, 저항감 및 불편감이 있다.

5. 한열왕래(寒熱往來): 대체로 급성감염질환이 지연기에 들어서거나 만성화되는 경향이 있다. 경과가 길고 반복 발작하며 잘 낫지 않는다. 바이러스성질환, 자가면역질환, 알러지성질환, 간 및 담도계 질환, 결핵, 갑상선질환, 유방질환, 안과 및 이비인후과 질환, 우울증 등에서 발열소견이 장기간 호전되지 않는다.

[적용 병증]

아래의 병증과 위에 서술한 환자군의 특징이 부합하는 경우에 처방의 투약을 고려할 수 있다.

1. 발열이 나타나는 질환으로 감기, 인플루엔자, 로타바이러스 장염, 폐렴, 급만성편도선염, 말라리아, 상한, 여성 월경기발열 등

2. 식욕부진, 오심구토가 나타나는 질환으로 만성담낭염, 만성

위염, 위궤양, 만성간염 등

3. 기침이 나타나는 질환으로 폐렴, 흉막염, 기관지천식, 기침 변이형 천식, 결핵 등

4. 림프절 종대가 주요 특징인 질환으로 림프절종대, 림프절염, 림프결핵, 종양림프절전이, 만성림프구성 백혈병, 악성림프종, 에이즈, 암 등

5. 재발성 알러지질환으로 알러지성 비염, 꽃가루 알러지, 일광성 피부염, 습진 등

6. 이비인후과 염증질환으로 유행성 이하선염, 고막염, 화농성 중이염, 구내염, 각막염, 망막염 등

7. 자가면역 질환으로 하시모토갑상선염, 류마티스성관절염, 강직성척추염, 자가면역간질환 등

8. 우울 소견이 보이는 질환으로 우울증, 신경성식욕부진, 심인성 발기부전

[가감 변화]

1. 인후통에는 길경 10 g을 더한다.

2. 림프절종대에는 연교 30 g을 더한다.

3. 지속적으로 호전되지 않는 기침과 소량의 점성이 높은 백색 가래에는 건강 10 g, 오미자 10 g을 더한다.

4. 피부과민, 전신과 안구의 가려움증, 두통이 있으면 형개 15 g, 방풍 15 g을 더한다.

5. 수척한 환자에서 신경통, 관절통, 발열성 질환이 보이는 경

우에는 계지탕을 합방한다.

6. 쇼그렌증후군, 종양, 신질환 등에서 구갈, 부종, 설사가 보이고 설체가 비대한 환자에는 오령산을 합방하여 처방한다.

7. 기침, 천식, 피부질환 등에서 인후이물감이 있고 배가 더부룩하며 가래가 많은 경우에는 반하후박탕을 합방한다.

8. 호흡기 질환에서 흉통과 누런색의 끈적이는 가래 및 변비가 보이는 환자에는 소함흉탕을 합방한다.

9. 열이 나고 배가 그득하며 식욕이 없으면서 설태가 희고 두꺼운 환자에게는 평위산을 합방한다.

10. 아급성갑상선염, 간질환, 난임 환자에서 빈혈이 있고 누런 얼굴 및 월경량 감소 등의 소견이 있다면 당귀작약산을 합방한다.

11. 갑상선항진증 등에서 땀이 나고 변비가 있다면 백호탕을 합방한다.

12. 관절염, 간질환 등에서 조조강직, 변비나 설사가 있는 경우에는 황금탕을 합방하고 황백을 더한다.

13. 혀가 붉고 입이 마르고 매운 것을 싫어하며 항문작열감을 호소하면 생강을 줄인다.

[사용상의 주의사항]

1. 일본에서는 소시호탕이 유발한 간손상과 간질성폐렴 증례가 보고되었다. 간, 신장 기능이 좋지 않은 환자에서는 소시호탕을 신중하게 사용한다.

2. 이 처방은 장기간 다량 복용해서는 안되며 열성 질환의 경우

보통 5일, 만성 질환의 경우에는 소량으로 장기복용하되 3개월마다 간기능 및 신기능 검사를 할 필요가 있다.

3. 특히 간질환 환자의 경우 황금을 대량으로 투약해서는 안된다.

[황황의 해설]

소시호탕은 고대 발열성 질환 치료의 상용 처방으로 현대 임상에서는 각과질환에 광범위하게 적용할 수 있다.

1. 한열왕래(寒熱往來)란 張仲景이 소시호탕 주치질환의 주요 유형을 표현한 것으로 광범위한 개념을 가지고 있다. 여기에는 다음과 같은 범주들이 포함된다. ① 환자의 지속되는 발열을 지칭: 이 처방은 고대에 각종 발열질환 및 감염질환 치료에 사용되었다. ② 일종의 과민상태를 지칭: 소시호탕의 적응증이 있는 환자들은 온도변화에 특히 민감하며 에어컨 등 바람을 싫어한다. 또한 이런 소견에서의 과민상태는 습도, 기압, 빛, 기후, 생활환경, 소리, 냄새 및 심리적인 과민상태를 포괄한다. 소시호탕은 이와 같은 민감성과 관련한 질환, 정신심리질환에 사용할 수 있다. ③ 질환의 반복적인 발작을 지칭: '왕래(往來)'란 시간성을 가지고 있는 개념이다. 이들에서는 정해진 시기에 증상이 나타나는 경우가 있어 소위 "휴작유시(休作有時)"라고 한다. 이러한 주기는 일주기, 주간주기, 월주기 등이 있으며 이는 말라리아의 격일 발작과 유사하다. 또 간질, 알러지질환 등과 같이 명확한 주기가 없는 질환도 있다. 소시호탕은 이처럼 재발이 반복되는 여러 만성질환을 치료한다.

한열왕래(寒熱往來)는 고대인이 발견한 일종의 질병으로 만성염증 및 감염성 질환의 일종이며 특히 바이러스 감염 및 면역기능장애와 관련이 있다. 또한 림프계, 정신신경계, 소화기계, 호흡기계도 포함하고 있는 질환 개념이다. 저자는 이를 '왕래한열증후군'이라고 부른다. 소시호탕은 보통 구체적인 투여 대상 질환에 따라 가감이 필요하다.

소시호탕의 해열작용은 처방 내 시호의 용량이 높아야만 나타난다. 상한론 원방의 시호는 8냥을 사용하였다고 하는데 현재 교과서의 환산 방법에 따르면 24 g에 해당한다. 시호의 용량이 10 g 이하이면 해열효과가 줄어든다. 저자의 경험으로는 바이러스성 감기에서의 발열이나 류마티스 관절염 등에는 하루에 시호 20 g 이상을 써야 해열효과가 있었다.

바이러스성 감기에서 발열이 계속되고 약간의 발한, 오한 및 구토, 기침, 인후통, 복통, 입술이 붉거나 혀가 붉은 환자에게는 소시호탕에 연교를 더하여 쓸 수 있다. 저자의 경험방으로는 시호 40 g, 생감초 10 g, 연교 60 g, 황금 20 g(소아에게는 1/2-1/3을 투여한다)을 물에 달여 매일 4회 나누어 복용하도록 하고 있다. 1차복용 후 일부 환자는 전신의 발한이 뚜렷하게 나타나면서 체온이 떨어지거나 정상체온이 된다.

수족구병, 수두, 로타바이러스 장염, 유행성 이하선염 등에 소시호탕을 활용할 수 있다. 또한 일부 여성의 월경기 감기에서 발열과 식욕부진이 있으면서 증상이 심하고 경과가 길며 항생제의 효과가 좋지 않은 경우에 소시호탕이 빠르게 열을 내릴 수 있다. 이는 옛사람들이 소위 "열입혈실(熱入血室)"에 소시호탕을 사용한 경험과 부합한다.

류마티스관절염의 발열, 통풍성관절염, 아급성갑상선염, 성인의 스틸씨병, 홍반성 루푸스 등에서 각종 발열이 오래 지속되고 잘 치료되지 않는 것을 한열왕래의 범주로 볼 수 있으며, 이와 같은 증에 소시호탕을 쓸 수 있다.

발열의 원인과 관련 질환의 종류가 매우 많으므로 소시호탕에는 다양한 가감이 이뤄진다. 감염이 잦은 소아의 체질조리에는 간헐적인 소시호탕 복용법을 쓴다. 기침에는 반하후박탕을 합방하고(시박탕), 발열과 함께 입이 말라서 따뜻한 물을 마시려고 하며 설사나 발한과다 등 소견이 있다면 오령산을 합방한다. 발열과 관절의 부종 및 통증이 함께 보이는 경우에는 백작약 및 황백을 더한다. 스테로이드 복용 후 혀가 붉은 빛을 띄고 식욕항진이 있는 경우에는 대량의 생지황을 더하여 처방한다.

소시호탕은 발열성질환에 많이 쓰는데 특히 한열교체(寒熱交替), 식욕부진, 오심 등이 나타나는 경우에 적용한다.

2. "흉협고만(胸脇苦滿)"은 張仲景이 소시호탕을 주로 활용한 질환에서 일상적으로 보이는 증상의 하나로 경전에 서술되어 있다. 그 뜻은 두 가지로 볼 수 있다. ① 자각 증상: 환자의 흉격과 협륵(脇肋)부위의 창만감, 막힌 느낌, 통증 등을 지칭한다. 이는 흉강내 장기에 발생한 질병의 외재적 표현, 혹은 일종의 우울상태로 볼 수 있다. 흉협고만의 "고(苦)"란 환자의 흉협부의 불쾌감이 명확하게 혹은 오래 지속되는 것 외에도 환자가 심리적으로 우울하고 고통스러운 상태임을 보여준다. ② 타각적 증상: 늑골궁에 가장자리 하단 방향으로 흉강을 압박하면, 의사는 손 끝에서 저항감, 혹은 복근의 긴장감을 느낄 수 있다. 이 과정에서 환자는 통증, 불쾌감을 호소할 수 있다.

흉협고만의 개념은 적절히 확장할 수 있다. 유방질환, 겨드랑이, 사타구니 림프절 부종, 어깨와 목의 통증, 갑상선, 이하선염, 고환종통 등도 흉협고만으로 볼 수 있다. 즉, 편두통, 귀 질환, 어깨 및 목 통증, 갑상선의 종창, 허리 및 고관절 통증, 사타구니의 종괴와 통증 등의 질환에 있어서 소시호탕의 사용을 고려할 수 있다. 저자는 림프관이 있는 흉협부, 신체의 측면, 사타구니의 각종 림프계 질환을 소시호탕이 치료하는 사실을 쉽게 기억하기 위해 "시호대"라고 부른다. 이는 모두 그대로 림프관의 주행방향이기 때문에 소시호탕이 각종 림프계 질환을 치료할 수 있음을 알 수 있다.

소시호탕은 호흡기질환에도 상용처방이 되며, 폐렴, 흉막염, 기관지천식, 기침변이형천식, 기관지염, 결핵, 폐암 등에서 발열이 지속되고 오심, 구토, 식욕부진이 있는 증에 활용 가능하다. 《傷寒論》에는 "若咳者 … 加五味子半升 乾姜二兩"으로 기재되어 있으며, 《蘇沈良方》에는 "원우(元祐) 2년(1087년), 노인과 젊은이를 가리지 않고 기침을 할 때 이 처방(즉 소시호탕)에서 인삼, 대조, 생강을 제거하고 오미자, 건강을 각 반냥씩 더해 복용하여 나았다."는 내용이 실려있다. 이런 류의 환자들은 대체로 감기 이후에도 기침이 지속되고 낫지 않으며 풍한(風寒)이나 자극적인 기미(氣味)에 접촉한 경우 증상이 심해진다. 또, 기침은 나오지만 가래가 적으며 혹 심하면 양쪽 늑골 부위에 통증이 있어 항생제를 복용하여도 뚜렷한 효과를 보지 못하는 경우가 많다. 이와 같은 증에는 소시호탕에 오미자를 더하여 처방하고, 인후통이 있다면 길경, 연교를 더하여 처방하면 효과적이다. 소시호탕 합 반하후박탕은 시박탕이라고 하며 알러지성 기침에 효과적인 처방으로 형개, 방풍을 더하여 처방하면 더 좋다. 소시호탕 합 소함흉탕은 시함탕(柴陷湯)이라고 하며, 청열화담(清熱化痰)하는 효능이 있어 기관지염, 기침천식, 기관지확장, 흉막염, 농흉, 자발성기흉 등 호흡기질환에서 가슴이 답답하고 점성이 높은 황색 가래가 나오는 경우에 쓴다. 복용 후 대변이 잘 통하고 가래가 줄어들며 흉격의 그득한 느낌이 감소하는 효과가 있다.

갑상선염, 갑상선기능항진증, 하시모토갑상선염 등 갑상선질환에도 소시호탕을 사용한다. 저자의 경험상 갑상선기능항진증에서 땀이 많고 빈맥이 있으며 대변이 건조하고 덩어리지는 경우에는 백호탕을 합방하는 데 땀이 많이 날수록 석고의 양도 늘려 쓰는 것이 좋다. 대변이 건조하고 덩어리지는 경우에는 지모를 증량하여야 한다. 체중감소에는 인삼을 증량한다. 하시모토 갑상선염에서 이상월경이나 난임이 있으면 당귀작약산을 합방한다(시귀탕: 시호 15 g, 황금 5 g, 강반하 10 g, 당삼 10 g, 생감초 5 g, 당귀 10 g, 천궁 15 g, 백작약 30 g, 백출 15 g, 복령 15 g, 택사 15 g, 건강 10 g, 홍조 20 g. 물에 달여 이 분량을 1-2일분으로 하여 복용한다. 일반적인 복용기간은 3-6개월이다.).

쇼그렌증후군에는 보통 소시호탕에 오령산을 합방한다. 입이 쓰고 인후가 건조하며 어지럽고 추위를 싫어하며 관절통 및 표증(表證)이 있는 경우가 소시호탕증이다. 입이 마르는데도 물을 많이 마시지 못하거나, 물을 마시면 아픈 증상 또는 진수음이 있다면 오령산증이다.

류마티스성 관절염, 강직성 척추염 등 류마티스질환에서 발작이 잦고 환경, 기후 변화에 민감한 체질이 소시호탕의 적응증이다. 맥이 침결(沈結)하고 CRP가 높은 경우 백작약, 황백을 더하여 처방하며 설사가 있고 부은 모습을 하고 있는 환자에게는 오령산을 합방한다.

일광성피부염, 구진성습진, 장미색비강진, 색소성 자반성 피부염, 두드러기, 신경성피부염, 바이러스성 발진, 피부근염, 지방층염, 홍반성 루푸스 등의 피부질환에서도 소시호탕을 쓸 수 있다. 이와 같은 소견은 여성에서 많이 나타난다. 가려움에는 형개, 방풍을 더하고, 입술과 입이 붉다면 황금탕(황금, 백작약, 감초, 대조)를 합방하여 처방한다.

림프절종대, 림프절염, 림프결핵, 종양림프절 전이, 만성림프구성백혈병, 악성림프종 등 림프계통질환에서도 소시호탕을 쓸 기회가 있다. 이 경우 대부분 연교를 대량 가미하여 쓰게 된다. 胡希恕 선생은 경부림프절종대, 급성화농성편도선염, 급만성고환종대 등에 소시호탕 가 석고를 활용하였다. 저자는 항암화학요법 이후에 소시호탕 합 오령산을 안색이 누렇거나 수반(水斑)이 있으며 부은 듯하고 하지부종이 있거나 체액저류 등이 있는 환자에게 처방한다. 이들 환자들은 찬 것이나 바깥 바람을 싫어하고 피로감, 피부의 가려움, 발적, 전신 통증이 있으며 설질은 옅은 어두운 색을 띄면서 비대하여 설변에 치흔 등이 보인다.

3. '묵묵불욕음식(黙黙不欲飮食)'은 소시호탕증의 핵심으로 張仲景은 소시호탕증 환자를 묘사하여 독자들이 처방을 활용할 수 있게 하였다. 말수가 없고 식욕과 성욕이 없으며 우울 상태이 놓인 상태를 통해 소시호탕의 항우울작용을 유추할 수 있다. 소시호탕은 우울증, 신경성 섭식장애, 불면, 과민성대장증후군, 심인성 발기부전 등에 활용할 수 있다. 번조가 있으며 쉽게 놀라는 환자에는 계지, 감초, 용골, 모려, 복령을 더하며 구역감이 있고 가래가 많은 경우 반하후박탕을 합방한다.

4. 소시호탕은 화법(和法)의 대표 처방이다. 이 처방을 활용할 수 있는 환자들은 종종 발한, 최토(催吐), 사하(瀉下)와 같은 고식적인 치료법을 활용하여도 발열이 지속되어 체온이 오르락내리락하고 악화 및 호전 경과가 반복된다. 일부 환자는 열이 나지 않아도 옷을 껴입고 추위와 열을 싫어한다. 이들은 외부 온도변화에 매우 불편해하고 일부 환자

의 경우 체중이 줄어들기도 한다. 소시호탕 적응증에서 임상소견의 변화는 복잡한 편인데 식욕부진, 오심구토와 함께 입이 쓰고 인후가 마르며 눈이 어찔하고 복통, 가슴 두근거림, 기침, 수족심열(水足心熱) 등 소견도 보인다. 이런 환자들은 촉진을 통해 늑하부에서 비장종대를 확인할 수 있고 액하부나 사타구니에서는 림프절 종대를 확인할 수 있다. 이는 전쟁에서 적과 교착상태에 빠진 것과 같이 질환의 경과가 연장기, 만성기에 들어간 것을 보여준다. 張仲景은 “血弱氣盡, 腠理開, 邪氣因入, 與正氣相搏, 結於脇下.”라고 하였으며 후세의 의가들은 이를 관용적으로 ‘반표반리(半表半裏)’라 표현하였다. 그 설을 따르면 질병의 경과 중에 정사교쟁(正邪交爭)이 일어나는 부위는 국경이나 수도가 아닌 그 중간 지대라고 할 수 있다. 이런 상태에서는 속전속결이 어려우므로 화해를 위한 전략을 취하게 된다. 의학적으로 이것이 어떻게 적용되는가? 張仲景의 경험에서는 소시호탕이다. 이에 후세의가들은 張仲景의 원칙을 “화법(和法)”이라고 하였다.

5. 소시호탕의 적용범위는 매우 넓지만 방증 유무 파악을 위한 요구사항은 더욱 엄격하다. 소시호탕은 ‘삼금탕(三禁湯)’이라고 하며, 이는 곧 ‘한(汗)’, ‘토(吐)’, ‘하(下)’법을 적용하기 어려운 모든 질환에 소시호탕을 처방할 수 있다는 것을 말한다. 소시호탕은 전신의 각 계통 질환에 널리 사용할 수 있으나, 위에 서술한 질환 모두에 소시호탕을 쓴다는 것은 아니다. 소시호탕증 환자군의 특성을 파악하고 있어야만 처방의 안전성과 효과를 보장할 수 있는 것이다.

6. 본 처방의 임상응용에는 다양한 가감이 있으나 시호와 감초는 핵심 약물이므로 이들은 줄이거나 뺄 수 없다. 상한론 원문에서는 소시호

탕을 투약하는 중 환자의 소견에 맞추어 가감할 수 있다고 되어 있으며 황금, 인삼, 반하, 생강, 대조는 용량을 줄이거나 제외하기도 하지만 시호와 감초만큼은 뺄 수 없다. 이 같은 경험을 바탕으로 시호와 감초가 시너지 효과가 있음이 증명된다.

14. 시호가용골모려탕

고대의 정신신경심리질환 처방이다. 전통적으로 심리상태를 안정시키고 공황소견을 진정시키며 우울을 해소하는 처방으로 활용되어 왔다. 항우울 작용이 있고 불안심리를 개선하며 신정, 수면유도, 항전간 등의 효능이 있다. 가슴이 그득하면서 번조가 있고 잘 놀라며 몸이 무거운 소견 등을 특징적으로 나타내는 질환에 적용한다.

[원전처방]

시호 四兩, 황금 一兩半, 인삼 一兩半, 계지 一兩半, 복령 一兩半, 반하 二合半, 대황 二兩, 용골 一兩半, 모려 一兩半, 생강 一兩半, 대조 六枚, 연단 一兩半. 이 열두 약물을 물 八升에 달여 四升을 취하고 대황을 장기알처럼 썰어넣고 다시 한두번 더 끓도록 달여서 찌꺼기를 제거하고 따뜻하게 一升을 복용한다. (《傷寒論》)

[방증요점]

가슴이 그득하며 배꼽 주변에 두근거림이 있다. 번조가 있고 잘 놀라며 수면장애, 소변불리, 섬어(譫語), 몸이 무거운 소견 등이 보인다. 설태는 누렇고 끈적끈적하며 맥은 현(弦), 경(硬) 혹은 활(滑)하고 유력(有力)하다.

[적용 환자군]

1. 무감정하고 냉담한 표정(소위 "柴胡臉"): 체격은 중등도에서 마른 편으로 얼굴형은 길고 넓으며 얼굴은 누렇거나 붉다. 피부에 광택이 없고 우울하며 무감정한 표정 및 피로한 모습을 하고 있다.

2. 내향적 성격: 이 처방의 적응증이 있는 환자는 성격이 내향적이고 스스로를 부정적으로 평가하며 증상을 자세하게 묘사하지 않는다. 말이 느린 편이며 업무에 있어서 매우 까다롭고 섬세한 특징이 있다.

3. 부정수소(不定愁訴): 주소증이 자각증상인 경우가 많으며 보통 수면장애와 피로감이 있고 찬 것을 싫어한다. 또한 가슴이 답답하거나 두근거림, 어지러움, 이명, 불안 등의 비특이적인 증상도 많다. 과도한 정신적 압박이나 감정적인 좌절이 증상의 발생 요인이 되기도 한다.

4. 흉협고만(胸脇苦滿): 이 소견의 환자들은 양 옆구리 아래를 누르면 저항감이 있으며 굳고 단단한 감이 있고 탄성이 없다. 복부대동맥의 박동이 뚜렷히 느껴지고 빈맥경향이 있다.

5. 환자들의 설태는 누렇고 두터우며 대변은 대부분 굳어서 잘 풀리지 않는다.

[적용 병증]

아래의 병증과 위에 서술한 환자군의 특징이 부합하는 경우에 처방의 투약을 고려할 수 있다.

1. 우울 소견이 나타나는 질환으로 우울증, 공포증, 신경성 난청, 고혈압, 뇌동맥 경화증 등

2. 정신장애 소견이 나타나는 질환으로 정신분열증, 노인성 치매, 뇌위축, 소아대뇌발달이상 등

3. 운동지연, 떨림, 경련이 보이는 질환으로 파킨슨증후군, 뇌손상, 간질, 소아 주의력 결핍 과잉행동장애, 소아뇌성마비 등

4. 수면장애, 성기능장애가 나타나는 질환으로 폐경, 갱년기증후군, 과민성대장증후군, 탈모, 여드름 등

5. 공황, 두근거림이 나타나는 질환으로 부정맥, 심장신경증, 조기흥분증후군 등

[가감 변화]

1. 얼굴은 어두운 붉은 빛이고 설질이 보라색이면 계지복령환을 합방하여 처방한다.

2. 가슴이 답답하고 배가 더부룩하며 불안 초조하고 설첨(舌尖)이 붉은 색인 경우 치자 15 g, 후박 15 g, 지각 15 g을 더한다.

3. 조증(躁症), 광증(狂症)과 변비, 월경불순이 있는 경우 도인 15 g, 망초 10 g을 더한다.

4. 얼굴이 붉고 기름지며 번조, 불면이 있고 설질이 붉으며 설태가 누렇다면 황련 5 g을 더한다.

[사용상의 주의사항]

복용 후 설사, 복통이 나타날 수 있다. 약물 복용을 중단하면 정상으로 회복된다.

[황황의 해설]

1. 시호가용골모려탕은 고대의 항우울 처방이다. 우울증은 흔한 정서장애의 일종으로, 기분의 저조를 주된 특징으로 한다. 환자들은 종종 피로감, 탈진, 어지러움, 두통, 가슴이 답답함, 두근거림, 불면증, 변비, 성욕감퇴, 체중 감소 등을 호소하지만 다양한 검사에서 뚜렷한 이상이 드러나지 않는다. 저자의 임상경험에 따르면 이 처방은 분명한 불안 소견이 나타나는 우울증 환자에게 상당한 효과가 있다. 또 시호가용골모려탕은 수면의 질을 향상시키고 피로를 줄이며 의욕을 생기게 하고 공황 및 불안을 없앨 수 있는데, 이 경우 대개 치자후박탕과 합방하여 쓴다. 발기부전, 조루, 무월경, 갱년기장애, 과민성대장증후군, 탈모, 여드름 등에서 수면장애가 있으면 투약할 수 있다. 시호가용골모려탕은 수면의 질과 양을 개선하여 수면장애를 호전시키므로 몽유병, 소아야경증 등에도 적용할 기회가 있다.

2. 이 처방은 대뇌의 기능회복을 촉진하는 처방으로 질병, 중독, 외상, 수술 등 원인을 가리지 않고 뇌실질이나 뇌기능 손상이 나타난 경우에 모두 고려할 수 있다. 가슴이 답답하면서 번열(煩熱)이 있는 경우에는 치자후박탕과 합방한다. 얼굴이 검붉고 설색이 어두운 보라빛인 경우에는 계지복령환과 합방한다. 조광(躁狂)과 변비 소견이 함께 보이는 경우에는 도핵승기탕과 합방한다.

3. 이 처방은 소아의 뇌질환에도 효과적이다. 소아 뇌성마비, 소아 간질, 야경증, 소아 무도병, 소아 주의력 결핍 과잉행동장애 환자 중에서 체격이 비교적 건장하며 불면, 불안과 함께 대변이 단단하게 굳는 소견이 보이면 쓸 수 있다. 경련이 더 심하면 풍인탕(風引湯)을 합방한다(풍인탕: 생석고, 자수석, 자석영, 적석지, 백석지, 용골, 모려, 활석, 계지, 대황, 감초, 건강).

4. 시호가용골모려탕은 대황을 포함되어 성뇌(惺腦)작용이 있다. 임상에서는 적절한 용량 조절이 필요하다. 몸이 튼튼하고 변비가 심한 환자, 설태가 초황(焦黃)한 환자에게는 생대황을 쓰되, 용량은 반하와 황금보다 커야 한다. 마르고 식욕부진이 있으며 설사 환자에게는 법제대황을 쓰며 용량은 상황에 따라 줄인다. 대황이 적합하지 않은 경우에는 대황을 제외하고 감초를 더하여 처방할 수 있다. 이 방법은 과민성대장증후군 환자에서 대황을 꺼려하는 환자에게 적용할 수 있다.

5. 시호가용골모려탕은 대시호탕, 소시호탕증과 감별하여 투여한다. 체격이 건실하고 복력이 충실한 정도는 대시호탕증에서 가장 강하고 소시호탕증에서는 가장 약하다. 우울증의 중증도는 시호가용골모려탕증에서 가장 강하고, 대시호탕증에서 가장 약하다. 한열왕래의 중증도에서는 소시호탕증이 가장 뚜렷하고, 배꼽 주변의 두근거림은 시호가용골모려탕에서 볼 수 있는 특유의 소견이다.

15. 사역산

고대의 사지냉증 치료 처방이며 경전의 이기(理氣) 처방이다. 심리적 압박에 의해 생긴 신체증상을 완화시킬 수 있으며 항우울, 수면유도, 위장기능조절, 미세순환 개선의 작용이 있다. 흉협고만(胸脇苦滿), 팔다리의 찬 느낌, 복통을 특징적 소견으로 보이는 여러 질환에 적용한다.

[원전처방]

시호, 작약, 지실, 감초 각 十分. 이 네 약물을 각 十分씩 빻아서 체에 내려 一方寸匕씩 미음에 타서 하루 세 차례 복용한다. (《傷寒論》)

[방증요점]

팔다리가 싸늘하고 흉협고만과 복통이 있으면서 맥이 현(弦)한 경우

[적용 환자군]

1. 각진 얼굴: 환자들의 체격은 중간 정도이거나 마른 편이고 날카롭고 각진 얼굴이 많다. 얼굴은 누렇거나 청백색이며 표정은 긴장되어 있거나 찡그리고 있어 괴로움이 드러난다. 이 처방의 적응증은 청년층 특히 젊은 여성들에게 가장 흔하다.

2. 복부의 긴장: 윗배와 양쪽 옆구리 아래의 근육이 비교적 긴장되어 있다. 누르면 비교적 단단함을 느낄 수 있고 누르지 않으면 아프지도 않다. 그러나 누르면 바로 아프다고 호소한다.

3. 손이 싸늘한 환자: 긴장 및 통증 소견이 뚜렷하고 손바닥에 땀이 많은 경우가 있다. 혈압은 낮은 편이다.

4. 당기는 통증: 다양한 형태의 통증 소견이 있다. 복통, 두통, 흉통, 월경 전 유방창통 등이 나타날 수 있으며 다양한 경련증상이 있다. 근경련, 하지경련, 딸꾹질, 변비, 빈뇨, 이갈이 등을 볼 수 있다.

5. 금현맥(琴弦脈): 환자들의 맥은 상당수가 현활(弦滑)하거나 현세(弦細)하다.

[적용 병증]

아래의 병증과 위에 서술한 환자군의 특징이 부합하는 경우에 처방의 투약을 고려할 수 있다.

1. 복통과 함께 배가 더부룩한 소견이 나타나는 질환으로 담낭염, 담석증, 위염, 위궤양, 십이지장궤양, 과민성대장증후군, 비뇨기계결석습성발작, 위하수, 소화불량 등

2. 근육경련이 나타나는 질환으로 완고한 딸꾹질, 장딴지근육경련, 여성 절박성 요실금, 신경성 두통 등

3. 긴장, 불안이 나타나는 질환으로 월경전증후군(PMS), 심인성 발기부전, 위장신경증, 심장신경증, 신경성피부염, 하지불안증후군 등

4. 가슴이 답답하면서 통증이 생기는 질환으로 관상동맥질환, 급성유선염, 늑간신경통, 늑연골염 등

[가감 변화]

1. 인후이물감이 있고 배가 더부룩하면 반하후박탕을 합방한다.

2. 비뇨기결석의 동반증상이 있으면 저령탕을 합방한다.

3. 잘 낫지 않는 두통, 불면, 가슴통증, 딸꾹질, 이갈이, 변비가 있으면서 설질이 어두운 보라색이면 당귀 10 g, 천궁 15 g, 도인 10 g, 홍화 5 g을 더하여 처방한다.

[사용상의 주의사항]

1. 이 처방을 과용량 투약할 경우 피로나 무력감이 발생할 수 있다.

2. 팔다리가 싸늘하고 안색이 창백하며 정신이 피로하고 맥이 침(沈)한 경우에는 신중히 처방한다.

[황황의 해설]

1. 사역산증은 일종의 질환(사역산증후군)이라고 할 수 있으며 체질적 상태로도 볼 수 있다. 일부 환자들은 지속되는 정신적 부담을 견디지 못하여 적응불량상태가 되거나 심리적 기능의 약화로 주의력 결핍, 기억력 감퇴, 학습 및 업무 효율성 저하 등이 나타날 수 있다. 이같은 원인에 의한 심리적 이상이 번조, 불안초조, 우울 등으로 나타날 수 있으며 불면, 악몽, 조기각성 등 수면장애도 나타날 수 있다. 이외에 건강염려증과

관련한 강박관념으로 만성통증과 같은 각종 구체적인 부적응 증상으로 발생할 수도 있다. 심한 경우 고혈압, 관상동맥질환, 부정맥, 기관지천식, 갑상선기능항진증, 월경실조, 발기부전, 신경성 피부염 등 전신기능 이상이나 기질적 장애도 나타날 수 있다. 이에 대해 사역산은 고대의 항경련, 진통제로 심리적 압력에 의한 신체증상을 완화하며 특히 통증 관련 증상이 동반되는 경우 가장 효과가 있다.

2. 사역산증은 종류가 매우 많아서 《傷寒論》에서는 "惑然症"이라 부르며, "或咳, 或悸, 或小便不利, 或腹中痛, 或泄利下重者, 四逆散主之." 라고 기재되어 있다. 각각의 혹연증은 개별적인 1개의 증상이 아니라 일련의 질환군이나 계통적 질환으로 보아야 한다. '혹해(或咳)'는 호흡기질환으로 숨막힘, 기침, 가슴이 답답하고 통증이 생기는 증상 등을 말하며 특히 가슴이 막힌 것처럼 답답하고 통증이 있으며 숨이 막힐 것처럼 심하게 나오는 기침(呛咳) 등이 특징적 소견인 기관지염, 폐렴, 천식 등에 해당한다. '혹계(或悸)'는 순환기계의 질환과 정신신경계 질환을 나타내는 것으로 가슴 두근거림과 함께 가슴의 답답함과 통증 및 복창통 등을 수반하는 심혈관질환, 저혈압, 신경증을 말한다. '소변불리'는 비뇨계통과 정신계통질환을 말하며 요로결석, 방광염, 만성요로감염 등을 의미하고 특히 소변이 절박하지만 나오지 않는 소견을 나타낸다. '복중통, 설리하중(腹中痛, 泄利下重)'은 통증을 수반하는 설사, 이급후중감, 밑이 빠지는 듯한 느낌, 더부룩한 통증, 방귀 혹은 배변 후 편안해지는 느낌으로 위장염, 이질, 장기능 이상 등의 소화기질환을 의미한다. 이와 같은 내용을 통해 사역산의 임상운용이 충분히 광범위하다는 것을 알 수 있다.

3. 사역산의 임상 적용의 핵심은 그 활용대상 환자군을 식별하는 것

에 있다. 환자의 대부분은 청년층이며 특히 여성에서 많다. 체격은 중간 정도에서 마른 몸매이고 얼굴이 각졌으며 얼굴빛은 누런색 또는 청백색이다. 긴장된 표정을 하고 있거나 미간을 찡그리고 있으며 얼굴의 근육이 굳어있고 짜증이 드러난다. 혈압은 대체로 낮다.

팔다리가 차다는 것은 사역산증의 가장 중요한 특징이다. ① 말단에서 심하고 ② 심리적 요인이 관련되어 있어 긴장이나 우울 증상이 있을 경우 가중되며 ③ 팔다리의 온도는 낮지만 피부색은 정상이다. 임상적으로 팔다리가 차갑지만 땀은 물처럼 나거나 가슴에 번열이 있는 경우, 겨울에는 팔다리가 얼음과 같고 여름에는 뜨거운 경우 등이 사역산증에서 나타난다.

복근의 긴장이 객관적 지표가 된다.윗배 및 양쪽 늑골 아래의 복근이 비교적 긴장되어 있으며 누르면 비교적 단단하다. 누르지 않으면 아프지 않으나 누르면 아프다. 특히 서있을 때 이런 복증이 뚜렷히 나타난다.

통증이 주소인 경우가 많으며 복통, 두통, 흉통, 월경전 유방창통 등의 증상이 있다. 경련유사 증상으로는 근육경련에 의한 하지 경련, 딸꾹질, 변비, 빈뇨, 이갈이 등이 있다. 이 같은 증상은 정서 및 수면 이상과 관련이 있다.

4. 사역산은 배가 아프면서 그득한 소견이 나타나는 질환으로 담낭염, 담석증, 위염, 위궤양, 십이지장궤양, 과민성대장증후군, 비뇨기결석 급성발작, 위하수, 소화불량 등에 활용할 수 있다. 특히 배가 아프면서 설사를 하고 뱃속이 그득한 소견이 많이 나타나는 과민성대장증후군에 적용한다. 환자가 긴장감이나 불안감 및 인후이물감 등을 동시에 호소하는 경우 보통 반하후박탕을 합방한다.

5. 사역산은 우울증에 효과적이다. 우울증의 임상 소견은 한가지가 아니며 가슴이 답답하거나 오한이 들고 힘이 빠지는 소견이 있거나 팔다리의 감각저하 및 저림 또는 식욕부진 등으로도 나타날 수 있다. 이런 경우 사역산 합 반하후박탕을 처방할 수 있다. 이 처방은 기분을 편안하게 하고 냉감을 완화하며 섭식 및 수면상태를 개선한다.

6. 사역산은 수면을 도우므로 종종 업무상 스트레스가 원인이 되는 난치성 불면에 많이 활용한다. 잠들기가 곤란하거나 잠이 오지 않는 소견 등이 나타나므로 의식적으로 수면을 취하려 노력하고 독서나 음악감상을 한다. 사람에 따라서는 가슴을 특정한 물건으로 누르거나 옷을 모두 벗어 체온을 낮추는 등의 조치로 수면환경을 조성하기도 한다. 통상적으로 당귀, 천궁, 도인, 홍화 등을 더하여 혈부축어탕처럼 구성하여 처방한다.

7. 사역산은 배뇨가 시원하지 못하고 절박하지만 잘 나오지 않는 방광염, 요도염, 비뇨기결석 등에 널리 활용한다. 요로자극증상이 명확한 경우에는 저령탕을 합한다. 설질이 붉고, 심번(心煩), 불면이 있다면 치자, 연교를 더하여 처방한다. 결석으로 요통, 복통이 심한 경우에는 작약, 지실을 늘리고 여기에 천궁, 우슬, 청피, 대황을 더하여 경련을 감소시키고 통증을 개선하도록 한다. 결석의 안정기에는 사역산 합 저령탕으로 결석이 잘 빠져나가도록 한다.

8. 사역산은 숨이 막힐 것처럼 심하게 나오는 기침이 발작성으로 나오는 소견에 쓸 수 있다. 가래가 없거나 적을 때나 흉협통이 있을 경우 처방한다. 기관지염, 흉막염, 기흉, 폐결핵 등에 의한 중증의 기침에도 쓸 수 있다. 가래가 끈끈하다면 길경을 가한다.

16. 반하후박탕

이 처방은 고대의 인후이물감 치료 처방이며 전통적인 이기화담(理氣化痰) 처방이다. 항불안, 항우울, 진정, 최면, 위장운동촉진, 인후반사억제 등의 효능이 있어 인후이물감이 있으면서 전신의 감각이상, 복창만, 오심 등 소견이 특징적으로 나타나는 질환에 적용할 수 있다.

[원전처방]

반하 一升, 후박 三兩, 복령 四兩, 생강 五兩, 건소엽 二兩. 이 다섯 약물을 물 七升에 넣고 四升이 되도록 달여 네 차례에 나누어 따뜻하게 복용한다. 낮에 세 차례, 밤에 한 차례 복용한다.(《金匱要略》)

[방증요점]

인후이물감이 있으면서 구강, 비강, 위장관, 피부 등에서 이상감각이 나타나는 경우

[적용 환자군]

1. 표정이 풍부한 환자: 체격은 중간 정도이며 영양상태는 양호하고 머리숱이 많다. 피부에 윤기가 있거나 기름지다. 눈깜빡임이 잦고, 감정표현이 풍부하며 종종 미간을 찡그린다.

2. 기이한 말을 하는 환자: 말이 끝이 없고 표현이 자세하지만 이상하고 과장되어 있다. 신체의 다양한 불편감과 이상 소견을 끊임없이 말하고 인후이물감이나 끈끈한 가래가 있다.

3. 붉은 설질과 끈적이는 설태: 설질은 명확한 이상이 없거나 설첨부에 붉은 점이 있고 치흔이 있는 경우도 있다. 설태는 대부분 끈적이며 미끌미끌하다.

[적용 병증]

아래의 병증과 위에 서술한 환자군의 특징이 부합하는 경우에 처방의 투약을 고려할 수 있다.

1. 인후이물감을 특징으로 하는 각종 신경증으로 매핵기, 혀의 이상감각, 우울, 불안, 강박, 공포증, 위신경증, 심장신경증, 신경성빈뇨, 신경성피부염, 과민성대장증후군, 심인성발기부전장애 등

2. 인후의 질환으로 인후염, 편도체염, 인후 기원성의 기침, 성대부종 등

3. 연하곤란, 구토, 상복부 창만이 나타나는 질환으로 식욕부진, 항암화학요법 후 구토, 식도경련, 급만성 위염, 위하수, 기능성소화불량 등

[가감 변화]

1. 복창만, 구토, 오심에는 소엽(소경(蘇梗)으로 대체 가능) 15 g을 더한다.

2. 생강이 없다면 건강 5 g으로 대체할 수 있다.

3. 가슴이 답답하고 복창이 있으며 팔다리가 차고 변비가 있을 경우 사역산을 합방한다.

4. 불면, 현훈, 두근거림에는 온담탕을 합방한다.

5. 불안, 불면, 복창만이 있으면 치자 15 g, 지각 15 g, 후박 15 g을 더한다.

[사용상의 주의사항]

1. 이 처방의 방증을 나타내는 환자들은 재발이 잦고 심리상태도 쉽게 변하므로 치료 중에 심리상담을 병행하는 것이 좋다.

2. 임산부에게는 신중하게 사용한다. 동물실험에서 이 처방의 반하가 생식독성이 있음이 확인되었다.

[황황의 해설]

1. 반하후박탕은 인후에 이물감이 있고 가슴이 답답하며 뱃속이 그득한 소견을 주요 특징으로 하는 일련의 감각이상에 투여한다. 임상적으로 이상한 자각증상이 많고 인후이물감이 분명하게 나타난다. 장기간 반복 재발하는 경향이 있으나 환자의 체력은 허약하지 않고 각종 검사상 이상도 없다. 정신심리, 신경, 호흡, 소화, 순환기계질환과 함께 자주 보이며 발생 빈도도 높다. 고대에는 반하후박탕에 대하여 "治七情氣鬱, 痰涎結聚, 咯不出, 咽不下, 胸滿喘急, 或咳或嘔, 或攻衝作痛(汪昂, 《醫方集解》)"이라고 하였다.

2. 반하후박탕은 건강염려증에 쓸 기회가 많다. 환자는 스스로 한 가지 이상의 중증 질환을 앓고 있다고 생각하고 구체적인 신체증상을 호

소하며 진료 중 반복적인 불안, 우울 경향을 나타낸다. 이런 소견은 대체로 50세 전에 발생하며 남녀 모두에서 발생할 수 있는 만성적인 경과를 가진 질환이다. 이런 소견에는 약물 처방과 함께 심리치료가 병행되어야 한다.

3. 불안장애는 가장 흔히 보이는 신경증의 하나로 긴장, 불안, 자율신경 증상(두근거림, 떨림, 발한, 잦은 배뇨 등)을 유발하는 분명하고 객관적인 대상이 없는 것이 특징이다. 가슴 앞뒤로 압박감이나 긴장감이 나타나는 것이 이 처방을 사용할 때의 주요 특징이다. 보통 온담탕, 치자후박탕 등과 합방하여 활용한다.

4. 우울증이 있을 때 이 처방을 쓸 기회가 많다. 인후이물감, 가슴이 막힌 것처럼 답답한 느낌 등 특징적인 소견을 나타내는 경우에 유효하며 보통 치자, 연교를 더하여 처방한다. 추위를 싫어하는 경우에는 사역산을 합방하여 활용한다. 어지러움, 두근거림이 있다면 온담탕을 합방한다.

5. 인후질환에 이 처방을 쓸 기회가 많다. 인후이물감(매핵기), 역류성식도염, 성대부종, 성대마비 등에 활용할 수 있다. 인후부에 소양감이 명확하고 끈끈한 담이 많고 호흡이 곤란한 느낌이 있으며 불안초조한 경우에도 이 처방을 적용한다. 인후가 건조하고 통증이 있으면 길경 10 g, 감초 5 g을 더하여 쓴다. 흉민, 우울에는 치자 15 g, 담두시 15 g을 더한다.

6. 반하후박탕은 기침을 멈추고 가래를 제거하므로 흡인성폐렴, 기관지염, 천식, 만성폐쇄성폐질환, 기흉, 흉막삼출액 등에 응용할 기회가 있다. 위식도역류질환과 불안증상이 있는 경우에도 효과적이다. 기침이

반복되고 바람으로 인해 기침이 나는 경우 소시호탕을 합방하여 처방한다. 천식이 있으며 가래가 많고 복부가 창만하면 대시호탕을 합방한다. 만성 기침에는 당귀, 천궁, 육계를 더하여 소자강기탕과 유사한 구성을 만든다.

7. 반하후박탕의 응용범위는 비교적 넓기 때문에 처방과 증상의 방증상대(方證相對) 원칙이 중요하다. 임상적으로 이 처방은 인후이물감, 복창만 등의 증상이 있는 환자에게 효과적이며 특히 설태가 끈적이며 미끌미끌하고 혀에 가득 퍼져있는 소견이 객관적 징후이다.

17. 온담탕

고대의 장담(壯膽)처방으로 전통적으로는 청열, 화담(化痰), 화위(和胃)의 효능이 있다. 진정, 항불안, 항우울 작용이 있고 오심, 구토, 어지러움, 가슴 두근거림, 불면, 쉽게 놀라는 증상을 특징으로 하는 질환에 적용한다.

[원전처방]

반하, 죽여, 지실 각 二兩, 진피 三兩, 감초 一兩, 복령 一兩半. 이 약물들을 가루내어 散으로 만들어 四大錢씩 복용한다. 물 一錢半에 생강 五片, 대조 一枚를 더해 七分으로 달여 찌꺼기를 제거하고 식전에 복용한다.(《三因極一病證方論》)

[방증요점]

허번(虛煩)하여 잠을 잘 이루지 못하고 쉽게 놀라며 악몽을 많이 꾼다. 자주 정신이 혼란스럽고 불안, 초조하다. 오심이 잦고 숨이 차며 어지러움, 두근거림, 무기력, 자한, 식욕 저하 등이 있다. 맥은 활(滑)하다.

[적용 환자군]

1. 둥근 얼굴: 환자의 체형은 비만한 편이고 피부는 기름지며 광택이 있다. 얼굴이 둥근 편이 많다.

2. 큰 눈: 환자들은 눈동자가 크고 맑으며 광택이 있고 눈빛이 불안정하다.

3. 잦은 환각: 이 처방의 적응증이 있으면 쉽게 환각이 나타나고 수면장애, 악몽이 자주 나타나는 것이 특징이다.

4. 쉽게 놀라는 환자: 항상 흉민, 두근거림, 빈맥, 부정맥이 있다. 대부분의 환자가 고소공포증이 있다.

5. 메스꺼움 및 현기증: 메스꺼움, 구토, 경련, 멀미, 뱃멀미, 현기증, 두통, 황홀, 불안 등의 경향이 있다.

6. 유발 요인: 체질적 요인이나 선천품부(先天稟賦)의 특성 외에도 과도한 공포, 돌발적인 사건에 많이 노출된 경우 업무나 생활상의 스트레스 등과 큰 관련성이 있다.

[적용 병증]

아래의 병증과 위에 서술한 환자군의 특징이 부합하는 경우에 처방의 투약을 고려할 수 있다.

1. 공포감, 불안이 나타나는 질환으로 외상성스트레스증후군(PTSD), 공포증, 강박증, 불안증 등

2. 경련이 나타나는 질환으로 뚜렛증후군, 파킨슨증후군 등

3. 현훈, 환각, 불면이 나타나는 질환으로 정신분열증, 고혈압, 현훈 등

[가감 변화]

1. 배가 그득하고 인후이물감이 있으면 반하후박탕을 합방한다.

2. 불안하면서 뱃속이 그득한 경우에는 치자 15 g, 후박 15 g을 더한다.

3. 신경증, 갱년기증후군, 관상동맥질환 등에서 가슴이 답답하고 불면이 있거나 땀이 많이 나면 산조인 30 g, 지모 15 g, 천궁 15 g을 더한다.

4. 가슴이 답답하고 번조가 있으며 불면, 빈맥이 보이면 황련 5 g을 더한다.

5. 기면(嗜眠)이 있고 얼굴에 누런 빛이 돌며 맥은 완(緩)하고 피로하여 힘이 없으면 마황 5 g을 더한다.

6. 두통, 현훈, 떨림에는 천마 10 g을 더한다.

7. 근육경련, 신경성 경련에는 전갈 5 g, 오공 10 g을 더한다.

[황황의 해설]

1. 온담탕은 전통적인 정신심리질환의 치료 처방으로 환자들은 쉽게 잘 놀라고 과민한 열성(熱性)체질을 나타내며 대부분 불안과 우울 소견이 있다. 발병은 과도한 공포, 돌발적인 사건과 관련이 깊다. 중의에서는 보통 "痰熱扰心, 心身不安"이라고 해석한다. 아동, 청년, 여성에서 많이 볼 수 있다.

2. 이 처방의 적응증을 식별하기 위해서는 환자의 정신상태를 관찰하는 것이 중요하다. 환자들은 통상 체형이 비만한 편이고 영양상태도 좋다. 피부는 기름지고 광택이 있으며 얼굴은 둥근 편이 많다. 눈동자가 크고 밝으며 광채가 있지만 눈빛이 불안정하다. 대부분 수면장애를 동반하면서 쉽게 놀라고 공포에 빠지며, 불안하고 어지러우면서 눈앞이

아찔해지는 등의 정신증상을 주소로 한다.

3. 온담탕은 외상성스트레스증후군의 전문 처방으로 수면상태 개선, 공포감 제거, 구토억제, 혈압강하, 신체증상 개선 등에 효과가 있다.

4. 불안신경증에도 온담탕을 많이 쓴다. 가슴이 답답하며 번조가 있고 복창만하면서 설질이 붉은 경우에는 치자후박탕을 합방하여 처방한다. 불안초조, 혼란, 불면, 설진상 설광소태(舌光少苔) 소견이 있는 노인에게는 산조인탕을 합방하여 처방한다. 온담탕은 불안감, 공포감을 줄이며 악몽을 개선하는 작용이 있다.

5. 정신분열에 이 처방을 쓸 기회가 많다. 이 처방으로 의식상태가 개선되고 명료해지며 아울러 환각감소, 수면개선효과를 얻을 수 있다. 과도한 정신과 약물 복용으로 우울감, 소화기능저하가 있고 얼굴이 누런 경우에도 투약할 수 있다. 무월경이 있는 경우에는 마황을 더하여 처방한다.

6. 온담탕은 초기 고혈압 및 경계성 고혈압에 많이 활용한다. 얼굴이 촉촉하고 윤기가 나며 비만경향이 있는 청년층에서 적응증이 많이 보인다. 환자의 대다수는 불면, 다몽(多夢), 공포감, 혈압의 심한 변동(백의 고혈압)이 있다. 대개 원방을 많이 쓰지만 가슴이 답답하고 심번(心煩)이 있는 환자는 치자후박탕을 합방하여 처방한다. 혀가 붉고 번조가 있으며 얼굴에 불그스름한 광택이 있는 환자에게는 황련을 더하여 처방한다.

7. 온담탕은 체중감량효과가 있어서 단순비만, 심리적 요인에 의한 비만 등에 쓸 수 있다. 이때 처방의 반하와 지각은 고용량으로 투약한다. 비만 치료의 성과는 심리적 변화와 정상적인 식단관리 및 식사습관

의 개선과 관련이 있다.

8. 온담탕과 반하후박탕의 효능은 매우 비슷하다. 온담탕증은 불면, 어지러움, 가슴 두근거림이 있고 쉽게 놀라고 두려워하는 등 정신증상을 위주로 하며, 반하후박탕증은 신체적 증상으로 인후, 구강, 소화기계 증상이 뚜렷하다. 중의에서는 전자를 "痰氣交阻", 후자를 "痰熱扰心"이라고 한다.

18. 반하사심탕

고대의 비병(痞病) 치료 처방으로 전통적으로는 강역화위(降逆和胃)하고 지구제비(止嘔除痞)하는 처방이다. 위장운동을 조절하고 위점막을 보호하며 항궤양작용, 헬리코박터파일로리 억제작용이 있다. 심하비(心下痞), 구토, 하리로 번(煩)이 있는 경우에 적용한다.

[원전처방]

반하 半升, 황금 三兩, 건강 三兩, 인삼 三兩, 감초(炙) 三兩, 황련 一兩, 대조 十二枚. 위 일곱 약물을 물 一斗에 넣어 六升이 되도록 달인 뒤 찌꺼기를 제거하고 다시 三升으로 달이고 一升을 따뜻하게 복용한다. 하루 세 차례 복용한다.(《傷寒論》《金匱要略》)

[방증요점]

상복부의 그득한 불쾌감이 있으나 복진상 손으로 눌러도 저항감이 없으며 오심, 구토, 설사, 장명음, 식욕부진이 있다.

[적용 환자군]

1. 입술과 혀가 붉은 환자: 환자들은 영양상태가 비교적 양호하다. 입술과 혀가 붉고 설태가 많으며 누렇고 미끌미끌하다. 대다수가 청장년층 환자이다. 영양상태가 좋고 불안초조한 심리상태를

보인다. 말이 빠르고 성질이 급하며 눈에 충혈이 있다. 입술은 두껍고 붉거나 검붉은 색을 띄고 부어서 튀어나와 있다.

2. 잦은 설사: 쉽게 설사하고 배변횟수는 많지만 양은 적다. 대변은 끈끈하고 냄새가 나며 진흙같고 혹은 어두운 황색이거나 진한 흑색이다. 설사가 계속되어 변기에서 일어나 물을 내리기 어려우며 항문작열감, 통증, 탈항, 출혈 등이 있다.

3. 누렇고 미끌미끌함: 설태가 끈적거리고 미끌미끌하며 설근부가 두껍다. 색은 황색 또는 백색이다.

4. 궤양이 자주 생기는 환자: 구강점막궤양이나 잇몸출혈이 잦으며 입이 마르고 쓰고 끈끈하다. 입냄새가 난다.

5. 다수의 청년층 환자: 생활습관불규칙(음주, 흡연, 수면불규칙)은 청년에서 흔하다. 불안, 불면을 호소하는 경우가 많다.

[적용 병증]

아래의 병증과 위에 서술한 환자군의 특징이 부합하는 경우에 처방의 투약을 고려할 수 있다.

1, 상복부의 그득한 느낌과 불쾌감, 오심이 나타나는 질환으로 위염, 위십이지장궤양, 담즙역류성위염, 기능성위염, 만성담낭염 등

2. 설사가 있는 질환으로 만성 장염, 소화불량, 과민성대장증후군, 음주구토

[사용상의 주의사항]

1. 이 처방을 투약할 때 황련의 용량이 과다해서는 안된다. 과량 투여 시 식욕저하가 발생한다.

2. 처방 중 감초가 고용량이면 위산역류, 복부팽만, 부종 등의 부작용을 유발할 수 있다.

3. 빈혈, 심한 체중감소, 영양불량이 있는 위장질환에는 주의해서 투약해야 한다. 투약 후에도 지속적인 위장관 통증이 있고 효과가 분명하지 않은 경우 다시 진단해야 한다.

[황황의 해설]

1. 반하사심탕은 소화기 염증, 점막의 미란, 기능이상과 함께 초조, 불면을 동반하는 열성체질에 적용한다. 이는 중의에서 흔히 "中虛熱痞, 寒熱互結, 通降失常"이라고 해석한다.

2. 반하사심탕은 만성소화기염증의 상용처방이다. 만성 위염, 소화성궤양 등에 널리 쓰인다. 이 처방은 대체로 상복부 불쾌감, 오심, 구토 등의 주소에 적용하며 유문헬리코박터파일로리균을 제거하고 면역조절, 궤양촉진 유합, 위점막회복, 위배출촉진, 위산역류 억제, 지혈 등의 작용이 있다. 상복부의 냉증, 냉기에 의한 창통(脹痛)과 설사가 심해지면서도 따뜻한 약을 써서 효과가 없는 경우, 위장질환이 오래되어 피부가 누런데도 보익제가 무효한 경우 등에 상복부 불쾌감만을 적응증으로 처방할 수 있다. 원방은 즉효성이 있으며 맛도 아주 쓰지 않다. 얼굴이 누렇고 설질이 어둡고 옅은 색인 경우에는 육계 5 g을 더하여 처방한다. 설태가 황색이고 두터우며 복통 및 출혈이 있는 환자에게는 법제대황

5 g을 더하여 처방한다.

3. 임상에서 반하사심탕을 불안신경증에 응용할 기회가 있다. 수면 시 쉽게 깨고 꿈이 많으며 낮에 머리가 맑지 않고 피로한 가운데 소화기 증상이 있는 경우에 적용할 일이 많다. 초조감, 불면 및 소화기질환이 있다면 피부질환, 직장항문질환, 정신질환, 부인과질환 등 다른 계통의 소견에도 모두 처방할 수 있다.

4. 이 처방은 위장관질환에 사용한다. 설질이 붉은 환자라고 해도 인삼, 생강을 빼지 않으며 설질이 옅은 색이더라도 황금, 황련을 제외하지 않고 처방한다. 즉, 건강, 인삼, 황련, 황금량을 적절히 조절하여 처방하는 것이다. 혀의 색이 붉고 설태가 황색인 경우에는 황련을 많이 쓰고, 혀의 색이 옅고 설태가 백색인 경우에는 건강을 많이 넣는다. 입술과 인후가 붉은 경우에는 황금을 많이 쓰고 식욕부진에는 인삼을 많이 쓴다.

5. 이 처방의 적응증은 반하후박탕증과 감별해야 한다. 두 처방 모두 위장관질환에 사용되지만 ① 주치부위가 상하로 서로 달라 반하후박탕은 인후, 반하사심탕은 심하부의 증상을 목표로 투약한다. ② 적응증의 스펙트럼이 다르다. 반하후박탕은 담기교조(痰氣交阻)에, 반하사심탕은 중허열비(中虛熱痞)에 쓴다.

6. 반하사심탕과 대시호탕은 모두 위장관의 역류, 구토에 쓸 수 있다. 두 방증의 감별점은 두 가지로 첫 번째는 체격이 건장한지의 여부, 두 번째는 복진을 위해 눌렀을 때 발생하는 통증 정도와 복부 유연성의 차이이다.

[부언]

감초사심탕(《傷寒論》)은 반하사심탕에서 감초의 용량을 늘린 처방으로 통상 감초 10-20 g을 쓴다. 소화기, 생식기, 안구 등에 발생하는 점막충혈, 미란, 궤양 등의 특징적 소견에 적용한다. 현대적으로는 베체트병, 재발성 구내염, 구강 편평태선, 궤양성 대장염, 크론병, 자궁경부의 미란, 수족구병 등에 많이 활용한다.

19. 오령산

고대의 수역병(水逆病) 처방이며 경전의 통양이수(通陽利水) 처방이다. 간보호, 지질강하, 이뇨 등의 작용이 있다. 입마름, 구토, 설사, 발한이 있지만 소변이 잘 나오지 않는 소견을 특징으로 하는 질환에 적용한다.

[원전처방]

저령 十八銖, 택사 一兩六銖, 백출 十八銖, 복령 十八銖, 계지 半兩. 이 다섯 약물을 빻아 가루로 만들어 미음과 같이 方寸匕만큼 복용한다. 하루 세 차례 따뜻한 물을 많이 마신다. 땀이 나면 낫는다.(《傷寒論》《金匱要略》)

[방증요점]

입마름, 소변이상이 있고 혹 물을 마시면 바로 토하며 땀이 나거나 구토를 하고 두근거리거나 어지러우며 설사가 멎지 않는 환자

[적용 환자군]

1. 입이 마르고 혀가 비대한 환자: 본 증의 환자들은 입이 마르고 갈증이 현저하여 항상 물을 마셔도 목이 마르며 혀는 크고 두터우며 주변에 치흔이 있다. 설태는 두껍고 미끌미끌하거나 물기가 있고 축축하다.

2. 구토, 설사: 상복부불쾌감이 있고 쉽게 물을 토한다. 위내진수음이나 장명음 소견이 뚜렷하게 나타난다. 설사를 하거나 풀어지는 대변을 본다. 찬 음식이나 과일, 채소를 먹으면 쉽게 설사한다.

3. 머리가 어지럽고 눈이 침침한 환자: 어지럽고 두통이 있으며 걸을 때 불안하다. 광공포증이 있고 눈이 침침하고 아찔하며 복시가 있다. 가슴이 두근거리거나 다른 부위에 두근거림이 있다.

4. 소변이 적은 환자: 소변량이 적고 소변색은 붉으며 시원하지 않은데, 소변량과 횟수가 많은 경우도 있다. 쉽게 복수, 흉수가 나타난다.

5. 피부는 황색이고 다수(多水)한 환자: 피부가 황색이며 광택은 없다. 쉽게 붓고 땀이 많이 난다. 피부손상 후 삼출물이 있고 수포가 많다.

[적용 병증]

아래의 병증과 위에 서술한 환자군의 특징이 부합하는 경우에 처방의 투약을 고려할 수 있다.

1. 수양변, 설사가 나타나는 질환으로 여름과 가을의 계절성 위장형 감기, 급성장염, 유행성 설사, 소화불량, 항암화학요법 후 설사, 지방간설사, 항생제 설사, 영유아 설사 등

2. 물을 토하는 증상이 나타나는 질환으로 급성위염, 임신구토, 숙취성 구토, 유문협착, 신생아구토, 물에 빠진 후의 구토 등

3. 부종이 나타나는 질환으로 단순비만, 지방간, 만성간염, 간경화, 종양화학요법 후 간손상, 월경전의 부종, 월경전 긴장증후

군, 신성고혈압, 통풍, 고요산혈증 등

4. 체강내 체액저류가 관찰되는 질환으로 복수, 심낭압전, 수두증, 흉막삼출, 위저류증, 음낭수종, 수신증, 양수과다 등

5. 빈뇨가 나타나는 소견으로 요붕증, 소아가 물을 많이 마시는 증상

6. 두통과 어지러움이 보이는 질환으로 완고한 두통, 두개내압증가 두통, 메니에르병, 현훈, 멀미, 임신성 고혈압, 뇌하수체종양, 부신종양, 고알도스테론증 등

7. 광공포증이 있고 눈이 침침하고 아찔하며 두통이 나타나는 질환으로 녹내장, 중심성장액성망막염, 시신경유두부종, 가성근시, 야맹증, 급성누낭염 등

8. 많은 땀과 삼출물이 보이는 질환으로 편평사마귀, 황색종, 지루성피부염, 탈모, 다형성홍반, 수두, 대상포진, 난치성 습진, 손발의 수포성 습진 등

[가감 변화]

1. 미열, 림프절종대가 있고 가슴이 답답하며 오심, 식욕부진이 있으면 소시호탕을 합방한다.

2. 배가 그득하고 트림이 나오며 인후에 이물감이 있으면서 설태가 두껍고 미끌미끌한 경우 반하후박탕을 합방한다.

3. 더운 날씨에 땀이 많이 나서 두통과 번갈이 있고 소변이 잘 나오지 않을 경우 활석 15 g, 한수석 15 g, 석고 20 g, 감초 5 g을 합방한다. 이를 계령감로음(桂苓甘露飮)이라고 한다.

4. 허리와 다리의 통증 및 고혈압에 회우슬 30 g을 처방한다.

5. 황달이나 고빌리루빈혈증이 있으며 누런 땀이 나는 경우 인진 30 g을 더한다.

6. 안질환, 소변불리에는 차전자 15 g을 더한다.

[사용상의 주의사항]

1. 본 처방은 탈수를 치료하는 효과가 있지만 중증탈수 및 중증 전해질장애의 경우에는 이 처방에만 의존해서는 안되며 수액 등 전해질 보충을 위한 별도의 조치를 병행해야 한다.

2. 일부 환자는 본 처방 복용 이후 설사나 변비가 나타나는데 이때는 약을 줄이거나 중단한다.

[황황의 해설]

1. 오령산은 지방, 혈당, 요산 등의 물질대사이상에 의한 고삼투압성 수분저류상태에 적용한다. 이 상태는 주로 항생제, 스테로이드, 건강기능식품, 항암화학요법, 과도한 식사량, 장기간의 과음, MSG와 같은 식품첨가물의 오남용 등과 관련이 있다. 또한 면역기능의 장애, 바이러스 감염과도 관련이 있다. 이는 고대 중의에서 "축수(蓄水)"라고 해석하였으며 "수독(水毒)"이라 부르기도 하는 병태이다. 대사장애와 관련한 질환, 바이러스성 질환, 자가면역 질환, 국소에 발생하는 부종성 질환 등에서 오령산의 적응증이 자주 나타난다. 오령산의 응용에는 다음과 같은 조건이 있다. 환자는 소화흡수기능이 저하되어 있거나 위내정수(胃內停水)가 있으며 구토, 설사를 한다. 오령산은 체강내 체액저류를 제거하는

처방으로 소변이 잘 통하는 것이 효과가 있다는 표지가 된다.

2. 오령산은 설사가 주소증인 질환에 많이 활용된다. 위장형 감기, 급만성위염, 급성장염, 유행성 설사, 소화불량, 지방간, 영유아 설사, 여름철 수박 설사 등에 단독으로 투약할 수 있으며 소견에 따라 반하후박탕, 평위산, 육일산, 곽향정기산을 합방할 수 있다. 위장형 감기에는 반하후박탕, 곽향정기산을 합방하는 것이 가장 좋고 항생제에 효과가 없는 여름, 가을철 설사에도 가장 효과적이다. 보고에 따르면 오령산 원방은 영유아 설사에도 긍정적인 효과가 있었다고 한다. 오령산은 체내 수분의 비정상적인 분포와 배설을 교정하며 특히 탈수를 나타내는 완고한 설사를 신속하게 개선한다. 저자는 지방간 환자의 설사에도 효과를 본 일이 있다.

3. 오령산은 각종 구토에 사용된다. 음주 후 구토, 급성위장염 구토, 임신 구토, 신생아 구토, 물에 빠진 후의 구토 등에 사용된다. 이런 경우 물을 마시면 바로 토하는 사례가 많은데 특히 대량의 음주 후 물을 마시면 바로 오심, 구토가 있고 설사와 입마름이 있으면서 배뇨량이 줄고 안면부가 붉게 달아오르면서 붓는 소견이 있거나 머리가 어지럽고 가슴의 답답한 소견 등이 보일 때 오령산이 효과적이다. 따라서, 오령산은 해주(解酒)방이라고 할 수 있다.

4. 오령산은 갈증을 치료하므로 쇼그렌증후군에서 구강과 안구의 건조에 수반된 부종과 풀어지는 대변, 부은 설체와 치흔설, 입안이 마르고 끈적거리는 소견 등에 활용할 수 있다. 소시호탕과 합방하면 입마름, 피로감, 설사를 치료하는 효능이 있다.

5. 기존의 치료에 반응하지 않은 심한 두통에 오령산을 투여할 수 있

다. 일본에서 진행된 한 임상연구에 따르면 오령산 합 오수유탕을 월경기 편두통에 투여한 결과 70%의 피험자에서 효과가 나타났으며 이 환자들은 우천 1일 전에 두통이 심해지고 현훈, 부종, 소변불리 등의 증상이 수반되었다. 효과가 나타나지 않은 환자들은 이와 같은 소견도 없었다고 한다(日本 東洋醫學會誌 2017年 第1期 p.34-39). 이 외에도 뇌종양두통, 뇌하수체종양두통, 편두통, 고혈압두통 등에 오령산을 투여할 수 있다. 처방 중 택사, 백출은 대량으로 투약할 수 있다.

6. 포도막염, 유리체혼탁, 녹내장, 중심성장액성망막염, 시신경유두수종, 야맹증, 급성누낭염 등 안과질환에서 광과민증, 시력감퇴, 어지러움, 두통, 보행불안정, 두통, 부종, 갈증이 있으면 오령산을 쓸 수 있다.

7. 간경화복수, 심낭압전, 수두증, 관절내 삼출, 흉막삼출, 위저류, 골반내 삼출, 수신증, 음낭수종, 양수과다증 등 체강내 체액저류에 오령산을 활용할 수 있다. 저자는 만성간염, 간경변에서 부종, 설사하는 경우 오령산에 작약, 우슬 등을 가하여 처방한다.

8. 간질환에서 오령산의 방증이 자주 나타난다. 만성간염, 간경화, 지방간, 약물성간손상 등에서 설사와 입마름이 있고 땀이 많이 나며 얼굴이 누렇고 설질의 색이 옅을 경우 이 처방을 쓸 수 있다. 부종, 혈청 알부민저하에는 백출을 증량하여 처방한다. 가벼운 황달에는 인진호를 더하여 처방한다. 가벼운 빈혈에는 당귀작약산을 합방하여 처방한다. 복수(腹水)에는 진무탕, 회우슬 등을 더하여 처방한다.

9. 당뇨, 고지혈증, 지방간, 통풍 등의 대사장애에서도 오령산을 쓸 수 있다. 당뇨병에서 구갈, 입안의 끈적이는 느낌, 구토청수, 간헐적 설사는 대략 20% 이상에서 나타난다. 이는 오령산증의 구갈, 토수(吐水), 수사

(水瀉)와 서로 잘 부합한다. 오령산증의 '소변불리'는 당뇨병에서의 다뇨와 일치하며 입 안이 끈끈하고 설태가 두꺼운 경우에는 오령산에서 창출을 증량하면 좋다. 고지혈증에서 비만, 다한(多汗), 입마름, 설사, 복창 등이 있고 설체가 비대하여 치흔이 나타나며 지방변을 보는 경우 오령산을 활용하며 택사를 증량한다. 체중감량을 위해서는 인진호를 더해 쓸 수 있다. 설사와 갈증이 있으면 오령산을 상복하도록 한다. 발의 부종과 통증에는 회우슬을 더하여 처방한다. 관절통증에는 황백을 가하여 처방한다. 통증이 심해 환부를 만지기 어려운 정도라면 부자를 더하여 처방한다. 땀이 많고 부종이 있다면 마황, 석고, 감초를 더하여 처방한다(월비탕).

10. 피부삼출이 명확하거나 수포가 있다면 오령산을 쓸 수 있다. 일본의 의사들은 오령산을 사마귀, 황색종, 지루성피부염, 탈모, 다형성홍반, 수두, 대상포진, 완고한 습진, 손발의 수포 등 피부질환에 사용한다.

11. 오령산을 복용한 후 "多飮溫水, 汗出愈"라는 것은 張仲景의 경험이다. 오령산의 복용 후 찬 음료를 마시면 약물의 효과가 사라지거나 설사가 심해질 수 있다. 평소에도 찬 음식을 먹지 않도록 하고 식단을 조절하여 술과 고기 및 기름진 음식을 피하도록 한다.

20. 저령탕

이 처방은 고대의 임증(淋症) 치료 처방으로 청열(清熱), 이뇨(利尿), 지혈(止血)의 효능이 있어서 비뇨기감염을 치료하고 빈뇨, 뇨급, 요통, 배뇨급박, 요실금 등 일련의 요도자극증상을 특징으로 하는 질환에 적용한다.

[원전처방]

저령, 복령, 택사, 아교, 활석 각 一兩. 물 四升으로 먼저 아교를 뺀 네 약물을 二升까지 달이고 찌꺼기를 제거하고 아교를 넣어 녹인 후 하루 세 차례에 나누어 따뜻하게 七合을 복용한다.(《傷寒論》《金匱要略》)

[방증요점]

소변불리(小便不利)가 있고 소변은 황적색이며 임리삽통(淋漓澁痛)이 있다. 열이 나면서 목이 말라 물을 마시려 하거나 가슴이 답답하여 잠을 이루지 못하는 경우에도 사용한다.

[적용 병증]

아래의 병증과 위에 서술한 환자군의 특징이 부합하는 경우에 처방의 투약을 고려할 수 있다.

1. 빈뇨, 절박뇨, 배뇨통이 나타나는 질환으로 방광염, 요도염,

급만성신우신염, 수신증, 신결석, 방광결석, 유미뇨, 전립선염, 방사선 방광염 등

2. 설사가 나타나는 질환으로 급성장염, 직장궤양, 궤양성대장염

3. 출혈이 있는 질환으로 자궁출혈, 장출혈, 혈뇨, 혈소판감소성자반증, 재생불량성빈혈 등

4. 불안초조, 우울증, 갱년기증후군 등에서 빈뇨, 절박뇨, 배뇨통이 있는 경우

[가감 변화]

1. 발열이 수반되는 요로감염에는 소시호탕을 합방한다.

2. 요로결석, 복통, 요통이 있으면 사역산을 합방한다.

3. 붉은 소변을 보면서 발의 무좀, 습진, 여성의 골반염, 질염등 질환이 있는 경우에는 연교 30 g, 치자 15 g, 황백 10 g을 더한다.

[사용상의 주의사항]

배가 그득하거나 식욕부진이 있는 환자에게는 신중히 투여한다.

[황황의 해설]

1. 저령탕의 활용범위는 비교적 명확하여 대부분 방광염, 요도염, 급만성신우신염, 급만성사구체신염, 루푸스신염, 수신증, 신결석, 방광결석, 전립선비대, 감염이 수반된 다낭신 등 비뇨기 감염에 사용한다.《類聚方廣義》에서는 이런 소견에 대하여 "治淋病, 点滴不通, 陰頭腫痛,

少腹膨脹作痛者."라고 말하고 있다. 요로감염으로 배뇨통이 있고 소변이 잘 나오지 않으며 가슴이 답답하여 잠을 이루지 못하는 경우 연교, 치자를 더하고 황대하와 무좀이 있으면 황백, 치자, 감초를 더한다. 배뇨시의 불쾌한 느낌과 복통이 있으면 사역산을 합방한다.

2. 저령탕은 설사에도 쓸 수 있으며 張仲景도 "少陰病, 下利六七日(319條)"라 하여 설사에 활용하였다. 현재는 방사선 장염, 만성궤양성 결장염, 이질 등에서 설사와 출혈이 있는 경우 저령탕을 투약한다. 설질이 붉고 맥이 삭(數)하며 번조가 있는 경우 황련아교탕, 백두옹탕, 황금탕을 합방하고 대황을 더한다. 백혈구, 혈소판, 헤모글로빈 감소에는 묵한련(墨旱蓮), 여정자(女貞子)를 더하여 처방한다.

3. 불안, 우울, 갱년기증후군에서 빈뇨, 절박뇨, 배뇨통이 있을 때 이 처방과 사역산, 치자후박탕을 합방하여 투약할 수 있다.

저령탕과 오령산 모두 복령, 저령, 택사를 포함하고 있으며 소변불리에 사용한다. 감별점은 ① 주치질환의 차이: 오령산은 수역(水逆), 수사(水瀉)에 쓰고 저령탕은 임증(淋症)과 혈뇨, 혈변에 쓴다. ② 한열의 차이: 오령산증은 한습(寒濕)에, 저령탕증은 습열(濕熱)에 속한다. 오령산은 통양(通陽)을, 저령탕은 청열(淸熱)을 주로 한다.

21. 황련아교탕

고대의 제번지혈(除煩止血) 처방이며 전통적인 자음청열사화(滋陰淸熱瀉火) 처방이다. 항불안, 항균, 지혈, 안태 등의 작용이 있다. 가슴이 답답하여 잠을 이루지 못하며 심하비(心下痞)와 복통이 있고 설질이 붉으며 혈변, 붕루(崩漏) 등의 소견이 특징인 질환에 적용한다.

[원전처방]

황련 四兩, 황금 二兩, 작약 二兩, 계자황 二枚, 아교 三兩. 물 六升에 넣고 먼저 황련, 황금, 작약 세 약물을 넣어 二升으로 달인 후 찌꺼기를 제거하고 아교를 녹여 넣고 약간 식힌 다음 계자황을 넣고 젓는다. 七合을 따뜻하게 복용한다. 하루 세 차례 복용한다.(《傷寒論》)

[방증요점]

가슴 속이 답답하고 불편하며, 잠을 이루기 어렵다. 혈변, 오래 지속되는 농혈변, 붕루(崩漏), 쥐어짜는 듯한 복통이 있을 수 있으며 입술은 붉고 혀는 진홍색이다.

[적용 환자군]

1. 붉은 입술: 환자의 체격은 중간 정도이고 피부는 희거나 안면에 홍조가 있다. 평소에는 입술에 윤기가 있으나 병으로 말라 있으며 입술색은 붉다. 혀와 눈이 붉으며 근육이 비교적 단단하고 긴장되어 있다.

2. 번조: 불면이 있고 꿈을 많이 꾸며 몸에 열감이 느껴진다. 가슴이 두근거리며 빈맥이 있고 맥이 삭(數)하다. 심하비(心下痞)가 있다.

3. 출혈: 피하자반이 잘 나타나고 코피, 복통, 변혈도 잦다. 여성에서는 빈발월경, 경간기출혈이 있다. 월경혈은 선홍색이며 끈적이거나 덩어리가 있다.

4. 진홍색 혀(舌紅絳): 설질이 딸기처럼 붉고 설체에는 미란(糜爛)과 갈라짐, 주름이 있으며 설면은 건조하고 진액이 적다. 경면설(鏡面舌)이나 화박태(花剝苔)가 있다. 설체는 단단하다.

[적용 병증]

아래의 병증과 위에 서술한 환자군의 특징이 부합하는 경우에 처방의 투약을 고려할 수 있다.

1. 번조, 불면이 나타나는 소견으로 발열 질환을 앓은 이후의 번조, 불면, 불안신경증, 우울증, 부정맥 등

2. 출혈이 나타나는 질환으로 선조유산, 월경과다, 기능성 자궁출혈, 이질, 장티푸스, 궤양성 결장염, 혈소판 감소성 자반증 등

3. 피부의 손상과 발적, 건조가 보이는 질환으로 습진, 홍반, 건

성 피부 등

4. 번조와 입마름이 나타나는 질환으로 당뇨병, 구강궤양 등

[가감 변화]

1. 출혈이 있으면 생지황 30 g을 더한다.
2. 아랫배의 통증이 있으면 목단피 15 g을 더한다.

[사용상의 주의사항]

황련아교탕에는 상대적으로 많은 용량의 황련이 포함되어 있어 탕액의 맛이 상당히 쓰다. 장기복용은 적절하지 않으므로 증상이 완화되면 즉시 복용량을 줄이도록 한다. 식욕이 부진한 환자에게는 신중히 투여한다.

[황황의 해설]

1. 황련아교탕의 주치질환은 비교적 많다. 그 특징으로는 심번불면, 점막충혈건조, 혹 출혈이 있으며 이를 '황련해독탕증후군'이라고 부를 수 있다. 이는 중의의 음허화왕(陰虛火旺)으로 체내진액이 부족하고 양기가 상대적으로 왕성한 일종의 병리적 상태를 말하며 현대의학에서의 자율신경기능장애, 교감신경흥분, 체내신진대사항진 등과 유사하다. 황련아교탕의 방증은 대뇌피질흥분, 신진대사이상, 면역 및 내분비기능이상, 점막충혈이라는 일련의 상태로 이해할 수 있다. 임상적으로는 만성감염질환, 만성소모성질환 및 신경쇠약, 내분비장애 등의 질환에서 많이 보인다.

2. 황련아교탕은 번조를 완화시켜 수면을 돕는 효능이 있어 중증 불면에 쓸 수 있다. 환자는 항상 밤새 잠을 이루지 못하고 밤에는 번조하지만 낮에는 조금 편안해지며 설질이 붉고 맥은 세삭(細數)하다. 열병후기, 소모성질환의 경과 중에 많이 관찰된다.

3. 황련아교탕은 지혈, 안태작용이 있어 절박유산, 소량의 질출혈, 발작성의 아랫배 통증 및 허리 통증 등에 쓸 수 있다. 피부가 섬세하고 희며 입술은 선홍색이고 불면, 발열, 빈맥이 보이는 경우 적용한다. 황련은 많이 사용할 필요가 없으며 3 g이면 충분하다. 복용 후 일반적인 질환은 곧 개선되므로 장기투약할 필요는 없다.

4. 다낭성난소증후군 및 조기난소부전에서 모두 이 처방을 사용할 기회가 있다. 다낭성난소증후군 환자가 체격이 정상이거나 마른 편이면서 월경곤란 및 경간기출혈, 구강궤양, 불면, 혈당이상 및 당뇨 가족력이 있는 경우에 황련아교탕을 갈근금련탕, 삼황사심탕, 계지복령환 등과 합방하여 처방하는 경우가 많다. 조기난소부전은 젊은 여성에게서 무월경이 발생하며 피부는 희고 건조하면서 체격이 수척하며 입술과 혀 모두 붉고 구강궤양, 홍열(洪熱), 도한(盜汗), 불면, 탈모 등 소견을 보인다. 이 경우 저자는 종종 황련아교탕 원방 이외에도 생지황 20-30 g, 감초 5-10 g을 더하여 처방한다.

5. 황련아교탕은 치창출혈, 방사선장염출혈, 크론병, 세균성이질, 장티푸스에 의한 장관출혈 등 혈변이 나타나는 질환에 많이 사용한다. 혈변으로 인하여 빈혈에 이르는 경우가 많지만 맥활(脈滑), 심번, 구강궤양이 있는 경우에는 이 처방을 활용할 수 있다.

6. 황련아교탕은 습진, 홍반, 피부건조증 등 피부의 손상, 발적, 건조

를 특징으로 하는 피부질환에 쓸 수 있다. 이 처방을 적용할 환자들은 대부분 난치성으로 고식적 치료에 반응하지 않으며 피부의 건조와 발적, 가려움이 심하다. 수면장애 및 피로가 자주 나타나며 여성에서 많이 보인다.

7. 황련아교탕의 적용범위는 《傷寒論》 원문을 넘어서는데, "心中煩, 不得臥"인 소음열화증(少陰熱化證)만이 아니라 임상각과질환에 광범위하게 사용할 수 있다. 특히 부인과, 정신과, 혈액종양내과, 피부과 등에 응용할 기회가 많다. 치료에서의 관건은 황련아교탕증의 식별, 특히 "황련아교탕인(黃連阿膠湯人)"의 체질을 확인하는 것이다. 이는 심번, 불면, 점막피부의 출혈 및 건조, 맥삭(脈數)을 특징으로 하는 음허내열(陰虛內熱)성의 체질, 마른 청년, 중년 여성에서 많이 볼 수 있다. 이 같은 적응증을 갖는 환자의 특징을 홍(紅), 건(乾), 번(煩), 삭(數)의 네 글자로 묘사할 수 있다. 홍(紅) – 입술과 혀는 붉고 궤양이 있거나 피부가 붉으며 잦은 출혈이 있고 혈색은 선홍색 혹은 심홍색임을 나타낸다. 건(乾) – 피부와 모발 및 질의 건조, 월경량 감소를 나타낸다. 번(煩) – 심번, 불면, 불안, 우울, 어지러움, 조열감을 나타낸다. 삭(數) – 빈맥과 삭맥(數脈)이다. 이들을 요약하면 한 송이의 메마른 붉은 장미와 같은 소견이라 할 수 있다.

8. 후세의 응용경험에 따르면 "황련아교탕인(黃連阿膠湯人)"의 설상은 특이한 방증이다. 환자의 설질이 선홍색이고 태가 적어 혀가 딸기 같으며 설체의 미란(糜爛), 갈라짐, 주름이 있고 설면이 건조하거나 경면설(鏡面舌), 화박태(花剝苔)가 있기도 하다. 청대의 명의 葉天士는 《臨證指南醫案》의 황련아교탕 의안에서 "舌絳色", "舌絳赤糜乾燥", "舌

絡被熏, 則絳赤如火”, “舌縮”, “舌黑芒者”, “舌心乾板”이라 묘사하였다. 청대의 曹仁伯은《增評柳選四家醫案》에서 본 처방의 구성 중 황금을 제거하고 생지황을 많이 더하여 음허태박(陰虛苔剝)에 썼다. 劉渡舟 선생은《傷寒挈要》의 의안에서 “혀가 붉은 것이 딸기같다.”고 여러 차례 설명하였다. 저자의 임상관찰에 따르면 황련아교탕 체질은 입술색에서 더 직관적으로 발현되며 이 같은 입술색은 립스틱으로 입술을 붉게 물들인 것처럼 진한 붉은색이거나 검붉은 색으로 건조, 탈피, 통증, 열구(裂口) 등이 함께 나타난다.

9. 잦은 출혈도 “황련아교탕인(黃連阿膠湯人)”의 특징이다. 황금과 아교를 같이 사용하여 혈증을 치료하는데 이는 황토탕을 활용할 수 있는 증상이다. 황련, 아교로 적백리를 치료하는 것은 주차환(舟車丸)과 같이《千金方》,《外台祕要》에서 많이 볼 수 있다. 본 처방이 지혈 작용이 있다는 점에 대해서는《張氏醫通》의 “便紅”,《類聚方廣義》의 “治諸失血”처럼 후세의가의 경험을 통해 실증되었다. 이 같은 작용은 혈변뿐 아니라 신체하부의 출혈, 특히 자궁출혈에서도 다수 관찰할 수 있다.

10. 부인과 종양 환자에게는 이 처방을 신중하게 투여한다. 아교는 자궁근종으로 인한 과다월경이 있을 경우 적절치 않다. 자궁근종, 자궁선근증, 난소낭종, 난소암, 유선암 등 환자에 대한 투약도 신중해야 한다. 자궁근종으로 인한 과다월경에는 이 처방이 적절하지 않으므로 아교를 제외하고 투약하거나 황련해독탕 혹은 사심탕으로 처방을 변경하여 투약한다.

11. 이 처방은 장기복용이 부적절하므로 증상이 개선되면 바로 욕량을 줄이거나 복용을 중단하도록 한다.

22. 황련해독탕

황련해독탕은 고대 열병의 상용처방으로 전통적인 청열사화(淸熱瀉火) 처방이다. 제균, 항내독소, 항염, 해열, 혈당강하, 지질강하, 혈압강하, 인슐린저항성 개선, 위산분비억제, 최면, 뇌허혈 개선 등의 작용이 있다. 의식이 혼미하여 헛소리를 하고 번조, 불면과 함께 가슴이 두근거리며 설질이 붉고 입이 마르면서 맥이 활(滑)한 소견 등을 특징으로 하는 질환에 적용한다.

[원전처방]

황련 三兩, 황금, 황백 각 二兩, 치자 十四枚. 치자는 쪼개서 쓴다. 이 네 약물을 잘라서 물 六升에 넣어 二升이 되도록 달인 뒤에 두 차례에 걸쳐 나누어 복용한다.(《外臺秘要》)

[방증요점]

신대열(身大熱), 가슴의 답답함, 번조, 불면, 의식저하, 섬어, 입마름 등이 있는 경우

[적용 환자군]

1. 얼굴이 붉고 기름진 환자: 체격이 비교적 건장하고 얼굴이 붉게 달아올라 있거나 혹은 검붉은 색이며 기름기가 돈다. 눈동자는 충혈되어 있거나 눈곱이 많다. 입술은 검붉거나 자홍(紫紅)색

이다.

2. 설홍(舌紅), 맥삭(脈數): 설질이 붉거나 검붉고 견염설(堅斂舌), 창로설(蒼老舌)이 보인다. 설체는 움직임이 불편하거나 굳어 있어서 말이 분명하지 않거나 실어(失語) 등이 생긴다. 설태는 누렇고 미끌미끌한 경우가 많다. 맥상은 활리(滑利), 혹은 활질(滑疾)하다.

3. 번조: 번조가 잦고 불안과 우울증이 있으며 안절부절 못한다. 불면 및 다몽증 등의 소견이 많으며 머리가 어지럽고 두통이 있다. 기억력 및 주의력의 감퇴 등도 있다.

4. 많은 염증: 평소에 찬 것을 좋아하고 더운 것을 싫어하며 차가운 음료를 잘 마신다. 피부에는 항상 부스럼이 난다. 자주 설사를 하며 입이 마르고 쓰다. 입과 혀의 궤양과 인후통 등이 항상 있다. 무좀이 있는 경우가 많으며 여성의 경우 황색 대하가 자주 관찰된다.

[적용 병증]

아래의 병증과 위에 서술한 환자군의 특징이 부합하는 경우에 처방의 투약을 고려할 수 있다.

1. 급성전염병 및 급성감염성질환 경과 중의 중독성 뇌질환

2. 번조, 두통, 불면이 나타나는 질환으로 원발성고혈압, 뇌출혈, 뇌혈관성치매, 지주막하출혈, 혈액 내 CRP 증가소견, 고피브리노겐혈증, 고지혈증, 정신분열증, 불안증 등

3. 전염성 질환 중 급성간염, 급성위장염, 세균성이질 등

4. 화농성 피부질환으로 모낭염, 피진, 피부염, 농포창, 각종 진균감염, 성병, 부스럼, 단독, 여드름, 화농성관절염, 손발바닥 농포증 등

5. 자가면역 질환으로 류마티스관절염, 혈소판감소성자반증 등

6. 구강점막 질환으로 치주염, 편평태선, 베체트병 등

7. 출혈이 나타나는 질환으로 혈우병, 혈소판감소증 등

8. 부인과 염증성 질환으로 골반염, 월경통, 월경과다 등

[가감 변화]

1. 출혈, 변비에는 대황 10 g을 더한다.

2. 배가 더부룩하고 구토와 위산역류가 동반되며 심하부를 누르면 발생하는 그득한 통증 등의 소견이 있는 경우 대시호탕을 합방한다.

3. 피부가 붉고 건조하며 벗겨지고 인설이 있다면 사물탕을 합방한다.

[사용상의 주의사항]

평소 신경쇠약이 있으면서 더운 것을 좋아하고 찬 것을 싫어하고 빈혈, 식욕부진, 간기능장애가 있다면 신중히 투여한다.

[황황의 해설]

1. 황련해독탕은 고대의 열병치료 처방으로 전통적으로는 청열사화제(淸熱瀉火劑)에 속한다. 방증은 번조, 출혈, 감염, 점성이 높고 냄새가

심한 분비물, 맥삭(脈數)을 특징으로 하며 "황련해독탕증후군"이라고 할 수 있다. 중의에서는 이런 증상에 대해 열독(熱毒)이 전신에 가득차 있다고 해석하는데 이는 전신염증반응-응고기전이상-중추신경계통의 기질적 병변으로 이어지는 일종의 병리상태로 이해할 수 있으며 이를 '황련해독탕증후군'이라고 부를 수 있다.

2. 황련해독탕은 뇌혈관질환의 상용 처방이다. 얼굴이 붉고 기름지며 끈끈하고 냄새나는 땀이 나고 체격은 대체로 강건한 편이며 고혈압, 뇌경색, 뇌출혈, 노인성 치매 등이 있는 환자에게 적용한다. 환자의 설태는 누렇고 미끌미끌한 경우가 많고 맥은 삭(數), 유력(有力)하다. 약리적으로 황련해독탕은 혈압강하 효과를 가지고 있으며 지혈, 뇌혈류 증가, 지질대사 개선, 혈소판응집 억제, 동맥경화증 억제 등의 작용이 있다. 장기복용 시에는 환제로 간단히 휴대하도록 하는 것이 좋다.

3. 이 처방은 재발성 구내염, 베체트병, 양성 구강점막 유천포창, 편평태선 등의 구강점막미란에 상용한다. 국소 환부 점막의 충혈, 미란(糜爛), 통증, 잇몸출혈, 입마름 및 입안의 쓴 맛, 입냄새, 변비, 항문작열통 등에도 황련해독탕을 쓴다. 저자의 경험방으로는 대황감초해독탕(즉 황련해독탕에 대황, 감초를 가한 것)이 있다. 이 처방에서 감초는 반드시 대량 사용해야 하는데 통상 하루에 20 g을 활용하여 점막회복, 간보호, 약의 쓴맛 조절 등의 효과를 얻는다.

4. 황련해독탕은 혈소판감소성자반증, 혈우병 등 출혈성 질환을 치료할 수 있다. 붉은색의 덩어리가 잘 생기는 출혈과 함께 신열(身熱), 번조, 불면이 있으면서 맥이 활삭(滑數)한 경우에 본 방을 쓴다. 통상 사심탕, 서각지황탕과 합방하여 쓰고 대황, 생지황을 더할 수도 있다. 자궁

근종, 자궁선근증 등으로 인한 과다월경 시 월경혈이 진한 붉은색이면서 점성이 높고 덩어리가 있는 경우 이 처방이 출혈량을 감소시키는 효과가 있다.

5. 황련해독탕은 자궁내막염, 자궁내막증, 자궁선근증, 골반염증에 의한 월경통 등에서 자주 보이는 열성(熱性) 통증에 활용할 수 있다. 환자의 입술은 붉고 맥은 활삭(滑數)하며 요복통(腰腹痛)이 심하다. 월경혈은 검붉고 끈끈하며 덩어리가 있다. 대하는 양이 많고 황색이다.

6. 황련해독탕에 사물탕을 더한 처방을 온청음(溫淸飮)이라고 하며 명대의 《萬病回春》에서는 온청음과 관련하여 "治婦人經水不佳, 或如豆汁, 五色相雜, 面色萎黃, 臍腹刺痛, 寒熱往來, 崩漏不止"라 설명하고 있다. 이는 출혈량이 많고 경과가 긴 편이라는 것을 나타낸다. 월경혈은 선홍색이거나 검붉은 색이며 회녹색인 경우도 있다. 아랫배의 불쾌감이 있고 찬 것을 싫어하며 번열이 나타나며 빈혈 경향이 있는 환자의 만성 자궁내막염, 골반염 등에 많이 활용하고 국소 환부의 피부손상, 건조, 발적이 있는 피부질환에도 쓴다.

23. 사심탕

경전의 지혈 처방이며 전통적인 청열사화(淸熱瀉火) 처방이다. 지혈, 강압, 지질강하, 통변, 위점막보호, 항균, 항염, 항내독소 작용이 있으며 출혈, 심번, 가슴 두근거림, 심하비를 특징으로 하는 질환에 적용한다.

[원전처방]

대황 二兩, 황련 一兩, 황금 一兩. 이 세 약물을 물 三升으로 달여 一升을 취하여 한꺼번에 마신다. 현대적으로는 물에 달여 하루 세 차례에 나누어 복용할 수 있다.(《金匱要略》)

[방증요점]

토혈, 코피, 번조불안, 빈맥, 심계항진, 심하비 등

[적용 환자군]

1. 얼굴이 붉고 기름진 환자: 체격은 건장하며 얼굴이 붉게 달아오르고 기름기가 번들거리는 것 같은 광택이 있다.

2. 충실한 복부: 복부가 충실, 유력하고 상복부의 불쾌감과 함께 대변이 건조하고 덩어리지거나 변비가 있다.

3. 상화(上火): 두통, 어지러움, 비출혈, 잇몸출혈, 토혈, 피하출혈 등이 있으며 두면부의 감염이 자주 나타나는 경우

4. 설홍(舌紅): 설질은 검붉고 견로(堅老)하며 설태는 두껍고 누런 환자

5. "三高": 고혈압, 고지혈증, 과다점성증후군

[적용 병증]

아래의 병증과 위에 서술한 환자군의 특징이 부합하는 경우에 처방의 투약을 고려할 수 있다.

1. 각종 출혈로써 객혈, 토혈, 코피, 잇몸출혈, 두개내출혈, 안저출혈, 자궁출혈, 치질출혈, 장출혈, 혈뇨, 피하출혈 등

2. 전염성, 발열성 질환에서 번조, 출혈, 변비가 있는 경우

3. 두면부의 염증으로 종기, 안와 봉와직염, 모낭염, 여드름, 결막염, 맥립종, 상부호흡기감염, 편도선 낭종, 편평태선, 재발성 구내염 등

4. 두통, 번조가 나타나는 질환으로 고혈압, 고지혈증, 동맥경화, 뇌졸중, 뇌경색, 정신분열증, 불면 등

[가감 변화]

1. 췌장, 담도질환을 동반하고 상복부불쾌감 및 그득한 통증이 있는 경우 대시호탕을 합방한다.

2. 번조, 의식혼미가 있고 설질이 붉으며 설태가 누렇고 미끌미끌한 경우 황련해독탕을 합하고 연교를 더하여 처방한다.

3. 심하비, 구토, 장명음이 있으면 반하사심탕을 합방한다.

4. 고혈압이 있고 목덜미가 뻣뻣하면서 통증이 있으면 갈근금

련탕을 합방한다.

[사용상의 주의사항]

1. 체질허약, 신경쇠약, 수척한 체격, 빈혈, 맥이 약한 소견을 보이는 환자에게는 신중히 투여한다.

2. 임산부에게는 신중히 투여하고 수유기에 이 처방을 복용하는 경우에는 수유를 중단하게 한다.

3. 이 처방으로 오심, 복통, 설사, 변비, 식욕부진, 결막충혈, 어지러움 등 부작용이 나타날 수 있다.

[황황의 해설]

1. 사심탕은 경전의 지혈 처방으로 각종 출혈에 투약한다. 객혈, 토혈, 코피, 잇몸출혈, 두개내출혈, 안저출혈, 자궁출혈, 치창출혈, 장출혈, 혈뇨, 피하출혈 등에 활용할 수 있다. 신체 상부의 출혈에는 치자, 연교 등을 더하고 혈변, 자궁출혈과 같은 신체 하부의 출혈에는 생지황, 포황, 아교 등을 더하여 처방한다.

2. 사심탕은 고대의 비증(痞證) 치료 처방이다. 상복부의 불쾌감 및 충만감, 작열감, 은근한 통증, 식욕부진 등에 투약할 수 있다. 위염, 위궤양, 위식도역류질환, 역류성식도염, 결장염, 결장암 등에도 활용할 수 있다. 사심탕의 적응증 환자들은 체격이 건장하고 피부색은 검푸르거나 어두운 황색이다. 식욕이 왕성하지만 뱃속이 그득해지고 설사가 나오는 일이 잦으며 설질은 비대하다. 저자는 이 같은 경우 사역탕을 합방하여 쓰는데 이를 '삼황사역탕'이라고 한다.

3. 간질환에 사심탕을 쓸 기회가 있다. 비장기능항진증, 비장종대, 간경화 등에서 붉고 광택이 도는 얼굴빛, 구강궤양, 입마름, 구고(口苦), 붉은색 설질, 건조하고 덩어리지거나 끈적이고 냄새가 심한 대변, 출혈(코피, 잇몸출혈, 자반, 상부소화관출혈, 월경과다 등)이 있는 환자에게 사심탕을 처방할 수 있다. 통상 황금탕, 작약감초탕, 당귀작약산 등과 교차로 복용한다.

4. 사심탕은 혈액응고항진을 개선하여 뇌졸중을 예방하고 두개내출혈을 치료하므로 고혈압, 뇌출혈, 뇌경색에 사용할 수 있다. 단독으로 사용 가능하며 대시호탕, 시호가용골모려탕, 황련해독탕, 계지복령환 등과 합방해서도 쓸 수 있다. 저자의 스승인 葉秉仁 선생은 중풍으로 의식이 혼탁하면서 설태가 누렇고 두터우며 대변이 끈적이고 냄새가 심할 경우 삼황사심탕 가감방을 비위관을 통해 투여하였는데, 환자의 의식회복과 자극에 의한 궤양발생 억제에 모두 도움이 되었다.

5. 일부 정신질환에도 사심탕을 쓸 수 있다. 조울증, 정신분열증, 신경증 등에서 쉽게 흥분하며 번조, 불면, 변비가 있고 설질이 붉으며 설태가 누런 경우에 쓸 수 있다. 이 처방에는 진정작용이 있으며 변을 잘 통하게 하는 것이 치료목표가 된다. 한열착잡(寒熱錯雜)형의 신경증에는 부자, 건강, 감초를 더한다.

6. 이 처방은 청년층의 여드름에도 효과적이다. 얼굴이 기름기가 많으며 여드름이 크게 불거져 있으면서 붉고 아픈 경우, 창두(瘡頭)에 황색 고름이 있을 경우 등에 쓸 수 있다. 이들 환자들은 변비, 미각이상, 불면, 정서불안정 등이 수반되는 경우가 많다. 다낭성난소증후군에서의 여드름, 구강궤양, 설사, 희발월경, 무월경에는 부자, 건강, 감초, 갈근,

육계 등을 더하여 쓴다.

7. 사심탕의 세 약물은 용량 조절이 가능하다. 출혈에는 황금을 증량하고 변비에는 대황을 증량하며 번조, 불면, 구고(口苦), 입마름에는 황련을 증량한다.

8. 사심탕은 만성질환 치료에 사용되므로 환자의 체질을 주의하여 식별할 필요가 있다. 사심탕은 일종의 열성체질, 실증체질에 사용되며 출혈, 번조불안, 맥활삭(脈滑數), 붉고 기름진 광택이 있는 얼굴, 배꼽 주변의 두근거림 등을 특징으로 한다. 사심탕을 투약할 환자들은 고혈압, 당뇨, 비만, 불안, 혈액질환이 있는 경우가 많다. 평소에 신경쇠약, 따뜻한 것을 좋아하고 찬 것을 싫어하는 경향, 빈혈, 허약, 무른 변 및 부종, 황백색의 얼굴빛, 힘없고 약한 근육, 옅은 색의 부은 설질, 백활(白滑)하고 축축한 설태가 보이는 환자는 사심탕이 부적절하다. 한열착잡(寒熱錯雜)체질이나 허한(虛寒)체질에서 출혈이 있다면 사심탕을 사역탕, 부자이중탕, 온경탕, 당귀사역탕 등의 온열약과 합방하여 활용할 수 있다.

9. 황련상청환(黃連上淸丸)은 중국에서 널리 쓰이는 중성약(한약제제)으로 청말 凌奐의《詞鶴亭集方》에 수록된 처방이 중국약전에 실린 것이다. 조성은 대황, 황련, 황금, 치자, 연교, 석고, 만형자, 방풍, 형개수, 백지, 길경, 국화 ,박하, 천궁, 선복화, 감초로 사심탕의 가미방이다. 머리가 충혈되어 아찔아찔한 증상, 잇몸의 부종과 통증, 입과 혀에 생기는 상처, 인후의 홍종, 귀의 통증, 이명, 급성결막염, 건조한 대변, 누렇거나 붉은빛이 도는 소변 등 소견에 많이 활용한다. 고혈압, 고지혈증, 동맥경화, 당뇨, 치주염, 습관성변비, 안면염증, 상부호흡기감염 등에도 활용할 수 있다.

24. 대승기탕

고대의 응급처방으로 전통적인 준하열결(倰下熱結) 처방이다. 장관운동을 촉진하고 장관용적과 혈류량을 늘리며 장점막을 보호하고 내독소혈증과 다발성장기부전을 예방하고 개선하는 작용이 있다. 통상 발열성질환 및 중증외상의 극성기에 완비(脘痞), 복만(腹滿), 설조, 변비, 정신혼미 등이 특징인 경우 상용한다.

[원전처방]

대황 四兩, 후박 半斤, 지실 五枚, 망초 三合. 물 一斗에 먼저 후박, 지실을 넣어 五升이 되도록 달인 뒤, 찌꺼기를 버리고 대황을 넣어 다시 二升이 되도록 달이고 찌꺼기를 제거하고, 망초를 넣어 약한 불로 한두 차례 더 달인다. 약한 불에 올려 한두번 끓어오르면 두 번에 나누어 따뜻하게 복용한다. 설사가 나오면 나머지는 복용하지 않는다.(《傷寒論》)

[방증요점]

복부에 그득한 통증, 배변곤란, 섬어(譫語), 정신혼미, 번조, 불안, 심한 두통, 발열, 다한(多汗), 맥활삭(脈滑數), 입마름

[적용 환자군]

1. 복만통(腹滿痛): 배 전체가 부어올라 그득하며 손으로 누르면 명확한 저항감이 있고 근성방어가 있다.

2. 배변곤란: 대변이 단단하게 굳어서 수일이 지나도 풀리지 않고 방귀냄새가 심하다. 혹 설사 후 냄새가 심하고 설사라도 수분이 적거나 혹은 점액변을 본다.

3. 혼수: 혼수, 혼미 등 소견을 보이거나 헛소리를 한다. 번조, 불안, 병세가 위중하다.

4. 대황설: 설질이 붉고 가시가 돋거나 갈라진다. 설태는 누렇고 두터우며 건조하며 혹은 미끌미끌하고 탁하거나 밥이 탄 것과 같은 초흑색(焦黑色)을 띄기도 한다.

5. 맥 활실(滑實): 맥상은 침실(沈實), 유력(有力)하고, 혹 활삭(滑數)하거나 삭(數)하면서 연(軟)하다.

[적용 병증]

아래의 병증과 위에 서술한 환자군의 특징이 부합하는 경우에 처방의 투약을 고려할 수 있다.

1. 복부의 창만이 심하고 통증과 배변곤란이 나타나는 질환으로 유착성장폐색, 회충성장폐색, 분석성장폐색, 동력장폐색, 다장기기능부전, 중증급성호흡곤란증후군(ARDS) 등

2. 번조, 대변불통이 나타나는 질환으로 간성혼수, 조울증, 정신분열증, 쿠싱증후군, 비만, 치통, 두통 등

[가감 변화]

1. 양명부실증(陽明腑實證) 또는 기창(氣脹)에 속하는 것이 분명한 단순 장폐색에는 나복자(초) 30 g, 도인 15 g, 적작약 15 g을 더한다.

2. 대승기탕에서 망초, 후박, 지실을 제거한 처방을 소승기탕이라고 하며, 사하작용이 약하다. 비(痞), 만(滿), 조(燥), 실(實)의 경증에 많이 사용한다.

[사용상의 주의사항]

1. 대승기탕 복용의 주의사항: ① 처음 탕전한 약액만 복용한다. 재탕시 탕액이 쓰고 떫어지며 변이 통하지 않게 된다. ② 반드시 공복에 복용한다. 복용 후 1시간 내에는 음식을 먹지 않는다. 그렇지 않으면 사하효과에 영향을 미치게 된다. ③ 효과가 나타나면 복용을 중단하고 장기복용은 피한다.

2. 대승기탕의 탕전법의 요점: 먼저 지실, 후박을 먼저 달이고 대황을 후하하며 망초를 녹여 복용하는 것이다. 망초, 대황을 오래 달이면 사하작용이 약해진다.

3. 설태가 얇고 흰 것은 장관내 적체가 없다는 것이므로 대황 투여에 신중해야 한다.

4. 대승기탕은 공하제이나 대변이 굳고 덩어리진 경우 뿐만이 아니라 묽은 설사가 심하여 점액변에 이른 경우에도 이 처방을 쓸 수 있다. 투약의 관건은 복통거안(腹痛据按) 소견이 있는지, 혹은 뱃속에 조시(燥屎)가 있는지 여부에 달려있다.

[황황의 해설]

1. 대승기탕에는 세 가지 주요 효과가 있다. ① 변비의 개선: 대변비결(大便秘結)로 보통 며칠, 길게는 1주일까지도 변을 보지 못하고 방귀냄새가 심하다. 설사를 할 수도 있는데 변이 묽거나 점액변이고 썩은 냄새가 난다(熱結旁流). ② 복만의 개선: 복부 전체가 창만(脹滿)하고 통증이 있으며 특히 배꼽을 중심으로 단단하고 그득하며 솟아올라 있다. 손으로 눌러보면 명확한 저항감과 근성방어가 나타난다. 복부를 누르면 덩어리가 있는 경우도 있다. ③ 섬어(譫語) 해소: 많은 환자들에게서 정신증상이나 혼수, 혼미, 번조불안, 심한 두통 등이 관찰된다.

2. 대승기탕증은 전체 복부의 심한 창만(脹滿)을 특징으로 하는 일련의 임상적 상태이다. 대부분이 급성복증으로 발열성감염성질환의 극성기나 신경정신질환 등의 진행과정에서 나타난다. 저자는 이를 '대승기탕증후군'이라고 부른다.

3. 급성 장폐색은 대승기탕이 가장 많이 사용되는 질환이다. 해당 소견의 통(痛), 창(脹), 구(嘔), 폐(閉) 4대증상은 대승기탕증과 매우 유사하다. 천진시 중서의결합급성복증연구소 등 기관에서 중국공정원 원사인 吳咸中 교수의 주도하에 40년간 대승기탕과 그 가감방(대승기탕 가도인, 적작약, 나복자)을 급성복증치료에 활용해왔다. 1985년에서 2000년까지 급성장폐색 1,484례에서 비수술적치료의 성공률은 80.8%에 달했고 사망률은 2.7%였다. 이는 중국내 최고 수준이며 해외에도 유사한 치료법은 없다(중국의약보, 2004년 3월 2일자 A7면). 일반적으로 대승기탕은 유착성장폐색, 회충성장폐색, 분석(糞石)성 장폐색, 동력장폐색증, 복강결핵성 장폐색에 효과가 있는 것으로 보인다.

4. 노인 환자는 장운동기능 저하에 의한 가벼운 장폐색이나 분석(糞石)성 장폐색이 많다. 강소성의 명중의인 夏武英 선생은 대승기탕 가미방으로 고령 환자의 변비, 복통, 식욕부진 등을 치료했다. 가슴이 답답하거나 두근거리는 증상, 고혈압, 어지럼증, 두통 등 모두에서 단지 설태가 두터우며 대변비결(大便秘結)이 있고 무절제한 음식섭취나 정서자극이 요인이 되는 경우 夏武英 선생은 바로 대승기탕에 나복자, 산사, 신곡, 곡맥아 등의 소도화적제(疏導化積劑)를 더하여 투약했는데 종종 한 번의 설사만으로 호전되었다.

5. 대승기탕은 급성췌장염에 많이 활용된다. 대황은 판크레아틴을 포함한 소화효소의 활성을 억제할 수 있다. 강렬한 사하작용은 활성화된 판크레아틴의 배설에 도움이 되며 장내 변의 배출을 통해 췌장에 대한 부담을 감소시킬 수 있다. 임상적으로 대변을 배출시켜 복통을 완화시키는 것을 볼 수 있는데 이는 중의에서 흔히 말하는 "不通則痛, 通則不痛"에 해당한다.

6. 대승기탕은 정신질환에도 사용할 수 있다. 조울증, 정신분열증, 노인성 치매 등에서 과잉활동성 불면과 심한 변비가 있고 설태가 두터우며 미끌미끌한 환자에게 쓴다. 대부분의 경우 처방을 복용하고 설사를 한 이후에 증상이 개선된다.

7. 대승기탕을 처방하기 위해서는 설진소견의 관찰이 필요하다.《傷寒論》에서 본 방이 "口乾燥"(321條)를 치료한다고 간략히 묘사하였으나 후세에는 대승기탕의 설증을 비교적 자세히 표현하였다. ① 설태초황(舌苔焦黃): 설태가 누렇고 두터우면서 건조하며 혹 미끌미끌하고 탁하거나 밥이 탄 것과 같은 초흑색(焦黑色)을 띄기도 한다. ② 설홍망

자(舌紅芒刺): 설면에 충혈된 설유두가 보이며 설체중간에는 갈라진 주름을 볼 수 있다. 이와 같은 설태는 일종의 리실열증(裏實熱證)을 의미하고 대승기탕을 사용할 때임을 보여준다.

8. 대승기탕의 사하작용은 강한 편이므로 투약 시에는 변증에 주의하여 증상에 맞게 처방해야 하며 오용, 과용, 남용해서는 안된다. 특히 노인, 임산부, 어린이, 체질이 약한 환자에게는 보다 세심한 주의가 필요하다. 그래서 대황증과 '대황체질'의 감별은 매우 중요하다. '대황체질'과 대황증이 존재하면 대황방제는 안심하고 응용할 수 있다. 보고에 따르면 '대황체질'인 경우 대승기탕을 100일분 복용한 경우에도 큰 부작용 없이 좋은 결과를 얻었다고 한다.

9. 대승기탕 복용 시 주의점: ① 처음 탕전한 약액만 복용한다. 재탕 시 탕액이 쓰고 떫어지며 변이 통하지 않게 된다. ② 반드시 공복에 복용하도록 한다. 대승기탕 복용 후 1시간 이내에 음식을 먹으면 사하작용에 영향을 준다. ③ 효과가 나타나면 복용을 중단한다. 장기복용해서는 안된다. ④ 설태가 얇고 흰색이면 장관내 적체가 없음을 의미하므로 대황의 사용에 신중해야 한다. ⑤ 임산부에는 금기이다. ⑥ 급성의 소견 및 중증 소견에는 대용량으로 투여하고 만성질환에는 소량 투여한다. 대승기탕을 급증에 쓸 때는 원방의 1냥을 15 g으로 계산하여 투여하고, 만성증에 쓸 때는 1냥을 5 g으로 계산하여 줄이며 격일간격으로도 복용하게 할 수 있다. 일반적으로 하루에 두 차례 정도 변을 보는 정도가 적절하다.

25. 이중탕

고대의 곽란, 흉비 등에 대한 상용방으로 온중구한(溫中毆寒) 효능이 있어 구토설사, 소화불량, 심하비경이 있고 입마름과 갈증이 없으며 타액 과다분비가 특징적인 질환에 적용할 수 있다.

[원전처방]

인삼, 건강, 감초(炙), 백출 각 三兩. 위 네 약물을 가루내어 꿀과 섞어 계자황 크기의 丸을 만들어 복용한다. 끓는 물 몇 合과 一丸을 가루내어 따뜻하게 복용한다. 낮에 서너 차례, 밤중에 두 차례 복용한다. 배 속에 열이 없으면 丸을 서너개 먹도록 한다. 그러나 그 효과는 탕에 미치지는 못한다. 탕전법: 네 약물을 두세 번 잘라서 물 八升에 넣어 三升이 되도록 달인 후 찌꺼기를 걷어내고 一升을 따뜻하게 마신다. 하루 세 차례 마신다. 복용 후에는 뜨거운 죽을 一升 마셔 몸이 따뜻해지도록 한다. 옷과 이불을 들추지 않는다.(《傷寒論》)

[방증요점]

찬 것을 싫어하고 따뜻한 것을 좋아하며 신경쇠약, 설사가 있다. 식욕이 없으나 입안이 쓰지 않고 입맛이 담백하다. 심하비경이 있고 맑은 침을 많이 흘린다. 설질은 옅은 붉은색이며 설태는 희고 두텁거나 미끌미끌하다.

[적용 환자군]

1. 누런 피부와 수척한 체격: 수척하고 얼굴이 누런 빛을 띠며 피부가 어둡고 광택이 없다.

2. 뱃속이 찬 환자: 복부에 냉통(冷痛)이 있으며 따뜻하게 하면 좋아진다. 대변은 묽고 냄새가 없으며 변비가 있는 경우도 있다.

3. 식욕이 없는 환자: 식욕부진과 함께 입맛은 담담하며 배가 그득하다. 대변은 풀어져 있고 냄새는 적다.

4. 설반태백(舌胖苔白): 설체가 커져 있으며 설태는 희거나 물기가 많고 축축하다.

[적용 병증]

아래의 병증과 위에 서술한 환자군의 특징이 부합하는 경우에 처방의 투약을 고려할 수 있다.

1. 설사가 나타나는 질환으로 만성 위염, 소화성궤양, 기능성소화불량, 화학요법 후 설사, 소아 가을 설사, 항생제설사, 과민성대장증후군, 궤양성대장염, 만성이질 등

2. 출혈 시 혈액의 색이 어둡고 옅은 특징을 보이는 출혈질환으로 상부소화관출혈, 과민성자반증, 혈소판감소성자반증, 출혈성쇼크, 기능성자궁출혈 등

3. 가슴이 답답하고 숨이 차는 소견이 나타나는 질환으로 협심증, 류마티스성심근질환, 관상동맥질환, 저혈압 등

[가감 변화]

1. 가슴이 두근거리고 복통이 있으면 계지 20 g, 육계 10 g을 더한다.

2. 입안이 헐고 설사가 있으면 황련 5 g을 더한다.

3. 맥이 미약하고 신경쇠약이 있으면 부자 10 g을 더한다.

[사용상의 주의사항]

일본한방가인 大塚敬節의 경험에 따르면 본 방을 복용하기 시작한 후 3, 4일이 지나면 부종이 나타날 수 있다고 하였다. 이는 약이 효과가 있다는 표시이므로 계속 복용하면 자연스레 부종이 소실되며 오령산을 쓸 수도 있다.(《現代 日本 漢方處方手帖》)

[황황의 해설]

1. 이중탕은 소화기능 저하를 특징으로 하는 한성(寒性)체질에 적용하는 처방으로 중의에서는 "脾胃虛寒"에 쓴다고 해석한다. 이 상태는 종종 선천적 허약 및 피로, 추운 날씨, 차가운 음식이나 익히지 않은 날음식, 사하약이나 찬 성질의 약물 오남용 등과 관련이 있다.

2. 이중탕은 허한성위장질환에 적합하다. 이 처방의 방증에서는 소화기 증상이 주로 나타난다. 본 방은 '복창만'을 주소로 하며 복진 시 그득한 느낌은 없고 복부가 부드러운데도 누르는 것을 싫어하고 환자는 배가 그득한 느낌이 들어 고통스럽다고 하여 복진과 환자의 호소가 일치하지 않은 특징이 있다. 복창만은 호전과 악화를 반복하지만 방귀나 설사와는 무관한데 이는 허한성창만의 특징 중 하나이다. 복통은 간헐

적으로 발생하며 따뜻한 음식을 먹거나 따뜻한 물건을 가져다 대면 증상이 좋아진다. 이중환증은 상당수가 대변이 풀어져 있으나 변비가 있는 경우도 있다. 그러나 대부분 처음에는 변이 건조하다가 나중에 질척거리는 양상을 보인다.

3. 허한성질환에서는 분비물의 증가소견이 동반되는 것을 볼 수 있다. 임상에서 눈물, 침, 소변, 위산과다, 다량의 가래, 여성의 대하 증가 등 분비물 증가 소견이 자주 관찰된다. 이와 같이 분비물이 많아지면서 성상은 맑고 냄새가 없는 경우에 이중환(이중탕)을 쓸 기회가 많다. 소아 환자가 침을 많이 흘리는 경우, 알러지 비염, 구내염, 전립선 증식증, 소화성궤양, 담즙역류성위염, 만성기관지염, 질염, 골반염 등에 투여할 수 있다. 급만성습진, 피부염 등에서 많은 삼출물이 관찰되는 경우에도 적응증이 나타난 것이라 볼 수 있다.

4. 이중탕을 처방할 수 있는 환자들은 다음과 같은 특징이 있다. 첫 번째, 얼굴색이 누렇고 대다수 환자가 저체중이며 피부색은 어둡고 광택이 없다. 두 번째, 입맛은 담담한데 "맛을 모른다" "입맛을 잃었다"라고도 말할 수 있다. 많은 환자가 식욕이 좋지 않고 밥은 먹지만 음식냄새를 맡지 못하며 구토나 설사가 있다. 짜샤이처럼 짠맛이 나는 음식을 좋아한다. 임상에서는 환자의 구담(口淡) 소견이 줄어들 때마다 식사량이 늘고 남은 증상들도 같이 좋아진다. 설태가 사라지고 질환이 호전되면서 설질도 붉고 미끌미끌하게 되면 완전히 나은 것이다. 세 번째, 분비물이 묽고 맑다. 타액, 눈물, 소변, 가래, 위산, 담즙, 장액, 백대하 등 분비물이 맑고 묽으며 양이 많은데 특히 침이 많아지거나 혹 대변이 물처럼 맑고 갈증이 없다. 네 번째, 설질의 색이 옅고 설태는 흰색이다. 설질

은 옅은 흰색을 띠고 부어서 커져 있기도 하며, 설태는 흰색을 띠거나 미끌거리고 혹은 희고 끈적이는 경우도 있다.

5. 이중탕은 소아과의 상용처방으로 식욕이 부진하고 얼굴이 누런색을 띠며 체중이 줄고 잦은 설사가 있으며 설질이 옅은 색인 소아에게 쓴다. 허한복통 등에 대해 薛己는 "一小兒痃夏, 食生冷之物, 腹中作痛, 甚則發搐厥冷. 用人蔘理中丸而愈."(《保嬰撮要》)라고 하였다. 허한혈리(虛寒血痢)로 혈색이 비름즙처럼 흑색이거나 어두운 환자가 식욕이 부진하여 오랫동안 거의 먹지 않고 얼굴색이 누렇게 되어 비허복창(脾虛腹脹)이 다시 있는 경우에 쓰면 효과적이다. 또한 소아의 허열이 가시지 않거나 만경풍, 폐렴폐창, 소화불량, 구창 등에 소화기증상이 수반된 각종 질환에도 이중탕을 투약할 기회가 있다.

6. 출혈성질환에서 이중탕증이 보인다. 기능성 자궁출혈, 코피, 과민성자반증, 혈소판감소성자반증, 출혈성 쇼크, 소화기출혈 등에서 출혈량이 많지 않지만 혈색이 어두운 경우 이중탕의 포건강을 건강으로 바꾸어 투약할 수 있다. 전통적 경험상 출혈을 치료할 때는 건강을 검게 초하여 쓴다.

7. 이중탕은 관상동맥질환, 협심증, 심근경색 등에서 번조불안, 차가운 땀, 혈압강하, 상복부불쾌감, 구토, 설사 등 증상이 있을 때 쓸 수 있다. 통상 건강은 증량하고 인삼은 홍삼을 쓴다. 부자를 더하여 쓰는 것도 좋다. 설질이 어두운 보라색인 경우에는 육계를 쓰며 흉통에는 지실을 더한다.

8. 이 처방은 찬 성질의 약에 의해 위가 상한 소견을 개선할 수 있어 대황, 석고, 황련 등을 복용한 후 배와 손발이 차가워지고 가슴이 답답

해지면서 불쾌한 느낌에 이른 경우에 쓴다. "傷寒腹痛有汗證, 因服冷藥過多, 大便自利, 腹中痛, 手足冷者, 可與理中丸, 甚者與附子理中丸, 理中湯, 未效, 用薑附湯多加甘草煎, 用諸熱藥則止."(《太平惠民和劑局方》)

9. 이 처방은 보통 환제로는 만성질환에 쓰고 탕제는 급성질환에 쓴다. 대밀환제(大蜜丸劑)를 쓸 때에는 끓는 물에 불려서 갈고 빻아 복용한다. 복용 후 배 속에서 뜨거운 느낌이 들 정도가 되도록 하고 2시간에 1-4환 복용하되 기존 복용법에 구애받을 필요는 없다. 탕제에 있어서도 복용 후 15분간 복용한다. 열로 목이 마를 때는 묽은 죽을 한그릇 마셔서 약을 잘 흡수하도록 한다. 이를 통해 위에 영양을 잘 공급한다. 동시에 이불과 옷을 뒤집어 쓰고 추운 날씨를 피하여 온몸을 따뜻하게 하며 옷을 벗거나 이불을 걷어서는 안된다.

26. 소청룡탕

고대의 수기병(水氣病) 및 기침 치료 처방으로 산한화음(散寒化飮) 효능이 있다. 오한이 있고 입이 마르거나 갈증 등 소견은 없으며 가래와 침 및 눈물 등의 분비물이 많고 묽은 것이 특징인 질환에 적용한다.

[원전처방]

마황 三兩, 계지 三兩, 세신 三兩, 건강 三兩, 감초 三兩, 작약 三兩, 오미자 半升, 반하 半升. 물 一斗에 마황을 먼저 달여서 二升을 줄이고, 위에 뜬 거품을 제거하고 남은 약을 넣어 三升까지 달이고 찌꺼기를 제거하여 一升을 따뜻하게 먹는다. 복용 후 입속이 약간 건조하다.(《傷寒論》《金匱要略》)

[방증요점]

기침이 나며 코가 울리고 가래 및 눈물이 물처럼 맑다. 입마름은 없다.

[적용 환자군]

1. 회백색의 얼굴빛: 대부분 청회색의 얼굴색이나 매우 드물게 붉은 빛이 도는 경우도 있다.

2. 수양성분비물: 콧물, 가래가 물처럼 묽으며 양도 많다. 입마

름이 없고 추위를 싫어한다.

3. 수활태(水滑苔): 설태는 희고 축축하며 설면은 물기가 많고 미끌거린다. 입안에 맑은 침이 많다.

4. 가슴과 등이 찬 환자: 추위를 싫어하는 경향이 뚜렷하고 특히 가슴이나 등줄기의 냉기에 민감하다. 경과에 따라 냉증이 심해진다.

[적용 병증]

아래의 병증과 위에 서술한 환자군의 특징이 부합하는 경우에 처방의 투약을 고려할 수 있다.

1. 맑고 묽은 가래와 기침이 나타나는 질환으로 급만성기관지염, 기관지천식, 만성폐쇄성폐질환 등

2. 많은 양의 맑은 콧물과 눈물이 보이는 질환으로 화분증, 알러지성 비염, 바이러스성 결막염, 누낭염 등에서 콧물, 눈물이 맑고 점도가 낮으며 양이 많다.

[가감 변화]

1. 번조하고 입이 마르면 석고를 더한다.

2. 체질적으로 허약하고 가슴이 두근거리며 숨이 차서 가쁜 소견이 있으면 마황을 제외하고 복령, 산수유를 더하여 처방한다.

3. 만성 기관지 천식으로 누런 얼굴빛을 하며 근육이 무력하고 부종이 있으면 옥병풍산을 합방한다.

4. 스테로이드의 장기복용 약물력이 있고 얼굴색이 어두운 회

색이면 부자, 용골, 모려, 산수유, 녹각교를 더한다.

[사용상의 주의사항]

1. 심부전이 있으면 마황을 제외해야 하며 체격이 마르고 허약한 경우에도 마황을 제외할 수 있다.

2. 처방 복용 후 땀이 많이 나고 수면패턴에 변화가 생기는 경우 마황을 제외한다. 또는 수면 직전의 복약을 피한다.

3. 이 처방은 장기복용할 필요가 없다. 증상이 개선되면 중단해도 좋으며 조리는 다른 처방으로 한다.

[황황의 해설]

1. 소청룡탕 적응 환자군은 기침, 맑은 분비물을 임상적 특징으로 하는 한증상태이다. 이 같은 병태의 형성은 유전, 추위에 대한 노출, 항생제 혹은 차가운 성질의 한약물 남용과 관련되어 있다. 중의에서는 이런 상태를 "外有寒, 內有飮"이라 해석한다.

2. 오한은 반드시 나타나는 증상이다. 특히 등줄기의 오한이 그러하다. 그러나 발열, 무한은 일정하지 않다. 발열이 있는 경우도 있으나 없는 환자도 있다. 심지어는 저체온증인 경우도 있으며 특히 노약자인 경우에는 체온이 정상보다 낮다. 일반적으로 땀은 나지 않으며, 추운 겨울에는 더욱 그렇다. 단 "기침이 심하여 숨이 차고 누워있기도 어려운(咳逆倚息不得臥)" 상황에서는 환자가 땀이 나는데, 이 경우에도 많은 양의 땀이 나는 것은 아니다. 또한, 소청룡탕을 투약할 환자들은 기침은 멈추지 않으나 정신이 맑고 마황부자세신탕증에서 나타나는 신경쇠약

등의 소견이 없다.

3. 이 처방 적응증의 객관적 지표증상은 두 가지가 있다. ① 콧물, 눈물, 가래가 물처럼 나오며 성상이 물이나 계란흰자같이 맑거나 혹 가래에 거품이 끼기도 하며 양이 많다. 환자는 종종 매일 대량의 코휴지를 쓴다. ② 물기가 많고 축축한 설태가 관찰된다. 체내의 한음(寒飮)에 의해 환자는 갈증이 없고 물을 마시려하지도 않거나 따뜻한 물을 원한다. 입안에 묽은 침이 많고, 심하면 혀를 내밀 때 침이 흐르기도 한다. 설면은 축축하고 설태는 물이 많아 미끌거리거나 희고 두꺼운 경우가 많으며, 심한 경우에는 회흑태(灰黑苔)가 보이기도 한다.

4. 소청룡탕은 주로 외감에 의한 담천(痰喘)에 쓴다. 소청룡탕이 적합한 환자는 폐의 라음(rale), 천명음이 지속되며, 항생제 치료에 반응하지 않고 흰색의 거품낀 가래가 많이 나온다. 코막힘, 재채기가 계속되는데 대부분 추위에 의한 감기에 의해 나타난다. 만성기관지염의 급성발작, 노인폐렴, 소아의 기침변이형 천식, 만성폐쇄성폐질환(COPD) 등에서 나타난다. 이 환자들은 등줄기의 냉감을 현저하게 호소한다. 발열에 의한 번조가 있고 땀이 많이 나면서 활맥(滑脈)이 있고 인후와 입술 및 혀가 붉은 환자에는 생석고를 더하여 처방한다. 천식이 심하여 입을 벌리고 어깨를 들썩이며, 앉아숨쉬기를 하고 편히 눕지 못하며 숨이 끊어질 듯 힘들어하는 등의 증상은 대부분 천식의 지속적인 발작상태지만 심부전에 의한 심장성천식이나 급성폐수종일 수도 있다. 천식이 지속되고 땀이 많이 나면 산수유, 오미자를 쓴다. 몸이 마르고 얼굴이 희며 가슴이 두근거리고 숨이 차오르는 경우에는 마황을 제외하고 처방한다. 맥이 미약한 경우에는 부자를 더한다. 천식이 오래되었고 가래가 많다

면 소자강기탕, 반하후박탕, 계지복령환 등을 합방한다.

5. 알러지 비염 환자에서 보이는 다량의 맑은 콧물이 이 처방 적용의 지표 증상이다. 마황부자세신탕, 옥병풍산, 소시호탕을 합방하여 쓴다.

6. 이 처방은 신온대제(辛溫大劑)이지만, 변증이 정확하면 일반적으로 현저한 부작용은 없다. 방증이 맞지 않는 경우로 예컨대 설질이 붉은 색이며 설태가 건조하고 출혈경향이 있으며 인후와 구강이 건조하고 마른 기침이 나면서 가래는 없고 몸에 열이 나면서 땀이 많이 흐르는 환자에게서는 쉽게 두통, 두근거림, 대량의 발한, 불면, 출혈 등의 부작용이 나타나므로 주의하여야 한다. 처방을 복용한 후에 가래, 콧물, 침 등의 분비물이 감소하면서 기침이 줄고, 입이 건조해지는 것은 정상적인 반응이므로 이 때 찬물이나 차가운 생과일을 먹지 않도록 한다.

27. 진무탕

고대에 수기병(水氣病)에 사용했던 처방으로 경전의 온양이수(溫陽利水) 처방이다. 강심, 시상하부-뇌하수체-부신축의 흥분, 신기능 개선 등의 작용이 있으며 신경쇠약, 찬 것을 싫어하는 증상, 팔다리의 찬 느낌, 맥의 침세무력(沈細無力), 부종, 진전(振顫) 등이 특징인 질환에 적용한다.

[원전처방]

복령 三兩, 작약 三兩, 생강 三兩, 백출 二兩, 부자(炮) 一枚(去皮, 여덟 조각으로 쪼개어 쓴다). 위 다섯 약물을 물 八升으로 달여 三升을 취하고 찌꺼기를 제거한다. 七合을 하루 세 차례 따뜻하게 복용한다.(《傷寒論》)

[방증요점]

심하부의 두근거림, 어지러움, 신체의 근육이 떨리고 비틀거려서 제대로 서있지 못하고 쓰러질 것 같은 상태(身瞤動, 振振欲擗地). 복통과 배뇨이상이 있고 팔다리가 무겁고 아프며 설사가 나온다.

[적용 환자군]

1. 황백색의 얼굴과 부은듯한 용모: 얼굴색이 누렇거나 황흑색이며 혹 창백하거나 붓고 붉은 빛을 띄기도 한다. 얼굴에 광택이 없고 매사에 무관심한 듯한 표정이며 피로한 외양을 보인다. 얼굴과 목덜미의 근육하수가 있고 붓는다. 전신피부가 건조하고 거칠며 머리가 빠지고 손발바닥이 위황색(萎黃色)이다.

2. 맥침설반(脈沈舌胖): 맥이 침세(沈細)하고 서맥이며 설질은 부어서 커져 있고 설태는 활(滑)하다.

3. 극도의 피로감: 피로감이 심하고 팔다리가 무겁고 아프며 체중이 증가한다. 오한을 느끼고 기면증, 기억력 감퇴, 반응의 지연이 있다. 남성성욕감퇴, 여성월경부조 등

4. 현, 계, 진전, 사, 종, 적액(眩, 悸, 震顫, 瀉, 腫, 積液): 임상적인 표현이 다양하다. 팔다리의 떨림이 있고 걸음걸이가 불안정하여 심하면 벽에 기대고 탁자를 잡고 서있기도 어렵다. 두근거림이 있고 땀이 많이 나며 찬 기운을 접하면 복통이 심해진다. 풀어지는 대변이나 설사, 소변량 감소, 부종, 흉수, 복수 등 소견이 있을 수 있다.

5. 중증질환에서 많이 관찰됨: 다수 환자들은 뇌, 심, 신질환, 소화기계통 및 내분비계통질환이 있으며 주요 장기기능에 손상이 있다.

[적용 병증]

아래의 병증과 위에 서술한 환자군의 특징이 부합하는 경우에 처방의 투약을 고려할 수 있다.

1. 허탈(虛脫) 소견이 보이는 질환으로 쇼크, 심부전, 저혈압, 발한과다 등

2. 어지러움, 떨림 증상이 나타나는 질환으로 고혈압, 뇌동맥경화, 운동실조 등

3. 부종, 체강 내 체액저류가 나타나는 질환으로 만성신염, 간경화복수, 울혈성심부전 등

4. 신체기능의 저하소견이 보이는 질환으로 갑상선기능저하, 갱년기 설사, 갱년기 피로, 갱년기 불면 등

5. 설사가 나타나는 질환으로 갱년기 설사, 궤양성대장염, 만성장염, 결핵성복막염, 만성충수염, 만성골반염 등

[가감 변화]

1. 설질이 어둡고 가슴이 두근거리는 경우에는 육계 5–10 g을 더한다.

2. 혈압이상, 심기능장애가 있으면 홍삼 10 g, 육계 10 g을 더한다.

3. 땀이 나면서 불면이 있고 꿈을 많이 꾸며, 불안신경증이 있는 경우에는 육계 10 g, 감초 5 g, 용골 15 g, 모려 15 g을 더한다.

4. 갑상선기능이상으로 복창만이 있고 추위를 힘들어하는 경우에는 마황 5 g, 감초 5 g을 더한다.

[사용상의 주의사항]

1. 피부가 어두운 흑색이거나 누렇고 부은 환자인 경우 또는 얼굴 전체에 붉은 광택이 도는 환자에게는 신중히 투여한다.

2. 부자투여량이 10 g이면 선전(先煎)으로 30분 이상 달이도록 하고 30 g 이상이라면 60분 이상 달이도록 한다.

[황황의 해설]

1. 진무탕은 피로감, 부종, 어지러움, 가슴 두근거림, 떨림, 맥침(脈沈)을 임상적 특징으로 하는 증후군으로 순환기, 소화기, 신경계, 비뇨기계 등에 영향을 미쳐 '진무탕 증후군'이라고 부를 수 있다. 중의에서는 이를 "양허수범(陽虛水泛)"이라는 개념으로 해석한다. 그 병리는 시상하부-뇌하수체-부신축과 관련이 있으며 심장의 혈류역학변화, 수액대사균형 이상 등도 관련되어 있다. 진무탕은 이런 소견에 대한 주치 처방이다.

2. 성인갑상선기능저하에서 본 증이 많이 보인다. 진무탕은 피로감을 해소하고 몸이 무겁다는 호소와 수면상태를 개선하는 비교적 안전한 처방이다. 갑상선호르몬 복용자는 가슴 두근거림, 빈맥 등이 나타날 수 있으므로 복용량을 개별적으로 조절하여 투약한다. 진무탕은 갑상선기능 감퇴의 주요 처방이다. 관절통증이 있다면 부자, 백출을 증량한다. 체격이 건장하고 피부가 건조하고 거친 환자의 폐경이나 희발월경 소견에는 마황을 더하여 처방한다.

3. 이 처방은 얼굴빛이 누렇고 부은 모습의 갱년기 여성에 쓴다. 불면이 있으며 땀이 많이 나고 가슴이 두근거리는 경우에는 계지가용골모려탕을 합방하는데 수면장애, 이상발한 및 피로감을 개선하며 월경주기를

조정하는 효과가 있다. 번조가 있고 땀이 나며 꿈을 많이 꾸는 경우에도 계지가용골모려탕을 합방한다.

4. 진무탕은 승압, 강심작용이 있으므로 진무탕증은 심부전, 저혈압, 허탈 환자에서 많이 볼 수 있다. 진무탕은 성인의 울혈성심부전에서 강심, 이뇨 등의 작용을 통해 증상을 완화시키고 삶의 질을 개선한다. 장기복용 시 처방의 부자량을 하루 10 g 정도로 하며 복용량을 늘릴 수는 있으나 줄이는 것은 좋지 않다. 설질이 어두운 보라색일 경우 육계를 더하고 땀이 많이 나고 불면과 빈맥이 있는 경우에는 감초, 용골, 모려를 더하여 처방한다.

5. 진무탕은 이수(利水)작용이 있으므로 간경화복수에 활용할 수 있다. 복수가 뚜렷하다면 용량을 늘려 쓴다. 부자는 30 g까지 쓸 수 있고 백작약, 적작약 역시 각각 30 g까지 쓰며 백출은 60 g까지 쓸 수 있다. 제생신기환을 합방하여 쓰는 것도 좋다. 노인고혈압에서 부종, 어지러움, 가슴 두근거림, 심장과 신장의 기능부전이 나타난 경우 투약할 수 있는데 이 경우 대다수의 환자가 머리는 무겁고 다리는 가벼운 느낌을 호소한다.

6. 수종을 주요 증상으로 하는 만성신염에도 적용한다. 이런 소견의 경우 요독증이 자주 나타난다. 환자의 얼굴은 누렇고 어두우며 하지부종과 풀어지는 대변, 신장질환 환자의 지속적인 단백뇨 등이 관찰된다. 통상 옥병풍산이나 황기계지오물탕을 합방한다. 계지복령환 가 대황, 우슬과 교차로 투약한다.

7. 본 처방은 불명열에도 활용할 수 있다. 발열이 반복적으로 재발되며 통상적인 발한제나 수액제제가 효과가 없는 경우 적용한다. 환자의

인후가 붉지 않으며 발열 시 환자에게 현저하지 않은 번조나 기면(嗜眠), 설사, 부종 등이 보인다. 보통은 원방을 쓰지만 계지탕이나 마황부자세신탕을 합방하기도 한다.

8. 진무탕증은 오령산과 다음과 같이 감별한다. ① 허약상태에 있는 장기(臟器)의 차이: 오령산증은 비허(脾虛)이고 진무탕증은 심장과 신장의 기능부전에 기인하는 경우가 많다. ② 정신건강상태의 차이: 오령산증은 대부분 정상이고, 진무탕증에서는 신경쇠약이 나타난다. ③ 부종의 중증도 차이: 오령산증의 부종이 진무탕증에 비해 경증이다.

9. 본 방에 쓰이는 포부자는 독성이 비교적 적어 온양고표(溫陽固表) 처방에 많이 활용된다. 張仲景은 계지부자탕, 진무탕, 마황부자세신탕 등에 보통 포부자를 썼다. 그러나 張仲景이 어떻게 포부자를 만들어 처방했는지에 대한 자세한 내용은 잘 알려져 있지 않다. 현재 임상에서는 법제부자를 고염수를 통해 절이거나 찌고 볶는 등의 포제법을 활용하여 독성을 크게 낮춘다.

28. 사역탕

고대 곽란병의 구급처방이며 경전의 회양구역(回陽救逆) 처방이기도 하다. 강심, 승압, 항쇼크 작용이 있으며 하지궐냉, 맥미욕절(脈微欲絶) 등 특정한 급성중증에 적용한다.

[원전처방]

부자 一枚(生用, 去皮, 여덟조각으로 쪼개어 쓴다), 감초(炙) 二兩, 건강 一兩半. 이 세 약물을 물 三升에 달여 一升二合을 취하고 찌꺼기를 버리고 나누어 따뜻하게 두 번 복용한다. 체력이 강하다면 부자 一枚, 건강 三兩을 더하여 쓴다.(《傷寒論》)

[방증요점]

맥미욕절(脈微欲絶), 팔다리의 차가운 느낌, 오한, 멈추지 않는 물설사, 복창만

[적용 환자군]

1. 칠흑처럼 어두운 안색: 본 증 환자의 안색은 대다수가 매우 어둡고, 창백하거나 어두운 누런색을 띈다. 신경쇠약, 피로한 표정, 총기가 없는 눈동자, 쉬 붓는 눈꺼풀 등이 많이 보인다. 입술은 어두운 색조이며 건조하다. 근육은 늘어지고 연하며 누르면 무력하다. 피부는 대체로 건조하고 광택이 없다.

2. 설반담: 설질의 색이 옅고 어두우며 설체는 넓적하다. 치흔이 있는 경우가 많다. 설태는 희고 두텁기도 하고 검고 윤기가 나거나 희고 미끌거리는 경우도 있다. 맥이 약하고 무력하다.

3. 추위를 견디기 힘들어 하고 따뜻한 것을 좋아하는 환자: 평소에 추위를 싫어하고 따뜻한 것을 좋아하며 팔다리가 항상 차다. 심하면 하반신의 냉감이 뚜렷하다. 잘 피곤해하며 가만히 있는 것을 좋아한다.

4. 무른 대변과 맑은 소변이 있고 갈증이 없는 환자: 항상 무르고 묽은 풀어지는 대변이 나오며 소변은 양이 많고 맑다. 입마름과 갈증이 없고 갈증이 있더라도 물을 많이 마시지 않으며 혹 따뜻한 것을 많이 마시기도 한다.

[적용 병증]

아래의 병증과 위에 서술한 환자군의 특징이 부합하는 경우에 처방의 투약을 고려할 수 있다.

1. 실혈성 쇼크, 심장성 쇼크 등의 각종 쇼크
2. 심장기능의 저하 또는 심부전
3. 만성신염, 요독증 등에서의 신기능부전
4. 만성간염, 간경화복수 등에서의 간기능부전
5. 설사가 멎지 않아 발생하는 맥침(脈沈)

[가감 변화]

1. 황달기가 있고 얼굴색이 새카만 경우 인진호 30 g을 더한다.

2. 심부전이 있어 가슴이 두근거리고 설질이 어두우면 육계 10 g을 더한다.

3. 구토, 설사, 식욕부진, 탈수에는 인삼 10 g을 더한다.

4. 토혈, 혈변, 피하출혈이 있는 경우에는 사심탕을 합방한다.

[사용상의 주의사항]

부자는 유독하므로 독성을 감소시키고 효과를 증대시키기 위해서는 아래 주의사항을 따르도록 한다. 첫 번째, 오래 달인다. 15 g을 넣는 경우 30분 이상 달여야 한다. 30 g이라면 1시간 이상 선전한다. 두 번째, 건강 및 감초와 같이 달인다.

[황황의 해설]

1. 사역탕은 고대에 곽란이나 이와 유사한 급성 설사에 많이 활용하던 처방이다. 곽란은 급성 설사가 나타나는 질환 중 하나로 한여름에 발병하고 짧은 시간 내에 설사, 탈수를 유발하여 사망에 이르게 된다. 사역탕은 설사가 멈추지 않고 차면서 맥침지미(脈沈遲微)와 전신통증이 나타나는 소견으로써 중증설사에 의한 쇼크상태에 쓴다. 이런 상태는 중의의 '陽虛陰寒'으로 해석한다. 따라서, 사역탕은 회양구역(回陽救逆) 처방으로 강심, 승압, 항쇼크 등의 효능이 있다. 현대 임상에서 본 처방은 곽란, 급성위장염, 만성대장염, 소아의 가을철 설사, 항생제 복용 후의 설사, 화학요법 후 설사 등 허한증 설사에 사용한다. 이 설사는 증

상이 격렬하고 맥은 침(沈)한 것이 특징으로 건강을 증량하고 황련을 더하여 처방해야 한다.

2. 곽란은 현재 드물지만 사역탕증은 여전히 볼 수 있다. 현대인에게서는 항생제 남용, 기름진 음식의 복용, 얇은 옷에 의한 노출, 밤샘 등 생활습관 이상, 에어컨노출, 찬음식 과다섭취, 운동부족 등이 원인이 되어 사역탕증이 나타난다. 환자는 비만한 체형으로 얼굴빛은 회색 또는 창백하거나 혹은 어두운 누런색이다. 근육은 늘어져 있고 연하며 누르면 힘이 없고 피부는 건조한 편이다. 아침에 일어나면 얼굴이 붓는 경우가 많다. 환자의 눈에는 총기가 없고 눈 주변이 잘 붓는다. 외견상 신경쇠약 소견이 보이고 얼굴에 피로감이 드러나며 입술은 어둡고 건조하다. 설질은 색이 옅고 부어있으며 어둡다. 설체에는 치흔이 있고, 설태는 희거나 검기도 하고 촉촉하거나 미끈거린다. 평소에 추위를 힘들어 하고 따뜻한 것을 좋아하며 팔다리가 차고 특히 하반신의 냉감이 현저하다. 쉽게 피로하고 운동을 싫어해 움직이지 않으며 대변은 보통 무르고 묽으며 풀어진다. 소변은 맑고 양이 많으며 입마름이나 갈증이 없고, 갈증이 있더라도 물을 많이 마시지 않거나 따뜻한 물을 마신다. 이런 환자를 '음한체질' 혹은 '사역탕인'이라고 하며, 이런 체질에는 건강, 부자 투여가 비교적 안전하다. 반대로 환자의 얼굴이 붉고 윤기가 있으며 입냄새가 나고 목소리가 큰 경우가 있다. 이런 환자에게서 대변이 건조하여 굳어 있으며 소변이 붉고 양이 적으면서 맥은 활삭유력(滑數有力)하고 설질이 붉고 말라있으며 설태가 불에 탄듯한 누런 색이거나 혹 누렇고 미끌미끌한 소견 등이 함께 보이면 절대 본 처방을 쓰지 않도록 한다.

3. 사역탕의 부자는 비교적 독성이 강하다. 그 독성은 주로 아코니틴

알칼로이드에 의한 것이다. 아코니틴은 열에 약하므로 오래 달이면 아코니틴이 가수분해되어 아코닌이 되며 독성이 약해지지만 유효성분은 파괴되지 않는다. 사역탕을 안전하게 사용하려면 어떻게 해야 하는가? 張仲景은 경험적으로 부자와 건강, 감초 3개 약을 같이 달였다. 운남성의 명의 吴佩衡의 경험으로는 우선 큰 냄비에 오래 끓여야 하며 건강 및 감초와 같이 끓는 물에 달여야 한다고 한다. 부자를 달일 때에는 물에도 주의를 기울여야 하는데 중간에 불을 끄거나 찬물을 더 넣어서는 안된다. 약리연구에서는 건강, 감초와 숙부자를 같이 달였더니 감초의 용량을 늘림에 따라 탕액의 아코니틴 함량이 감소되었음이 보고된 바 있다. 이는 감초에 부자의 독성을 제거하는 작용이 있음을 시사한다(裴妙荣, 王世民, 李晶。附子理中汤中甘草对, 附子解毒作用的相关性分析, 中国中药杂志, 2012, 21(1):50-52). 何丹은 감초가 부자의 독성을 감소시키고 효과를 증가시키는 이유는 감초의 약리 성분들이 알칼로이드와 결합하여 복합체를 형성하거나 알칼로이드의 가수분해를 촉진할 수 있기 때문이라고 설명하였다(何丹, 刘凤琴, 李焕德。甘草解毒作用研究进展, 中南药学, 2009, 7(12):927-931).

4. 사역탕을 오랫동안 달여야 하는지에 대해서는 연구의 필요성이 있다. 상한론에서 사역탕의 부자는 선전하지 않고 다른 약물과 함께 물 3승에 달여 1승 2합을 취해 복용하게 되어 있다. 반면 마황탕은 마황을 먼저 달인 후에 다른 약물과 함께 다시 물 9승에 달여 2승반을 취하게 되어 있다. 이를 통해 사역산의 탕전시간은 마황탕의 탕전시간만큼 길지 않다는 것을 알 수 있다. 楊德全은 과거에 부자는 반드시 1시간 이상 달여야 한다는 점이 강조되어 왔지만 이 경우 얻을 수 있는 부자의 효과는

매우 줄어든다고 지적하였다. 그는 소음병 음성양쇠(陰盛陽衰)증으로 몸이 노곤하고 추위를 싫어하며 땀이 많이 나서 멈추지 않고 의식이 흐리면서 대소변에는 문제가 없고 설담맥미(舌淡脈微)한 소견의 환자에게 급히 사역탕을 투여하였으나 다음날 재진 시에 경과의 변화가 없어, 《傷寒論》 원문의 용법에 의거하여 원방 2제를 선전(先煎) 없이 30분간 달여 따뜻하게 복용하게 하였더니 그 효과가 뚜렷하였다고 보고하였다. 楊德全의 경험은 상한론의 원래 용량을 1냥 3 g으로 환산하고 1승은 80 mL로 환산하여 나온 것으로, 자감초 6 g, 건강 4.5 g, 부자 9 g(생용, 파쇄)의 조성이다. 찬물 240 mL를 무화(武火)로 15분간 달여 96 mL로 하여 쓴다. 마황탕은 45분이고 계지탕은 35분인 것에 비하면 사역탕의 탕전시간이 짧다는 것을 알 수 있다(물이 끓은 이후부터의 시간을 기준으로 측정). 법제부자를 소량(15-20 g) 내복할 때에는 선전(先煎)을 하거나 장시간 탕전할 필요가 없으며 다른 약과 같이 30분 정도 달이면 된다. 그는 임상에서 중독현상이 나타나지 않았으며 부자를 대용량 투약할 경우에 탕전시간을 탄력적으로 연장시킬 수 있다고 하였다(杨德全, 附子煎煮小议, 中医杂志, 1985, 26(12):74). 楊德全의 관점이 중요한 이유는 이 처방이 《傷寒論》에서 응급약으로 사용되었기 때문으로 이런 용도로 쓰일 약을 오랫동안 달이고 있을 수는 없다는 점에 있다. 이 처방을 오래 달이면 사역탕의 효과에 영향을 미치게 된다. 그러나 현재의 임상에서는 안전성을 고려해야 하므로 만성질환에 부자를 사용하거나 부자를 다량 사용할 경우 장시간 탕전할 필요가 있다. 저자는 부자 10 g을 쓸 때는 30분, 20 g에서는 45분, 30 g에서는 1시간 동안 선전하도록 하고 있다. 부자의 용량을 매 10 g 늘릴 때마다 선전 시간을 15-30분 늘리도록 한다.

5. 수족궐냉(手足厥冷)은 사역산과 사역탕에서 공통적으로 나타나는 증이나 그 한열, 허실에는 차이가 있다. 감별점은 다음과 같다. ① 정신건강상태의 차이. 사역산을 투약할 환자들은 전신상태가 비교적 좋으며 의식이 명료하다. 사역탕증 환자들은 신경쇠약이 있고, 정신이 혼미하다. ② 맥상의 차이. 사역산증은 세맥(細脈)이라 하더라도 현실유력(弦實有力)하지만 사역탕증 환자들은 전부 허맥(虛脈)에 속한다. ③ 설상의 차이. 사역산은 설질이 붉거나 검붉으며 견로설(堅老舌)이 많고 설태는 누렇고 건조하다. 반면 사역탕증 환자들은 설질이 옅거나 옅은 붉은 빛이고 어둡다. 설체는 비만하고 부드러우며 설태는 희고 끈끈하거나 미끌거린다.

6. 진무탕증과 사역탕증의 감별점: ① 만성질환과 급성질환의 차이: 진무탕은 온양이수제(溫陽利水劑)로 포부자를 쓰고 만성 심부전 및 신부전에 적용한다. 사역탕은 회양구역(回陽救逆)하므로 생부자를 급성 심부전, 쇼크에 많이 적용한다. ② 유수(有水)와 무수(無水)의 감별: 진무탕증은 부종, 복수에 쓰고 사역탕은 설사, 탈수에 쓰거나 발한과다로 이불이 다 젖는 경우에 쓴다. 같은 이유로 진무탕에는 감초가 포함되어 있지 않고 사역탕에는 감초가 2냥이 들어간다.

29. 신기환

고대의 리허(裏虛) 처방으로 온양(溫陽), 이수(利水), 강장 등의 효능이 있다. 요통이 있고 무릎에 힘이 없으며 하복부가 당기면서 배뇨이상이 동반되는 소견이 특징인 질환 및 노인의 조리에 적용한다.

[원전처방]

건지황 八兩, 산약 四兩, 산수유 四兩, 택사 三兩, 목단피 三兩, 복령 三兩, 계지 一兩, 부자(炮) 一兩. 이 여덟 약물을 가루내어 꿀에 빚어 오자대로 만든다. 술과 함께 丸을 열다섯 개씩 복용한다. 스물다섯 개까지 복용할 수 있다. 하루 두 차례 복용한다.(《金匱要略》)

[방증요점]

여위고 힘이 없으며 아랫배의 감각이 저하되어 있거나 긴장되어 있으면서 배뇨이상 및 소갈 증상이 있고 숨이 차는 경우

[적용 환자군]

1. 검거나 붉은 얼굴: 환자의 얼굴색은 검은 편이거나 화장한 것처럼 붉다. 피부는 건조하고 늘어지며 연하다. 부은 듯한 외모이며 피부에 광택이 없으나 식욕이 왕성하다. 중년층이나 노년층에서 많이 보인다.

2. 소복불인(少腹不仁) 또는 소복구급(少腹拘急): 배꼽 주위가 단단하지만 배꼽 아래는 연하고 무력하다. 혹 복부가 당기고 불쾌하다. 상반신은 크고 하지는 가는 체형이다.

3. 상충(上冲): 쉽게 상충감이 있고 얼굴이 붉으며 발열이 있고 가슴이 두근거리거나 답답하며 어지러우며 땀이 잘 나지 않는다. 정신적인 권태감이 있으며 쉬 피로감이 느껴지고 때때로 번열감이 있다.

4. 하허(下虛): 환자들의 허리와 무릎이 시리고 힘이 없으며 하반신 특히 다리의 냉감이 있다. 혹 빈뇨나 요실금, 부종, 성기능저하 등이 있다.

5. 맥경설반(脈硬舌胖): 맥상은 현(弦), 경(硬), 공대(空大)하고 가볍게 눌러야 만져진다. 설질은 비대해져서 입안을 가득 채우고 붉그스레하거나 어둡고 설태가 없다.

[적용 병증]

아래의 병증과 위에 서술한 환자군의 특징이 부합하는 경우에 처방의 투약을 고려할 수 있다.

1. 부신기능저하가 나타나는 질환으로 갑상선기능저하, 고알도스테론증, 애디슨병, 스테로이드 부작용 등

2. 부종, 요통이 있는 질환으로 당뇨병성 신증, 만성신염, 신종합증, 신우신염, 신결핵, 신결석, 수뇨관결석, 간경화복수 등

3. 빈뇨, 방광무력증, 요실금이 나타나는 질환으로 요붕증, 방광괄약근마비, 신경성빈뇨, 전립선증식, 출산 후 부종 및 요폐, 수

술 후 요실금, 척수성요저류 등

4. 어지럽고 눈 앞이 아찔거리는 소견이 보이는 질환으로 고혈압, 뇌동맥경화, 백내장, 녹내장, 신경성 이명, 난청 등

5. 만성기관지염, 기관지천식 등에서의 만성기침

6. 발기부전, 유정, 조루 등 중년층 및 노년 남성의 성기능저하

[가감 변화]

요통과 다리의 부종이 있거나 복수가 나타나는 경우 회우슬 15 g, 차전자 15 g을 더한다.

[사용상의 주의사항]

1. 체격이 건장한 환자가 얼굴이 어둡고 붉으며 광택이 있으면서 맥이 활삭(滑數)하면 처방 사용에 신중해야 한다. 이 처방을 오용하면 피부 발진, 오심, 복통 등 부작용이 있다.

2. 이 처방은 식욕이 왕성한 환자에 적용하며 배가 그득하고 더부룩하거나 식욕부진 등이 보이는 환자에게는 적절치 않다.

[황황의 해설]

1. 신기환은 수척한 체격, 허리와 대퇴부의 무력감, 배뇨이상, 아랫배가 긴장되거나 혹은 힘없이 연한 경우 등을 임상적 특징으로 하는 허증체질에 활용할 수 있다. 이를 '신기환 증후군'이라고 부를 수 있으며, 중의에서는 "腎陰陽兩虛證, 裏有停水瘀血, 相有虛陽"으로 해석한다. 중년층 및 고령자에서 자주 볼 수 있는 체질로 특히 당뇨, 고혈압, 죽상동

맥경화증, 전립선비대, 신기능저하를 가진 노인에서 볼 수 있다.

2. 신기환증의 감별 요점: ① 마른 체격이고 초췌하다. 이 처방은 고대로부터 허로를 치료하는데 활용되어온 처방이다. 허로는 일종의 만성 소모성 질환으로 근육위축, 피부건조, 어둡고 검은 피부색, 체중의 감소, 정력감퇴, 골밀도 감소 등의 소견을 관찰할 수 있다. 허약한 노인 및 다양한 만성 소모성 질환에 이 처방의 사용을 고려할 수 있다. ② 이 처방의 복증으로는 소복구급(少腹拘急), 소복불인(少腹不仁)이 있다. 소복구급(少腹拘急)은 아랫배의 그득한 통증, 냉통이 있고 손으로 만지거나 따뜻한 물체와의 접촉을 좋아하는 소견을 지칭하는 것이다. 복근이 나무판자처럼 딱딱하며 깊게 누르면 안이 비어있는 느낌이 든다. 고환통, 질경련같은 생식기의 통증 및 불쾌감은 소복구급의 연장으로 볼 수 있다. 소복불인은 아랫배가 감각이 없고 무력한 소견을 지칭하며 대소변 무력, 발기부전 등에서 보인다. 복진에서 아랫배의 복벽이 부드럽고 무력하여 가볍게 누를 때 면화를 누르는 듯 저항감이 없다. ③ 소변불리(小便不利)는 다뇨증, 배뇨이상, 요저류, 빈뇨, 요량감소, 부종이나 복수 등의 증상을 포괄한다. ④ 맥진 및 설진 소견. 맥상은 현(弦), 경(硬), 공대(空大)하며 가볍게 눌러야 촉지할 수 있는데 동맥경화를 시사하는 경우가 있다. 비대해져서 입안을 가득 채우고 불그스레하거나 어둡다. 이는 환자의 체내에 수기(水氣)가 있음을 시사하는 것으로 심신양허(心腎陽虛)를 나타낸다.

3. 신기환은 "신허(腎虛)"의 처방이다. 이 증의 환자는 얼굴이 누렇거나 검고 부종, 반응지연, 발육정지, 생식기능저하 등이 보인다. 갑상선기능저하증, 고알도스테론증, 요붕증, 에디슨병, 스테로이드 부작용과 같은 내분비기능이상 질환에서 많이 볼 수 있다. 중년층이나 고령자에서

발기부전, 조루, 성기능저하, 남자정자감소증, 무월경, 유산, 불임 등이 보일 때에 신기환을 처방할 수 있다.

4. 노인에서 전립선질환에 신기환을 많이 사용한다. 전립선비대, 만성전립선염, 전립선 암 등에 사용할수 있다. 이들 환자들은 대체로 소변빈삭, 배뇨지연, 잔뇨감, 요저류 등을 주소로 한다. 이들은 얼굴이 검붉고 아랫배가 무력하고 연하며 식욕왕성한 노인인 경우가 많다. 작열감이 동반되는 배뇨통에는 지모, 황백을 더하고, 변비와 요통이 있는 경우 계지복령환을 합방하여 처방한다.

5. 신기환은 고대의 소갈증 치료 처방으로 현대의 말기 당뇨에 활용할 수 있다. 혈당조절이 되지 않고 몸이 수척하며 피부가 메마른 중년층 및 노인 환자에 쓸 수 있다. 밤중에 갈증과 잦은 요의(尿意)가 있으나 시원하게 소변을 보지 못하며 소변색은 맑은 경우가 많은데 이런 소견을 적응증으로 신기환에 차전자 15 g, 우슬 30 g을 더하여 구성한 처방을 제생신기환이라고 한다. 제생신기환은 방광내압을 조절하는 작용이 있고 당뇨병의 대사장애와 신기능 이상을 개선하는 효과가 있으며 당뇨환자의 배뇨이상, 발열감, 성욕감퇴, 발기부전, 기립성 현훈, 설사, 변비 등의 증상을 호전시킨다. 제생신기환은 당뇨병성신증의 상용 처방이다.

6. 노인, 만성 당뇨환자의 피부질환에 이 처방을 사용할 기회가 있다. 이들은 몸이 수척하고 피부는 건조하며, 피부색은 검붉은 경우가 많다. 국소 환부에 발열이 있을수 있으며 소양감, 태선화, 오래 유합되지 않는 궤양, 피부의 색조가 어두워지고 경화되는 소견 등이 나타난다. 이들 환자들은 입마름과 소변이상이 동반되는 경우가 많으며 피부영양결핍, 혈액점도 증가, 고혈당 등과도 관련이 있다.

30. 자감초탕

고대의 지혈, 강심, 강장제로 급성 증상에 사용하는 처방이다. 경전의 자음(滋陰) 처방이며 항부정맥, 저산소증 치료 및 빈혈 개선 작용이 있다. 체중이 적고 피부가 건조하며 빈혈, 결대맥(結代脈), 가슴 두근거림이 특징적 소견인 허약체질의 조리에 사용한다.

[원전처방]

감초(炙) 四兩, 생강 三兩, 인삼 二兩, 생지황 一斤, 계지 三兩, 아교 二兩, 맥문동 半斤, 마자인 半斤, 대조 三十枚. 아교를 제외한 여덟 약물을 청주 七升, 물 八升으로 三升이 될때까지 달이고 찌꺼기를 제거한 후 아교를 녹여서 一升을 따뜻하게 복용한다. 하루 세 차례 복용한다.(《傷寒論》《金匱要略》)

[방증요점]

몸이 수척하며 피부가 건조하고 빈혈기가 있는 외모. 숨이 차고 가슴이 답답하다. 기침이 나고 목이 쉬어 있으면서 가슴이 두근거리는 증상과 결대맥(結代脈) 있다.

[적용 환자군]

1. 여위고 쇠약하며 빈혈이 있는 환자: 근육은 위축되어 있고 피부는 건조하며 얼굴빛이 초췌하다. 빈혈이 있는 외모이며 설질

은 엷은 붉은색이고 설태는 적다.

2. 신경쇠약: 극도의 피로, 소기나언(少氣懶言), 식욕부진이 있고 대변이 건조하며 덩어리진다.

3. 부정맥: 대다수 환자에게서 심실조기수축 혹은 심방세동이나 심실세동 등의 심박이상이 있다.

4. 유발요인: 이 체질은 주로 큰병 이후나 대출혈 이후, 고령, 영양불량, 고도의 피로, 종양 환자의 화학요법 등을 계기로 나타난다.

[적용 병증]

아래의 병증과 위에 서술한 환자군의 특징이 부합하는 경우에 처방의 투약을 고려할 수 있다.

1. 출혈성 질환 특히 외상성 대출혈, 자궁출혈, 변혈, 혈뇨로 인한 빈혈

2. 말기암 환자의 출혈에 이어지는 악액질이나 항암화학요법 등 이유로 인하여 극도로 여위고 빈혈이 나타나는 경우

3. 심박의 이상이 나타나는 질환으로 바이러스성심근염, 심장판막증, 동기능부전증후군 등

4. 기침과 천식이 나타나는 질환으로 폐암, 폐기종, 폐성심 등

5. 재발성 아프타 구내염이 특징적인 영양결핍 환자

[가감 변화]

1. 가슴이 두근거리고 움직이면 바로 기침을 하는 경우에는 용골 15 g 모려 15 g을 더한다.

2. 식욕감퇴가 있는 경우 산약 30 g, 사인 10 g을 더한다.

3. 오심구토에는 법제반하 10 g을 더한다.

[사용상의 주의사항]

1. 이 처방을 복용한 후 배가 더부룩해지거나 식욕이 떨어질 수 있다. 이 때는 복용량을 줄여 투약하거나 1일분 약을 2-3일에 나누어 복용토록 한다.

2. 처방의 복용 시 식단관리를 통한 영양보충을 강화하며, 콜라겐이 풍부한 동물성 식품을 섭취하도록 한다.

[황황의 해설]

1. 자감초탕은 심한 영양결핍이 있는 허증 체질에 적용하며 이는 중의에서 "氣血陰液嚴重匱乏"을 말하는 것이다. 이 처방을 투약할 환자들은 여위고 쇠약하며 빈혈, 에너지결핍, 혈액량 부족, 영양실조 및 심박이상을 나타낸다. 큰 병을 앓은 이후나 대출혈 이후 고령, 영양불량, 고도로 피로한 자, 혹 말기암 환자에서 관련 소견을 볼 수 있다.

2. 자감초탕의 처방시에는 먼저 환자를 확인하는 것이 중요하다. 이 처방이 적합한 환자는 여위고 쇠약하며 빈혈기가 있으며 얼굴빛은 초췌하고 피부는 메말라서 한 눈에 알 수 있다. 마르고 쇠약하지 않거나 빈혈이 없으며 설질과 안색이 어두운 보라빛이면서 눈 주변은 흑색이고 피

부갑착(皮膚甲錯)이 있는 환자에게는 신중히 투약해야 한다. 체형이 비만하고 얼굴이 검붉거나 기름기가 번들거린다면 대개 담열(痰熱)이거나 담습(痰濕)이므로 이와 같은 경우에는 자감초탕을 사용하지 않는 것이 좋다. 다음으로 중요한 것은 설증이다. 설질은 엷은 색조로 붉거나 흰색, 또는 어두운 색조여야 한다. 청대의 張景燾는 "舌痰紅無色者, 惑乾而色不營者 當是胃津傷而氣無化液也. 當用炙甘草湯, 不可用寒涼藥." 《馤塘医话》고 하였다. 담백설(淡白舌)은 대부분 빈혈, 영양불량에서 나타난다. 맥도 중요하다. 이 증에서는 맥이 무력하고, 일정하지 않아야 한다. 맥무력(脈無力) 즉, 맥이 약하고 공대(空大)하거나 미세(微細)한 것은 혈압이 낮은 것으로 모두 심기능부전의 표현이다. 맥결대(脈結代)는 맥이 간헐적으로 뛰는 것이다. 고대의 맥 해석은 모두 비교적 모호하므로 현대적 관점으로는 심실조기수축, 심방 및 심실세동과 같은 심박이상으로 이해할 수 있다. 근 10년 사이 중국에서 심질환 및 부정맥 치료와 관련하여 자감초탕에 대한 많은 보고가 있었으나 다수는 방증을 엄격히 강조하지 않았다. 이 처방을 심박이상에 사용할 때는 두 가지 사항에 주의해야 한다. 첫 번째, 이 처방은 모든 심박이상을 치료하는 것이 아니며 환자의 체질적 상태가 허약하고 뚜렷하게 여윈 체격 등의 특징이 보여야 한다. 두 번째, 결대맥(結代脈)과 심동계(心動悸)가 동시에 출현해야 한다. 전자는 객관적 소견이고, 후자는 자각증상인데 가슴이 심하게 뛰어 스스로 조절할 수 없는 소견을 말한다. 단순히 결대맥만 있고 심동계가 없다면 처방의 효과가 별로 없다. 비만한 체형이고 혈전이나 혈액의 과다점성증후군이 있는 경우 심박이상이 있더라도 처방 사용에 신중해야 한다.

3. 이 처방은 말기암에서의 출혈, 암환자의 악액질 상태, 방사선 요법 후의 심한 허약감과 빈혈, 장기간의 채식식단이나 식이제한으로 인한 영양결핍 등 암환자의 조리에 적용할 수 있다. 저자의 관찰에 따르면 식도암, 위암, 구강암, 신장암 등에 활용할 기회가 많았다. 자감초탕은 말기암환자의 빈혈, 체중증가, 영양상태와 삶의 질에 대한 개선효과가 있다. 이 처방 복용 시 족발, 소힘줄 등 콜라겐 단백이 풍부한 음식을 함께 섭취하도록 해 환자의 저단백상태를 개선할 수 있다.

4. 자감초탕은 구강점막질환에 자주 활용한다. 재발성 아프타성 궤양 등이 많이 보이며 국소점막이 어두운 색이나 붉지는 않은 경우에 쓴다. 이 소견은 빈혈, 체중저하, 변비, 과도한 다이어트, 혹은 채식하는 경우에 나타날 수 있으며 고령자에서 많이 볼 수 있다. 본 처방은 점막을 회복시키고 체질을 개선하는 효능이 있다.

5. 변비가 심정지를 유발할 수도 있다. 자감초탕은 윤장통변(潤腸通便)하여 심장의 부담을 덜어주므로 심장질환 및 빈혈환자의 변비에 사용할 수 있다. 《餐英館治療雜話》에서는 "老人, 虛人, 津液枯, 大便閉, 此湯主之."라고 하였다.

6. 자감초탕은 원방을 써야 한다. 중국내 보고에서는 다수가 가감방을 활용하기 때문에 효과에 대한 판단에 영향이 있다. 많은 노중의들은 원방을 사용할 것을 주장한다. 국의대사인 裘沛然 선생은 이전에 심장병을 치료할 때 자감초탕에 가감을 해서 투약하였으며 효과도 있었다. 그러나 계속 약을 쓰면서 결국 자감초탕 원방을 사용하게 되었다고 한다. 약물의 용량에는 증상에 따른 약간의 증감이 있었으나 적지 않은 환자들이 원방으로 증상이 소실되거나 완화되었다. 이와 같은 사례가 다

수 축적되는 동안 아무런 탈이 없었다고 한다.(《裘沛然選集》)

7. 자감초탕의 전탕시에는 두 가지 요구 사항이 있다. 첫 번째 요구사항은 오래 달여야 한다는 것이다. 원문에서는 전탕법을 "淸酒七升, 水八升, 先煮八味, 聚三升"이라 하여 장시간 달여야 한다는 것을 보여준다. 15승을 달여 3승을 만들기 위해서는 약한 불로 1-2시간이 걸린다. 두 번째 요구사항은 이 처방에 술을 더하여 탕전해야 한다는 것이다. 술을 더하는 이유는 지황의 유효성분 용출을 위해서이며 지황의 위장관 자극을 감소시키기 위해서이기도 하다.

8. 지황, 아교, 맥문동의 용량이 과다하면 식욕저하와 복창 및 설사 등이 나타날 수 있다. 식욕이 좋지 않고 체질적으로 허약한 환자에게는 저용량으로 투약한다. 1일분을 2-3일에 걸쳐 복용하도록 하거나, 탕액을 희석해서 복용하는 방법 등을 써 볼 수 있을 것이다.

하편

질환별 처방 (從病选方)

1. 감기

감기는 다양한 바이러스에 의해 발생하는 흔한 호흡기 질환으로 라이노 바이러스, 인플루엔자 바이러스, 파라인플루엔자 바이러스가 원인인 경우가 많다.
속칭 상풍(傷風)이라고도 하는 보통의 감기는 산발적으로 발생하며 대유행을 일으키지 않고 종종 세균 감염을 동반할 수 있다. 증상의 발현은 빠른 편이며 초기 증상으로는 인두에 건조감, 가려움 또는 작열감, 재채기, 코막힘, 콧물 등이 있다. 콧물은 처음에는 맑은 물처럼 흐르지만, 2-3일 후에는 점도가 높아진다. 인후염이 동반될 수 있으며 일반적으로 발열 및 전신 증상은 없고 미열이나 두통이 나타날 수 있다. 보통 5-7일 안에 완전히 낫는다. 일부 환자는 경과의 후기 단계에서 입술에 포진이 나타날 수 있다.
인플루엔자는 호흡기를 통해 인플루엔자 바이러스가 확산되어 발생하는 급성 감염증이다. 대부분 돌발적으로 발병하며 뚜렷한 전신 증상이 있으나 호흡기 증상은 비교적 경미하다. 처음에는 오한과 함께 39-40°C에 달하는 고열이 있다. 동시에 두통, 전신 몸살, 쇠약이 나타나며 안구 건조, 목 건조, 경미한 인후통 또는 코막힘, 콧물, 재채기 등과 같은 호흡기 증상이 수반된다. 이 외에도 경미한 메스꺼움 및 설사와 같은 위장 증상이 있을 수 있다. 이들 증상은 발병 후 1-2일 이내에 고조기에 이르고 3-4일 이내에 발열이 가라앉고 증상이 소실되는 경과를 밟는다. 인플루엔자는 종종 폐렴 등 합병증을 일으킨다.
경방(經方)의 감기치료는 개인차에 주의를 기울이고 방증상대(方證相對)에 입각하여 질환의 진행을 멈추는 것을 목표로 한다. 서로 다른 개인의 특징에 따라 감기의 치료에 일상적으로 선택하는 경방은 아래의 예와 같다.

(1) 소시호탕

[적용소견]

감기에서 다음과 같은 증상이 있을 경우 ① 발열이 있고 땀이 약간 나며, 열이 지속되거나 호전이 있더라도 확실하게 해열이 되지 않는다. 혹은 한열왕래가 있다. ② 수반 증상이 많다. 환자는 흉부와 상복부의 불편감, 가슴이 그득한 느낌이 있고, 입이 쓰고, 인후 건조, 머리가 어지럽다, 기침, 번조, 오심, 구토, 식욕감퇴 등의 증상을 나타낸다.

소시호탕은 청열투사(淸熱透邪) 효능이 있으며, 특히 시호를 대량으로 처방하여 해열작용을 더 확실하게 할 수 있다.

[참고사항]

1. 이 처방은 발열성 질환의 기본 처방이며 바이러스성 감기의 상용 처방이다. 많은 여성들에서 흔히 보이는 월경기의 감기발열이나 감기 이후 체력 회복이 늦는 경우, 병발증상이 많은 환자 등에서 상술한 증상이 함께 나타나는 경우 소시호탕을 활용할 수 있다.

2. 수족구병, 수두, 로타바이러스 장염, 유행성 이하선염 등의 발열에 소시호탕을 적용한다.

3. 감기발열이 심하면 시호를 대량으로 사용하며, 복용 후 땀이 날 정도로 약을 투여한다. 경과에 따라 하루 4회까지 복용하도록 한다. 오심, 구토가 있는 경우에는 복용량이 과다하지 않도록 주의한다.

4. 이 처방을 장기간 대량 투약해서는 안 되며 발열성 질환의 경우 통상 5일 정도 복용하도록 한다.

5. 발열, 인후통, 림프절 종대가 있다면 연교 30–50 g을 더하여 처방하며 편도선염, 편도선농양에는 길경 10 g, 생석고 30 g을 더한다. 반복적으로 감기에 걸리고 기침가래가 많으며 배가 그득하면 후박 15 g, 소엽 10 g, 복령 15 g을 더한다.

[전형증례]

남아. 6세. 113 cm/21 kg. 2014년 6월 30일 초진

병력: 반복적인 기침과 함께 2011년 여름경 이후부터 지속되는 미열이 있다. 감기에 걸린 후 미열이 10일 정도 지속되며 체온은 37.1–38.1℃(항문체온). 식욕저하와 구역감이 있고 쉽게 땀이 난다. 인후가 붉고 설질은 연하며 설태는 약간 두껍다. 쉽게 땀이 나고 대변은 건조한 편이며 쉽게 짜증을 내는 성격이다.

체징: 체격이 마른 편이면서 얼굴이 어둡고 인후가 붉으며 편도선에 종대는 보이지 않는다.

처방: 시호 15 g, 황금 5 g, 강반하 10 g, 태자삼 10 g, 생감초 5 g,

생석고 20 g, 건강 5 g, 홍조 15 g. 15일분을 처방하고 하루 1-2회 복용하도록 하였다.

2014년 9월 26일: 약을 복용한 후 발열은 완전히 호전되었으며 식욕이 좋아지고 체중과 신장도 증가하였다. 인후의 발적도 모두 사라졌다. 새벽에 일어나 마른 구역질을 하고 설태가 비교적 두껍다. 원방에서 석고를 빼고 연교 15 g을 더하여 15일분을 처방하였다.

(2) 갈근탕

[적용소견]

감기에서 오한이 있으면서 땀은 없고 두통, 신통(身痛)이 있으며 근육의 시린 통증, 관절통증, 두통과 목덜미의 통증 등 증상이 있다. 대부분의 환자에서 과도한 피로나 추위에 노출된 병력이 있다. 환자의 피부는 건조하고 인후는 붉지 않으며 기타 감염증상도 없다.

[참고사항]

1. 갈근탕을 적용할 환자들은 대다수가 체질이 충실하고, 근육이 단단하다. 피부는 검푸르거나 어두운 황색이며 피부는 조밀하고 거칠다. 갈근탕은 청장년층 환자에서 적응증을 많이 볼 수 있고 임상적으로 응용할 기회가 많으며, 동시에 비교적 안전하게 쓸 수 있는 처방이다. 몸이 마르고 체질이 허약하며 여러 질환에 시달리

는 환자, 얼굴이 희고 땀이 많은 환자에게는 신중히 사용한다. 심장기능의 저하 및 심박이상이 있는 경우에도 신중히 투여한다.

2. 감기 후 비염, 부비동염에는 천궁 6-12 g, 신이화 5-10 g을 더한다. 감기에 인후통, 목적(目赤), 변비, 두통, 잇몸의 부종과 통증 혹은 모낭염, 포진, 구창(口瘡) 등이 있다면 생대황을 5-10 g 더한다.

3. 갈근탕에는 가벼운 발한작용이 있으므로 복약 후에는 바람을 피하도록 하며 이불을 덮고 땀을 약간 내도록 하면 좋다. 처방 복용 후 가슴이 두근거리고 땀이 많이 난다면 복용을 중단한다.

[전형증례]

이모씨. 남성. 38세

환자는 난치성 편두통을 2년동안 앓고 있었으며 지속적인 치료에도 뚜렷한 효과가 없었다. 친구의 소개로 劉渡舟 선생의 진료를 받게 되었다.

주소: 우측두통이 있으며 항상 앞이마에서 미릉골이 아프다. 땀은 없고 오한, 물처럼 흐르는 맑은 콧물, 심번(心煩), 붉은 얼굴빛, 어지러움, 수면장애가 있다. 진찰 시에 환자가 목덜미를 잘 움직이지 못하는 것이 눈에 띄어 이에 대해 문진하니 목덜미에서 등줄기에 걸친 부위가 항상 당기고 두통이 있을 때 목덜미가 당기며 긴장되는 것이 더 심해진다고 답한다. 설질은 연한 색조이며 설태는 하얗다. 맥은 부(浮)하고 약간 삭(數)하다. 이는 한사(寒邪)가 태양경맥에 들어 경기(經氣)가 순환하지 못하기 때문으로 발한거사

(發汗去邪)하기 위해 갈근탕을 사용하였다. 마황 4 g, 갈근 18 g, 계지 12 g, 백작약 12 g, 자감초 6 g, 생강 12 g, 대조 12매. 마황, 갈근을 먼저 달이고 거품을 걷어낸 후 나머지 약을 다 넣어 달이도록 한다. 복약 후에 땀을 조금 내고 찬바람을 피하도록 하였다. 3일분 복약 후 등줄기에 열감이 있고 땀이 나니 두통과 목덜미의 당김이 줄어들었다. 원방을 다시 15일분 복용토록 하였다. 두통과 목덜미의 당김 증상이 나았다.(《劉渡舟臨證驗案精選》)

(3) 대청룡탕

[적용소견]

고열감기, 무한(無汗), 번조, 대체로 38.5℃ 이상인 체온, 피부건조, 안구충혈, 두통, 맥상은 부(浮), 활(滑), 삭(數), 유력(有力)하며 체격이 건장한 환자

[참고사항]

1. 대부분 체격이 건장하고, 근육이 풍만하고 충실하며 땀은 잘 나지 않는 환자에 대청룡탕을 적용한다. 환자들의 영양상태는 비교적 좋다. 고열의 감기로 대부분 강렬한 추위에 의한 자극이 발병 유인이 된다.

2. 대청룡탕에는 강한 발한작용이 있어 복약 후 세수를 하는 것처럼 땀이 많이 나며 그 이후 열이 내리면서 몸이 식고 맥이 돌아온다. 땀이 나지 않으면 효과가 없는 것이다. 안전한 투약을 위해 다

음 몇가지 사항을 주의한다. ① 땀이 나면 복약을 중단한다. ② 적응 환자군을 엄격하게 파악한다. 땀이 나는 환자, 맥상이 미약한 환자에게는 이 처방을 투여해서는 안 된다. 또한 허약한 노인, 임산부, 만성중증질환자, 심기능부전 환자, 저혈당 환자, 불면 환자, 고혈압 환자, 당뇨 환자, 폐결핵으로 인한 미열 등에는 모두 사용이 부적절하다.

3. 이 처방은 식후 복용하며 공복에는 투여하지 않는다.

4. 복용 후 뚜렷한 가슴 두근거림, 허약감이 있는 경우에는 설탕물을 마시거나, 용안육, 대추 등을 복용한다.

[전형증례]

이모씨. 남아. 12세. 1965년 8월 14일 초진

병력: 4일 전 땀을 흘린 후 얼음을 먹고 그날 저녁부터 고열이 나서 체온이 40도까지 올라갔다. 발열이 지속되어 떨어지지 않으며 두통, 전신의 산통(酸痛), 무한, 오심, 입마름, 번조 등이 있다. 중약과 양약 치료가 모두 별다른 효과가 없어서 내원하였다.

체징: 피로하고 얼굴이 붉으며 숨이 찬다. 설태는 희고 두터우며 미끌거리고 맥은 긴삭(緊數)하다.

변증: 한습속표, 화열입리

치법: 발한해표, 청열제번, 조화영위

처방: 마황 6 g, 계지 9 g, 행인초 12 g, 지모 15 g, 자감초 6 g, 생석고 24 g(찧은 것), 산약 30 g, 갈근 12 g, 방풍 9 g, 생강 6 g, 대조 5매. 물에 2제를 달여 2회에 나누어 따뜻하게 복용하도록 했

다. 1차 복약 후, 목이 마르고 열이 나서 쌀죽을 한 그릇 마시도록 했다. 반 시간 후 2차약을 복용시켜 땀을 냈다.

처방해설: 이 소견은 한습사(寒濕邪)가 피부표면을 속박한 것을 치료를 제대로 하지 못하여 병사가 열로 변하여 리(裏)로 들어간 양상이다. 그러므로 대청룡탕에 갈근을 더하여 청열제번, 조화영위하고 지모, 생석고, 산약으로 생진지갈을 하고 리열을 억제하였다. 방풍으로 습사를 제거하여 지통, 해기표하였다. 이와 같은 작용을 통해 본 처방은 한사와 습사를 제거한다. 2일분을 복약하니 여러 증상이 모두 다 나았다.(《劉惠民醫案》)

(4) 계지탕

[적용소견]

허증의 감기에 선택하여 활용할 수 있다. 이 처방은 중증질환, 수술, 항암화학요법, 과도한 약물 투여, 월경기, 산후, 선천품부부족, 고령으로 인한 쇠약, 평소 여러 질환에 시달리는 환자의 감기에 많이 투여한다. 환자는 대부분 뚜렷한 발열은 없으나 단지 오한, 무기력, 맑은 콧물, 어두운 설질 등 소견만을 보인다. 환자는 보통 자한(自汗), 오풍(惡風), 발열 혹은 자각 열감을 호소한다. 상충감 및 두근거리는 느낌이 있으며 맥은 부(浮), 약(弱), 완(緩)하다.

[사용상의 주의사항]

계지탕의 복용 후에는 우선 따뜻한 죽을 마시는 것이 필요하다. 좁쌀이나 쌀로 죽을 끓일 수 있으며 문화(文火)로 완전히 뭉근해지도록 끓여서 먹는다. 두 번째로 찬 날씨를 피하는 것이 필요하다. 가장 좋은 방법은 따뜻하게 입어서 땀을 내는 것이다. 세 번째로 환자가 복약기간 동안 자극적이지 않고 담백한 음식을 먹도록 지도하여 소화기에 부담이 가지 않도록 한다.

[참고사항]

1. 계지탕은 고대의 강장, 피로회복 처방이다. 두근거림, 복통, 자한, 체중저하, 맥약(脈弱) 등의 특징을 가진 환자들과 허약체질의 조리에 적용한다. 비만하거나 부종이 있는 경우에는 이 처방이 부적합하다.

2. 이 처방은 약물을 가미하여 활용하는 사례가 많다. 피로, 다한, 관절의 시린 통증에는 부자를 10 g 더하여 처방한다. 얼굴빛이 누런 경우에는 황기를 15 g 더한다. 여위고 식욕이 없는 환자에는 당삼 15 g을 더하여 처방하며, 목덜미와 등줄기의 통증 및 어지러움과 함께 오는 두통이 있다면 갈근 30 g을 더한다.

[전형증례]

모씨. 여성. 54세. 156 cm/64 kg. 2014년 9월 27일 초진

병력: 20여 년째 부비동염이 있고 감기에 잘 걸리는 편으로 1주일에 한 번은 감기가 생기는 정도이다. 발작 시 두통이 있고 재채

기가 잦으며 바람을 싫어하고 머리에 땀이 난다. 쉽게 배고파하며 단 음식을 좋아하고 수면 장애가 있다.

체징: 얼굴은 어두운 붉은색이며 입술도 어둡다. 설색은 검붉고 설태는 두터우며 맥은 완(緩)하다(72회/분).

처방: 계지 10 g, 육계 5 g, 백작약 15 g, 건강 5 g, 홍조 30 g, 생감초 10 g, 생황기 30 g. 10일분을 5-2 복용법으로 처방하였다.

2014년 10월 7일: 복약 후 재채기가 사라지고 7일간 감기증상이 없었으며 식욕과 수면상태가 개선되었다. 그러나 여전히 잠에서 잘 깬다. 원방을 15일분 더 처방하고 이틀 간격으로 하루분씩을 복용하도록 하였다.

(5) 마황부자세신탕

[적용소견]

감기에서 두통, 발열, 무한(無汗), 발성장애, 인후통, 요통 등이 보이는 경우. 소염진통제나 항생제가 듣지 않거나 열이 나는데도 물을 마시려 하지 않고 콧물이 맑은 물같이 떨어지는 환자

[참고사항]

1. 마황부자세신탕은 체질적으로 양허(陽虛)한 경우에 외감(外感)이 다시 겹쳐 감기가 생긴 경우에 적용한다. 이 처방 적응증의 중요 특징은 두 가지이다. 첫 번째는 심한 오한으로 환자는 등줄기에 냉감을 느끼게 된다. 두 번째는 극도의 피로감으로 환자는

의기소침하며 목소리가 낮고 힘이 없다. 망진상 얼굴은 어두운 누런색이며 인후는 담홍색으로 붓는 소견은 없고 설질은 옅은 색이며 설태는 물기가 많고 축축하다. 맥상은 침지(沈遲)하다. 이와 같은 증에 해당하지 않는 환자에게는 신중히 투여한다.

2. 심기능부전, 고혈압 환자에게는 신중히 투여한다.

3. 처방 복용 후에는 먼저 전신에 계속 열이 나다가 땀이 나면서 낫게 된다. 땀이 난 이후에는 처방을 더 복용할 필요가 없다.

4. 얼굴이 하얗고 두근거림이 있는 환자에게는 계지 15 g, 감초 5 g, 생강 30 g, 홍조 20 g을 더한다. 감기에 허리와 다리 통증이 동반된 경우에는 작약 30 g, 감초 10 g을 더한다.

[전형증례]

장모씨. 42세. 운남성 곤명시 사람으로 평소 신기(腎氣)가 체질적으로 약했으며 1929년 9월 2일 집으로 돌아가는 도중에 차가운 비(陰雨)를 그대로 맞아 감모풍한병에 들었다고 한다. 초기에는 신열, 오한, 두통, 신통이 있고 정신을 잘 차리지 못하고 누워있기를 좋아하며(즉, 少陰病 但欲寐의 병정) 겸하여 목이 말라 따뜻한 물을 조금 마시려고 한다. 맥은 침세(沈細)하고 긴(緊)하였으며, 설태는 희고 미끌거린다. 입술은 청자색이다. 신기(腎氣)가 체질적으로 약하여 감양(坎陽)이 안에서 약하니, 객사(客邪)에 저항할 만한 외부의 고표(固表)작용도 무력하여 한풍(寒風)이 소음(少陰)으로 바로 들어갔다. 이에 진양(眞陽)의 운행이 막히게 되어 이와 같은 모습이 되었다. 이에 중경의 마황부자세신탕으로 온경해표

(溫經解表)하고 보정제사(補正除邪)하였다. 흑부편 36 g, 마황 10 g(선전(先煎)하여 여러 번 끓여 거품을 걷어낸다), 북세신 6 g, 계첨(桂尖) 13 g. 3일 투여하였다. 1일분 복용 후 바로 땀이 나면서 열이 내렸으며 어지러움과 기침만 남아있고 소심한 상태이다. 표사(表邪)는 제거하였으나 폐한(肺寒)이 아직 사라지지 않고 양기가 항상 허한 상태이므로 사역산 합 이진탕 가 세신, 오미자를 통해 부양온한(扶陽溫寒)하도록 했다. 흑부편 50 g, 건강 26 g, 감초 10 g, 광피 10 g, 법반하 13 g, 복령 13 g, 북세신 4 g, 오미자 2 g. 복용 후 기침이 멈추고 식사량이 늘고 정신이 회복되었으며 병이 완전히 나았다.(《吳佩衡醫案》)

(6) 갈근금련탕

[적용소견]

감기에서 고열, 두통과 함께 땀이 나지만 열이 내리지 않고 얼굴이 붉어지며 천식처럼 숨이 차는 증상이 있는 경우. 혹 설사가 분출하는 것처럼 나오면서 심한 냄새가 있고 항문에 작열감이 있고 붉어지며 입술과 입이 마르고 맥활삭(脈滑數)한 소견이 보이는 경우

[참고사항]

1. 처방을 적용할 환자는 비교적 건장한 체격의 소아이 많으며 얼굴이 붉고 땀이 많으며 숨이 차면서 맥삭(脈數)한 소견이 나타

나는 것을 특징으로 한다.

2. 발열이 있으면 시호 20 g을 더하여 처방하고, 복통이 있으면 백작약 15 g을 더한다.

[전형증례]

2세 여아로 며칠 동안 열이 나고 기침을 하여 소염진통제 근육주사를 놓고 七珍丹(木香, 知母(焙), 小茴香(盐炒), 橘皮(去白), 枳壳(去瓤), 川楝子, 甘草 등으로 조성된 중성약의 하나 – 역자)을 먹인 후에도 증상이 계속되었다. 초진 시 환아는 의식이 명료하였고, 때때로 기침할 때의 소리가 마르고 탁했다. 폐부청진에서 국소성 천명음을 확인할 수 있었고, 머리를 만져보니 약간 땀이 있었다. 두 손은 따뜻하고 축축하며, 수차례 점액이 많고 변은 적은 설사를 하였다. 체온은 37.5도. 보호자는 해열약을 투여해도 낫지 않는다고 하였다. 환아의 피부는 백색이고 마른 체형이며 두 뺨에 홍조가 있다. 이는 상한론 제34조와 매우 유사하였다(太陽病桂枝證 醫反下之 利遂不止 脈促者 表未解也 喘而汗出者 葛根黃芩黃連湯主之 – 역자). 처방은 갈근 30 g, 황금 5 g, 황련 3 g, 감초 5 g을 1일분으로 달여 10 mL씩 2시간마다 한 번씩 투여토록 했다. 보호자의 말에 따르면 환아는 약을 한 차례 복용하고 2시간이 채 지나지 않아 체온이 정상으로 돌아왔다고 한다. 다음날 재진 시에는 이미 설사가 멎고 기침이 잦아들었으며 폐의 국소성 천명음도 사라졌다(황황경방살롱, 경방실험록, 2015.1.14. 作者:木子长大).

2. 해천

해천병(咳喘病)이란 급만성기관지염, 기관지천식, 폐기종, 기관지확장 등 호흡기계질환을 통칭하는 것이다.

급성지관지염의 경우 코막힘, 콧물, 인후의 가려움 및 통증이 함께 나타나며 심하면 갈라지고 쉰 목소리가 되기도 한다. 또한 발열, 무기력, 근육산통, 흉통 등이 나타날 수 있다. 기침의 정도는 질환의 중증도와 일치하지 않으며 심한 기침은 수면에 영향을 줄 수 있다. 가래양은 많지 않고 색은 희거나 약간 노란색이며 비교적 점성이 있는 편이다. 경과는 보통 1주로 일부에서는 2주 이상 지속되기도 한다.

만성기관지염은 기관지 및 주위조직의 만성 비특이성 염증이 나타나는 것이다. 매년 기침가래 및 천식 증상이 3개월 이상 나타나며 2년 이상 지속되고 겨울철에 다발하는 경향이 있다. 만성기관지염 진단은 기타 심장 및 폐질환을 배제하여야 한다. 중국 북부지방에서는 특히 농촌에서의 발생율이 가장 높다. 중장년층 및 고령자의 이환율이 높으며 남성에서 더 많이 나타난다. 보통은 완만한 진행 경과를 보이는데 초기에는 주로 겨울철의 기침과 함께 흰색의 거품섞인 가래나 노란색 가래가 동반되며, 여름철에는 증상이 완화된다. 경과가 적절히 관리되지 못하면 연중 계속되는 기침 가래로 이어지게 된다. 흰색의 거품섞인 가래가 주로 나타나지만, 이차감염으로 인하여 누런색 또는 녹색의 농(膿)이 섞인 가래가 나오기도 한다. 이와 같은 질환은 결국 만성폐쇄성폐질환이나 만성폐성심으로 진행하게 된다.

기관지 천식은 세계적으로 흔한 질환이다. 천식의 발생 기전은 상대적으로 복잡하며 알려지 항원 이외에도 개인 및 환경 요인과 관련이 있다. 발병 이전에 코 가려움, 재채기, 콧물, 기침 등 전조증상이 나타날 수 있으며, 이어 폐의 천명음이나 점도가 높아 기침을 해도 배출이 잘 안되는 다량의 가래 등 소견을 동반하는 호기성 호흡곤란이 나타난다. 본 질환은 주로 밤중이나 새벽에 발작이 일어나는데 발작이 없는 경우 환자는 특별한 징후가 없다.

경방에 의한 해천병(咳喘病)은 치료경험이 풍부하게 축적되어 있는데 환자의 체질에 따라 한열허실의 분류를 활용하는 것이 특징이다. 서로 다른 개인의 특징에 따라 해천병(咳喘病)의 치료에 일상적으로 선택하는 경방은 아래의 예와 같다.

(1) 소시호탕

[적용소견]

발열, 해수가 여러 날 동안 지속되고, 오심, 구토, 혹은 식욕부진한 환자. 특히 급성기관지염, 모세기관지염, 폐결핵, 흉막염, 기침변이성천식, 기관지천식 등에 적용한다. 환자의 전신상태가 양호하고 주요 장기 손상이 없는 환자에게 사용할 수 있다.

[참고사항]

오래된 기침, 항생제에 반응하지 않는 기침변이형 천식에는 후박 12 g, 복령 15 g, 자소엽 10 g을 더한다. 가래가 물처럼 맑은 환자에는 건강 10 g, 오미자 10 g, 오미자 10 g을 더한다. 폐부감염, 가래가 황조(黃稠)한 환자에는 황련 5 g, 전과루 30 g을 더한다. 인후통, 마른기침에는 길경 10 g을 더한다. 편도선 종대, 발열과 많은 땀이 나는 환자에는 생석고 30 g을 더한다. 림프절종대에는 연교 30 g을 더한다. 객혈에는 생대황 5 g, 황련 5 g을 더한다. 폐암환자의 발열, 흉막삼출에는 복령 20 g, 저령 20 g, 택사 20 g, 계지 15 g, 백출 20 g을 더한다.

[전형증례]

조모씨. 여성. 57세. 161 cm/66 kg. 2018년 9월 11일 초진

병력: 5년 전 폐암으로 폐 좌엽을 절제하였다. 금년 8월의 검사에서 종양의 뇌전이가 발견되었다. 현재 가벼운 어지러움과 머리를 조이는 느낌을 주소증으로 호소한다. 계단을 오를 때 숨이 차서 오르기 어렵다. 기침, 구역, 황색담, 입마름이 악화되면 수면에도 영향을 미친다.

처방: 시호 20 g, 황금 15 g, 강반하 15 g, 당삼 10 g, 생감초 5 g, 황련 5 g, 전과루 30 g, 건강 5 g, 홍조 15 g, 생대황 5 g. 10일분을 5-2 복용법으로 처방하였다.

2018년 9월 25일: 복용 후 점액변, 노란색의 가래, 어지러움이 소실되었으며 수면상태가 개선되었고 가슴답답함도 뚜렷하지 않

게 되었다. 원방을 격일로 10일분 더 복용하게 하였다.

(2) 반하후박탕

[적용소견]

해천병(咳喘病)에서 인후이물감, 다량의 점성이 높은 가래, 가슴 답답함, 복창, 설태가 미끌미끌한 소견 등을 보이는 환자로 특히 목에서 얼굴에 걸쳐 나타나는 부종과 함께 빈발하는 기침으로 호흡곤란이 나타나는 경우나 거품이 섞인 가래 등에 적용한다. 반하후박탕은 급만성 기관지염, 인후염증으로 인한 기침, 기관지천식 등에 일상적으로 활용한다.

[참고사항]

1. 이 처방은 인후의 가려움을 치료한다. 마른 기침, 가래가 없는 인후성 기침에 이 처방을 하루 4-5회 복용하는 용법을 활용하면 효과가 더 좋다.

2. 인후가 가렵고 건조하며, 기침에 가래가 적으면 길경 10 g, 감초 5 g을 더한다. 기침, 천식과 함께 불면, 불안, 가슴답답함, 발한이 동반되는 환자에게는 산치자 15 g, 연교 30 g, 황금 10 g을 더한다. 경과가 비교적 길고 반복적으로 발작하는 경우, 천식으로 숨이 가쁘며 가래의 점도가 낮고 희고 양이 많으며 날숨은 많고 들숨은 적은 경우, 요퇴부가 힘이 없고 설태가 희고 끈적이거나 미끄러운 환자에게는 육계 10 g, 당귀 10 g, 감초 5 g, 전호 10 g, 진

피 10 g을 더한다.

[전형증례]

상모씨. 여성. 50세. 160 cm/52 kg. 2019년 6월 5일 초진

병력: 폐암수술 후 1개월이 지난 상태로 좌하폐엽을 절제하였다. 현재 심한 기침이 주소증이며, 식후의 기침으로 위의 내용물이 튀어나올 지경이다. 잠에 들기 어렵고 자주 깬다. 앞가슴이 답답하고 인후는 검붉으며 설태는 미끌미끌하다.

처방: 강반하 15 g, 후박 15 g, 복령 20 g, 소경 15 g, 황금 10 g, 치자 15 g, 연교 30 g, 길경 10 g, 생감초 10 g. 15일분을 처방하였다.

2019년 6월 26일: 기침이 경감되고 흉통 및 식후 구토도 사라졌다. 원방에 지각을 15 g 더하여 3-2 복용법으로 복용하도록 하였다.

(3) 마행감석탕

[적용소견]

땀이 나면서 기침천식이 있다. 땀은 많지는 않고, 만져보면 피부가 축축하지만 작열감은 없다. 야간발한으로 옷이 다 젖거나 쉽게 땀이 나는 경우도 있다. 환자는 갈증은 있으나 오한은 없다. 더운 것을 싫어하고 찬 물을 좋아하며 가래와 콧물이 끈적이고 입안이 쓰거나 입마름 등이 있기도 하다. 바이러스성폐렴, 마이코플라스마폐렴, 기관지폐렴, 기관지천식, 급성기관지염 및 만성기관지염 환자의 상당수에서 이상의 소견이 나타난다.

[참고사항]

1. 이 처방의 적응증이 있는 대부분 전신 상태가 양호하고 모발도 윤기가 있지만 피부는 다수가 건조하고 거칠다. 얼굴과 눈꺼풀에서 가벼운 부종을 관찰할 수 있다.

2. 인후통에는 길경 10 g을 더한다. 가슴답답함, 끈끈하고 누런 색을 띠는 가래, 대변이 건조하여 덩어리지는 소견에는 황련 5 g, 강반하 10 g, 전과루 30 g을 더한다. 가슴답답함, 번조, 불면에는 치자 15 g, 연교 30 g을 더한다.

[전형증례]

진모씨. 남아. 4세. 102 cm/16 kg. 2019년 6월 5일 초진

병력: 기침 천식이 반년간 지속되고 코막힘과 가려움이 동반. 추우면 바로 기침을 하고, 이를 갈고 코골이를 한다. 땀이 많다. 강소성중의원(2019년 6월 4일): hsCRP 15 mg/L(정상치<8 mg/L).

체징: 체격은 건장하고 피부는 희다. 윗 눈꺼풀이 약간 부어있다.

처방: 생마황 5 g, 행인 10 g, 생석고 30 g, 생감초 5 g, 배 1개. 복용 시 얼음사탕(氷糖)을 약간 넣어서 복용하기로 하고 10일분을 처방하였다.

2019년 6월 26일: 이 기간동안 천식발작이 없었고 이갈이, 코골이도 개선되었다. 식욕 또한 뚜렷하게 호전되었다. 원방 10일분을 격일로 1일분씩 복용하도록 하였다. 용법은 위와 같다.

(4) 소청룡탕

[적용소견]

해천병(咳喘病)에서의 오한. 특히 등줄기에 냉기가 있으며, 땀이 없거나 잘 나지 않는 환자. 환자는 갈증이 없고 가래는 맑고 양이 많거나 거품이 섞여 있거나 혹은 희뿌옇다. 가래의 색은 비교적 투명하고 물처럼 떨어진다. 이와 같은 소견은 기관지천식, 만성기관지염, 폐기종 환자에게서 많이 볼 수 있다.

[참고사항]

1. 환자들은 일반적으로 수척한 체격이며 얼굴은 푸르스름하면서 희거나 회색을 띈다. 보통 본 증에서 얼굴이 붉고 광택이 있는 환자는 적다. 아래 눈과 입술이 암담하고 붉은기가 없다. 설태는 물기가 많고 축축하며 환자는 평소 찬 것을 싫어하고 따뜻한 것을 좋아한다. 번조와 불면이 있고 설질이 붉으며 맥이 삭(數)한 환자에게는 신중히 투여한다.

2. 소청룡탕 복용 후 환자가 여전히 목이 마르고 땀이 약간 난다면 좋은 경과를 기대할 수 있다.

3. 신체가 약하고 가슴 두근거림이 있으면서 숨이 차오르거나 기관지천식이 지속되는 상태 및 폐성심, 폐기종발작 시에는 마황을 제거하고 산수유를 15 g 더한다. 스테로이드 장기복용으로 안면이 어두운 회색인 환자에게는 부자를 10 g 더한다. 번조가 있고 입술이 붉은 환자에서는 생석고를 30 g 더한다.

[전형증례]

이모씨. 남성. 36세. 167 cm/95 kg. 2015년 5월 8일 초진

병력: 10년째 천식을 앓고 있고 알러지 비염이 여러 번 발생하였다. 코막힘 및 코의 가려움증으로 재채기가 나고 새벽에 일어날 때 맑은 콧물이 물처럼 난다. 밤중에는 똑바로 누워 자기 어렵다. 대변은 가끔 건조하고 가끔은 묽으며 땀이 많이 난다.

체징: 좌측 하지에 부종이 있다. 혀는 두껍고 크고 연하다. 눈 주위가 검고 안검은 부어있다.

처방: 생마황 10 g, 계지 15 g, 백작약 15 g, 생감초 5 g, 건강 10 g, 세신 10 g, 오미자 10 g, 강반하 10 g, 생석고 30 g. 7일분

복약 후 해천은 호전되었다.

2015년 8월 14일: 천식발작은 없었고 땀은 줄었으나 비염 증상은 매일 나타난다. 매일 자기 전이나 혹은 일어날 때 재채기를 한다. 2015년 8월 4일 부비동 CT에서 만성부비동염, 양측 하비갑개 종대, 비중격만곡 소견

처방 1: 생황기 30 g, 백출 30 g, 방풍 20 g을 아침에 복용

처방 2: 소청룡탕가석고탕, 20일분. 오후에 복용

2015년 9월 4일: 천식발작은 없었고 비염 소견도 적절히 관리되었으며 체중은 10 kg이 줄었다.

(5) 대시호탕

[적용소견]

기침에 수반된 트림, 상복부의 창통(脹痛)이나 위산역류, 입이 쓰고 마름, 식욕부진, 변비 등 소견이 있는 환자에 쓴다. 이 처방은 특히 기관지천식, 폐부감염, 기관지염 등에 적용한다.

[참고사항]

1. 대시호탕을 적용할 환자는 체격이 건장하고 식후 배가 더부룩해지는 증상이 있거나, 천식이 악화되는 경우 상복부를 누르면 단단하고 그득한 느낌과 함께 통증을 호소한다. 밤중에 천식이 심해지는 경우에 적용할 기회가 많다. 대변은 마르고 덩어리지며 설태는 두껍다. 다수 환자들은 위식도역류나 위장운동장애를 갖고 있다. 이상의 지표증상이 없는 환자들에게는 신중히 투여하도록 한다.

2. 복약기간 중에는 기름진 음식, 단 음식, 튀긴 음식을 가급적 피하도록 한다.

3. 이 처방을 복용한 후 배변 횟수가 늘어날 수 있으므로 하루 3회를 넘어간다면 복용량을 줄이도록 한다.

4. 배가 그득하면서 트림이 나오는 경우 후박 15 g, 자소경 15 g을 더한다. 가슴이 답답하고 끈적이는 누런색 가래가 나오며 대변이 건조하고 덩어리진 경우에는 황련 5 g, 강반하 10 g, 전과루 30 g을 더한다. 흉협고만이 심하고 변비, 번조, 불면, 하복부 통증

등이 나타나면서 설질이 어두운 환자에는 계지 15 g, 복령 15 g, 목단피 15 g, 도인 15 g을 더한다. 가슴이 답답하고 아프며 가래가 끈끈하여 뱉어내기가 어렵다면 배농산(지각:작약:길경을 3:2:1 비율로 곱게 가루내어 매회 3–6 g 복용하고 하루 3회 복용한다. 미음에 개어 복용하거나, 차처럼 가지고 다니며 물에 타서 복용할 수 있다.)을 합방하여 처방한다.

[전형증례]

서모씨. 여성. 61세. 155 cm/80 kg. 2019년 3월 19일 초진

병력: 반복되는 천식이 있다. 식후에 배가 더부룩해지고, 한밤중에 천식 증상이 뚜렷해져서 매일 새벽 1시를 넘겨서야 잠들 수 있다. 코고는 소리가 크고 대변을 이틀에 한 번 본다. 비만하며 20년된 고혈압, 고지혈증, 뇌경색 등 과거력이 있다.

체징: 비만하고 얼굴이 붉으며 혀는 두껍고 치흔이 있다. 인후가 붉은색이다. 복부가 크고 팽창되어 있다. 천명음이 뚜렷하다.

처방: 시호 20 g, 황금 15 g, 강반하 15 g, 지각 30 g, 백작약 15 g, 생대황 10 g, 건강 5 g, 홍조 20 g, 20일분을 5–2 복용법으로 처방하였다.

2019년 4월 16일: 천식이 뚜렷하게 호전되었고 포만감도 개선되었다. 혈압은 정상으로 돌아왔다. 원방에 진피 20 g을 가하여 30일분을 5–2 복용법으로 처방하였다.

(6) 계지복령환

[적용소견]

기관지천식, 만성폐쇄성폐질환(COPD), 폐동맥고혈압, 흉막염, 흉강적액, 간질성폐렴, 폐섬유화, 반복폐감염 등에서 얼굴이 검붉고, 가슴이 답답하면서 통증이 있으며 입술은 보라색이고 설질이 어두운 소견을 보이는 환자.

이 처방은 활혈화어(活血化瘀) 효능이 있어 심폐의 혈액순환기능을 개선한다.

[참고사항]

1. 계지복령환을 적용할 환자들은 대다수가 얼굴이 붉고 자홍색이며, 복부는 충실하고, 좌하복부를 누르면 저항감 또는 압통이 있다. 이외에도 두통과 어지러움, 불면, 번조, 가슴두근거림이 있고 설질은 어두운 색으로 어반(瘀斑)이 있다.

2. 일부 환자는 복약 후 설사를 할 수 있다. 식후 복용하거나 약을 감량하도록 한다.

3. 임산부에는 신중히 투여하거나 금기로 한다.

4. 가슴이 답답하고 통증이 있으며 오래된 기침으로 초췌한 환자는 당귀 15 g, 천궁 15 g, 단삼 15 g을 더한다. 가슴이 답답하고 배가 더부룩하며 얼굴에 기름기가 도는 환자는 진피 20 g, 지각 20 g, 생강 20 g을 더한다. 가슴이 답답하고 변비가 있는 환자에는 지각 20 g, 해백 20 g, 전과루 30 g을 더한다.

[전형증례]

욱모씨. 남성. 74세. 160 cm/70 kg. 2018년 6월 5일 초진

주소: 반복되는 천식이 9년째이다. 호흡곤란이 있어 숨이 차 계단을 잘 오르지 못하고 식후 배가 더부룩해진다.

기왕력: 2018년 4월 입원 중 진단: COPD 급성악화, 심박이상, 심방세동, 심기능부진, 심장판막병증, 지방간.

체징: 체중은 보통이며 얼굴은 검붉으며 기름기가 있고 아랫눈두덩이 도드라져 보인다. 입술과 혀는 어두운 자색이고 설하정맥에 어자반(瘀紫瘢)이 보인다. 복부는 충실하며 양측 늑궁하부에 저항감이 있다.

처방: 계지 10 g, 육계 10 g, 복령 20 g, 적작약 20 g, 목단피 15 g, 도인 15 g, 당귀 15 g, 천궁 15 g, 단삼 15 g, 지각 30 g, 진피 30 g, 건강 10 g. 15일분 처방

2018년 6월 25일: 복용 후 호흡이 편해졌으나 천식소견은 여전히 남아 있다. 마작을 할 수 있을 정도로 회복되었다. 원방을 계속 복용하도록 하였다.

2018년 8월 20일: 보행 시 숨이 차지 않아 3층까지 오를 수 있게 되었다. 설하정맥의 자반(紫瘢)도 호전되었다.

3. 위장질환

위장질환은 임상에서 흔히 볼 수 있는 질환이며 관련된 질환의 종류도 매우 많다. 흔히 보이는 위와 장 관련 질환으로는 다음과 같은 것들이 있다.

1. 만성 위염: 여러 가지 이유로 인한 위 점막의 만성 염증성 변화를 지칭한다. 임상적으로는 상복부의 포만감, 불쾌감, 둔한 통증을 주요 임상 소견으로 한다. 만성 위염은 주로 만성 표재성 위염과 만성 위축성 위염을 포함하며 경우에 따라서는 두 질환이 동시에 관찰되기도 한다.

2. 담즙 역류성 위염: 통상 위 절제술 및 위장관 문합술 후 흔히 발생하며 중년 및 노인에서도 호발한다. 주요 증상은 상복부의 팽만감 또는 불쾌감, 둔한 통증 또는 심한 통증이며, 종종 주기적인 발작이 있다. 복창, 트림, 위산역류, 가슴쓰림, 오심, 구토, 식욕감퇴 및 체중감소 등을 동반할 수 있다. 소수에서 위출혈이 있을 수도 있다.

3. 소화성 궤양: 위와 십이지장에 발생하는 궤양을 말한다. 십이지장 궤양은 여성보다 남성이 더 많으며 청장년층에서 발생률이 가장 높다. 임상 증상은 주기적이고 규칙적이며 제한된 상복부의 통증이며 보통 식욕부진, 트림, 위산 역류, 메스꺼움 및 구토를 동반한다.

4. 역류성 식도염: 식도 괄약근 톤(tone)이 약해지거나 위압이 식도보다 높기 때문에 위 내용물이 식도로 역류하여 발생한다. 통상 식후에 발생한다.

5. 비 궤양성 소화불량: 기능성 위 질환에서는 일부 경증의 기질성 병변을 동반하기도 한다. 이 질환의 발생률은 높은 편으로 10%에 달한다. 환자는 간헐적이거나 시속적인 상복부 통증, 또는 심한 통증과 불편감, 메스꺼움, 구토, 위산 역류, 가슴 쓰림 등 상부 소화기 증상이 나타난다. 임상적으로 위내시경, 상부위장관 바륨조영술, 간담췌 초음파 등에서 경미한 병변만이 발견되거나 위와 타 장기의 기질적인 이상을 확인할 수 없다.

6. 과민성대장증후군은 만성의 재발성 장운동장애를 위주로 하는 질환으로, 해부적인 이상으로 설명하기 어려운 증상을 가진, 즉 기질적 병변이 없는 장관기능이상을 말한다. 복통, 설사, 대변절박 및 잔변감, 변비 혹은 변비와 설사의 교대, 복창, 장명음, 방귀, 점액변 등 소견이 보인다. 증상은 3개월까지 지속될 수 있다.

7. 궤양성 대장염: 만성 비특이성 궤양성 대장염을 간단히 말하는 것으로 일종의 원인불명의 직장 및 결장의 만성염증성 질환이다. 주요 임상 증상은 설사, 점액, 농혈변, 복통, 이급후중(裏急後重)이다. 중증도는 제각각이며, 대부분 반복적인 발작 혹은 장기간의 지속되는 만성적인 경과를 밟는다. 이 질환은 모든 연령에서 나타날 수 있으며, 20-50세에서 자주 볼 수 있다. 남녀발병율에는 차이가 없다.

위장질환은 흔하고 빈번하게 발생하는 질병이다. 이에 대해 중의는 풍부한 임상경험을 가지고 있다. 많은 경방이 효과가 있으며 질환별 처방만이 아니라 체질조리를 통한 통치방도 있다. 정체관(整體觀)을 중시하여 체질의 조절에 효과적인 것이 경방의 특징이다. 또한 경방은 부작용이 적고 가격이 저렴하다.
서로 다른 개인의 특징에 따라 위장질환의 치료에 일상적으로 선택하는 경방은 아래의 예와 같다.

(1) 반하사심탕

[적용소견]

위장질환에 의한 상복부불쾌감, 오심, 구[illegible] [illegible]소로 하는 환자. 이 처방은 만성표재성위염, 역류성위[illegible], 소화기궤양, 기능성 위장질환에서의 심하비(心下痞), 구토, 설[illegible] 적용한다.

[참고사항]

1. 반하사심탕은 체질적으로 건강한 환자나 청장년 남성의 위장질환에 사용한다. 환자는 입술이 붉고 혀도 붉으며 설태는 누렇고 미끌거린다. 많은 경우 수면장애와 설사경향을 동반한다.

2. 체격이 수척하고 식욕부진, 빈혈이 있는 환자에게는 신중히 투여한다.

3. 얼굴과 설질이 어두운 환자에는 육계 10 g을 더한다. 설태가

누렇고 두터우며 복통이 있는 환자에는 법제대황 5 g을 더한다.

[전형증례]

왕모씨. 남성. 39세. 181 cm/85 kg. 2014년 9월 10일 초진

주소: 오심, 위창만, 트림이 있은지 1년 남짓되었다.

현 병력: 작년 위내시경에서 위부 폴립, 이소성 췌장 의심소견. 새벽에 일어나면 오심, 토산(吐酸)이 있고 식후에도 위산 역류가 있다. 하루에 대변을 두 차례 보며 수면 상태가 나쁘다.

체징: 신체가 건장하고 얼굴에는 기름기가 번들거린다. 복부는 연하고 누르면 진수음이 있다. 인후가 붉다. 설질은 붉고 설태는 누렇고 미끌거린다.

처방: 강반하 25 g, 황련 5 g, 황금 15 g, 건강 15 g, 당삼 15 g, 자감초 15 g, 홍조 20 g. 10일분.

2014년 9월 26일: 오심과 위산역류가 명확히 개선되었다. 원방 20일분 지속 복용

(2) 반하후박탕

[적용소견]

기능성위장질환. 환자는 주관적 증상을 많이 호소하는 편이지만 검사상 양성 소견은 없다. 주요 증상으로는 배의 더부룩함, 인후이물감, 트림, 오심, 식욕불안정 등이 있다. 이 처방은 위식도역류질환, 소아의 식이장애, 신경성 구토, 식도경련, 식도이완불능

증, 위하수, 위장형 감기, 과민성대장증후군 등에도 쓸 수 있다. 불안장애, 우울증, 불면 등에 수반되는 소화기증상에도 반하후박탕을 쓸 수 있다.

[참고사항]

1. 인후의 비정상감각 개선이 반하후박탕의 주요 목표이며 특히 인후에 끈적한 가래가 있거나 입안이 끈끈하고 불쾌감이 있는 경우에 적합하다.

2. 증상이 뚜렷한 환자에게는 중경의 경험에 따라 본 처방을 '주간 3회, 야간 1회' 복용하도록 하여 약물 용량을 충분히 유지할 수 있도록 한다. 유지 용량으로 투여하는 경우에는 매일 2회, 혹은 1회 복용하도록 한다.

3. 이 처방을 투약할 때는 통상 3-5일 투여하고 3일간 복용 후 2일간 휴약하는 형태의 간헐적 복용방법을 활용한다.

4. 이 처방을 투약할 때는 심리상담을 병행하는 것이 좋다.

5. 불안증과 불면이 있고 배가 그득한 소견이 있는 환자에게는 산치자 15 g, 연교 30 g, 황금 10 g, 지각 15 g을 사용한다. 팔다리가 차갑고 복통이 있는 환자에는 시호 15 g, 지각 15 g, 백작약 15 g, 자감초 5 g을 더한다.

[전형증례]

황모씨. 남성. 65세. 171 cm/75 kg. 2019년 1월 29일 초진

병력: 발병 후 10년이 경과한 미란을 동반하는 표재성 위염이

있다. 양약복용 후 항상 위통이 있으며 과일을 복용한 후 위속에서 불쾌감이 느껴지고 배꼽부위에 무언가 붙어있는 느낌이 든다. 위는 더부룩하다. 트림이 잦으며 배가 고프지 않고 대변도 잘 본다. 잠에 잘 들지 못하여 곤란을 겪고 있다. 이 질환이 암이 될까 심리적 부담이 있어 마음이 편하지 않다.

체징: 체격이 건상하며 눈에 쌍꺼풀이 져있다. 미간에 주름이 있으며 표정이 풍부하다. 얼굴은 붉고 입술도 검붉다. 횡설수설하여 말하고자 하는 바의 요지를 잡을 수가 없다. 복부는 연하고, 설하정맥은 어혈기 있는 보라색이며 인후는 붉다. 설태는 약간 미끌거리며 맥활(脈滑)하다.

처방: 강반하 15 g, 후박 15 g, 복령 15 g, 소경 15 g, 지각 15 g, 치자 15 g, 연교 30 g, 황금 10 g. 9일분을 3–2 복용법으로 처방하였다.

2019년 2월 26일: 복용 후 증상이 뚜렷히 개선되었으나 복약을 중단한 후 재발이 있다. 위통은 없지만 불쾌감이 있고 복부통증의 부위가 변하였다. 트림이 나오고 양늑궁 아래의 창만한 느낌 및 수면상태 불량 등이 남아있다. 원방에 진피 20 g을 가하여 9일분을 3–2 복용법으로 처방하였다.

(3) 사역산

[적용소견]

기능성위장질환. 위염, 위궤양, 기능성위장장애, 위하수, 과민성대장증후군, 만성결장염, 습관성변비, 과잉결장, 소화불량성 복통 등에서 반복적인 복통, 복창, 변비, 설사가 보이면서 발병이 정신적 소인과 관계가 있는 경우에 적용한다.

[참고사항]

사역산은 청장년층 및 여성 환자에 투약할 기회가 많다. 환자의 체형은 중간에서 약간 마른 편이다. 얼굴은 누렇거나 푸르스름한 흰색이다. 상복부에서 양쪽 늑하부 복근이 비교적 긴장되어 있으며 누르면 비교적 단단하다. 팔다리가 차갑고, 맥은 현(弦)한 경우가 많다.

1. 이 처방을 과다복용하거나 장기복용하는 경우 설사, 무력감 등이 나타날 수 있다. 복약을 중단하면 소실된다.

2. 이 처방은 보통 3–5일분씩 처방하며 간격을 두어 복용한다.

3. 오심과 구토가 있고 배가 그득한 환자에게는 반하후박탕을 합방하여 처방한다. 두통, 불면 환자에는 천궁 15 g을 더한다.

[전형증례]

허모씨. 남성. 29세. 172 cm/65 kg. 2016년 6월 6일 초진

병력: 작년 5월 급성설사 후 지속적으로 설사를 한다. 하루 3–4

회 설사를 하는데 걸쭉한 변과 묽은 변이 교대로 나온다. 소화되지 않은 음식이 설사에 섞여 나온다. 방귀가 잦고 배변 시 복통이 있다. 천골 뒤쪽의 창만감, 불쾌감으로 수면에 영향이 있으며 하복부는 항상 창만감이 느껴지고 좌측이 더 심하다.

체징: 체격은 중간정도로 얼굴은 길고 눈은 가늘며 입술은 붉고 피부는 누렇다. 복부근육이 긴장되어 있다.

처방: 시호 20 g, 백작약 15 g, 지각 15 g, 생감초 10 g, 황금 15 g, 홍조 20 g, 7일분.

2016년 6월 13일: 약물 복용 후 설사가 멎고 변은 하루 1–2회. 배변후 잔변감이 있고 천골 뒷면까지 창만감이 미친다. 원방 과립을 10일분 더 처방했다.

(4) 대시호탕

[적용소견]

위식도역류질환, 담즙역류성위염, 식욕부진, 소화불량, 과민성대장증후군, 담낭절제술 후 설사, 지방간 설사, 장마비(유착성, 마비성), 습관성 변비 등. 많은 환자들 윗배의 그득한 통증을 호소하며 식사 후에는 증상이 악화된다고 한다. 종종 오심, 구토, 위산역류, 트림, 식욕부진, 구고증, 입마름, 변비, 두꺼운 설태 등의 소견이 동반된다. 환자의 검상돌기 아랫부분에는 항상 압통과 답답한 느낌이 있다.

[참고사항]

1. 설사인데도 복통, 창만이 나타나며 설태가 두꺼운 환자에게 이 처방을 투약한다.

2. 이 처방은 공복에 복용한다.

3. 대시호탕은 5일분을 우선 처방하여 복약 후 경과가 개선되는 것을 관찰한 다음 약물을 중단하거나 소량을 간격을 두어 추가 복용토록 한다.

4. 트림이 나오고 배가 더부룩한 증상이 있는 경우 후박 15 g, 소경 15 g, 복령 15 g을 더한다. 인후가 붉고 흉골뒤에 작열감이 있다면 산치자 15 g을 더한다. 점성이 높고 냄새가 심한 대변을 보는 경우에는 황련 5 g을 더한다.

[전형증례]

기모씨. 36세. 171 cm/76 kg. 2018년 9월 18일 초진

병력: 3-4개월 전부터 위산역류 증상이 있다. 저녁 9시 이후 식사를 하면 악화된다. 위산이 입주변과 코로 흘러나오고 밤중에 빈번히 나타난다. 많이 먹으면 위가 더부룩해지고 입냄새가 심해진다. 식도염, 만성 위염, 십이지장궤양 기왕력이 있다.

체징: 상복부가 충실하고 저항감이 있다. 설태는 두껍고 미끌거리며 입술은 붉고 맥은 활(滑)하다.

처방: 시호 20 g, 황금 15 g, 강반하 15 g, 지각 20 g, 백작약 15 g, 법제대황 5 g, 건강 5 g, 홍조 20 g. 15일분을 5-2 복용법으로 처방하였다.

2018년 10월 9일: 복용 후 증상 개선이 있다. 원방에 황련 5 g을 더하여 15일분을 격일 복용으로 처방하였다.

(5) 소건중탕

[적용소견]

만성위축성위염, 위십이지장궤양, 기능성위장질환, 만성 장염, 습관성변비, 불완전장폐색, 과잉결장 등에서의 만성복통. 통증은 다수가 발작성이고 만성화 경향을 보인다. 환자의 얼굴은 누렇고 가슴 두근거림과 체중저하가 있으며 단 음식을 좋아하고 종아리의 근육 경련이 있으며 대변이 건조하고 덩어리지는 등의 특징이 있다. 소아변비, 과민성자반증(위장형), 소화관궤양, 거대결장증 등 소아 위장관질환에도 본 처방을 사용할 기회가 있다.

[참고사항]

1. 소건중탕은 경전의 리허(裏虛) 처방으로 강장(强壯), 해경(解痙), 진통의 효능이 있다. 복통, 저체중의 특징이 동반되는 소견에 사용하며 비만하거나 부종이 있는 환자에게는 신중히 처방한다.

2. 오심, 구토와 함께 인후가 붓고 통증이 있는 경우 이 처방을 투약하지 않는 것이 좋다.

3. 얼굴이 누렇고 근육이 무력하고 연하며 부은듯한 외모인 환자에는 황기 15 g을 더한다. 식욕부진, 체중저하에는 당삼 15 g을 더한다.

[전형증례]

성모씨. 남성. 62세. 2017년 1월 9일 초진

병력: 다년간의 기아와 위통이 있다. 2016년 12월 21일 위내시경 상 ① 식도염, ② 십이지장 구부(bulb) 궤양, ③ 만성위염 소견이 있다. 자주 다리의 경련이 나타난다.

체징: 맥이 약하고 깊게 눌렀을 때 힘이 없다. 60회/분

처방: 계지 10 g, 육계 5 g, 백작약 30 g, 자감초 10 g, 건강 5 g, 홍조 30 g, 맥아당 50 g, 15일분을 5−2 복용법으로 처방하였다.

2017년 1월 23일: 약을 복용한 후 위통은 완전히 사라졌다.

(6) 이중탕

[적용소견]

허한성위장질환에 쓴다. 임상에서 맑은 물이나 신물을 토하고 설사, 수양변, 무른변을 보는 등 소화액 과다분비 소견이 있다. 더불어 추위를 싫어하고 입마름은 없으며 콧물과 침, 소변 등이 많이 나온다. 분비물이 증가하는데 그 성상이 맑고 점도가 낮으며 냄새가 없다. 만성 위염, 소화성궤양, 기능성소화장애, 만성 장염, 과민성대장증후군, 종양화학요법 이후에 자주 볼 수 있는 소견이다.

[참고사항]

1. 처방을 적용할 환자는 얼굴이 어둡고 누런 경우가 많으며 체격이 수척한 편이고 식욕부진이 있다. 설태는 희다. 소아, 노인에

서 특히 많이 볼 수 있다. 설질이 붉고 맥이 삭(數)한 환자에게는 신중히 투여한다.

2. 처방을 복용하고 3–4일 후 부종이 나타날 수 있다. 계속 복용하면 부종은 자연스레 소실된다.

3. 이 처방을 7일가량 투약해서 증상이 개선되면 용량을 줄이고 계속 투약하여 약효가 확실하게 발휘되도록 한다. 부자이중환제제도 함께 쓸 수 있다.

4. 두근거림, 복통이 있다면 육계 5 g을 더한다. 구창, 설사가 있다면 황련 3 g을 더한다. 전반적인 컨디션 저하, 맥미약(脈微弱), 신경쇠약에는 부자 20 g을 더한다.

[전형증례]

정모씨. 남자. 28세. 185 cm/94 kg. 유도선수. 2017년 5월 24일 초진

병력: 10여일째 위창(胃脹)이 있고, 식후에 특히 증상이 두드러진다. 경기 후에 더욱 악화되고, 제산제를 복용하면 나아진다. 헬리코박터파일로리(*H. pylori*) 검사는 양성이다. 식욕부진이 있고 식사량이 많지 않으며 위산 역류와 트림, 오심, 구토, 방귀가 잦다. 최근 4–5일 사이 구강내 궤양이 생겼고 입안이 쓰다. 대변은 하루 한 차례 보며 끈적임이나 냄새는 없다. 반하사심탕 합 지자후박탕에 감초, 대황, 육계를 여러 번 투여받았으나 효과가 없다.

체징: 근육이 단단하고 긴장되어 있으며 설태는 희고 설질은 어둡다. 맥이 약하고 깊게 누르면 무력하다. 맥박 65회/분

처방: 건강 15 g, 홍삼 10 g, 창출 30 g, 육계 10 g, 계지 10 g, 사인 5 g, 백구인 5 g, 대조 20 g. 7일분 처방(운동선수이므로 감초를 사용할 수 없었다.)

2017년 5월 31일: 약물 복용 후 얼굴이 윤택해지고 식욕이 개선되었으며 위창, 위산역류, 트림, 구강궤양 등이 경감되었다. 약맛이 좋았으면 한다고 하여 원방에 건강을 10 g으로 줄이고 백출 15 g, 홍조 30 g을 더하여 15일분을 5–2 복용법으로 처방하였다.

(7) 시호가용골모려탕

[적용소견]

만성 위염, 과민성대장증후군, 위장신경증 등 위장질환에서 우울경향이 있는 환자에게 쓴다. 임상적으로는 감정 소진, 흥미의 상실, 자존감 저하, 수면시간 및 식욕의 감소 등 증상이 있다. 환자는 항상 피로, 어지러움, 두통, 가슴 답답함 및 두근거림, 불면, 위통, 복창, 변비, 설사, 성욕감퇴, 체중감소 등을 호소한다.

[참고사항]

1. 시호가용골모려탕을 투약할 환자들은 대부분 복부가 충실하고 양늑하부를 누르면 저항감이 있거나 단단하게 굳어있으며 대변은 건조하고 덩어리가 져있다. 복부가 무르고 풀어지는 대변을 보는 환자에게는 신중히 투여한다.

2. 이 처방은 약한 사하작용이 있으므로 환자는 복약 후 설사,

복통이 나타날 수 있다. 약물투여를 중단하면 바로 호전된다.

3. 설사나 끈적거리는 대변 및 항문의 열통 등이 있으면 황련 5 g을 더하여 처방하고 불안초조감이 있고 가슴이 답답하며 배가 그득한 경우 치자 15 g, 후박 15 g, 지각 15 g을 더하여 처방하며, 설사가 있을 경우 대황을 제거하고 감초를 5 g 더하여 처방할 수 있다.

[전형증례]

왕모씨. 남성. 58세. 186 cm/64 kg. 2019년 6월 11일 초진

병력: 30년 전부터 위장질환이 있다. 식사를 많이 하지 못하고 식후에는 위창(胃脹)이 있다. 식욕부진이 있고 배고픔을 느끼지 못한다. 아랫배가 싸늘하고 찬 것을 싫어하며 변비가 있고 잠에 잘 들지 못하며 잠이 들었더라도 잘 깨고 꿈을 많이 꾸는 등의 소견이 있다. 위내시경(2019년 5월 2일) 소견에서 만성 위염, 위 소만부(lesser curvature)의 중등도 만성위축성위염 및 장상피화생, 대만부(greater curvature)의 경도의 만성위축성위염과 장상피화생이 확인되었다. 헬리코박터파일로리(*H. pylori*) 검사도 양성이다.

체징: 얼굴이 누렇고 배꼽 주변의 두근거림이 뚜렷하다. 얼굴이 길고 무관심한 표정이며 체격은 마른 편이다. 코끝이 붉고 맥이 세활(細滑)하다.

처방: 시호 15 g, 황금 10 g, 강반하 10 g, 당삼 15 g, 계지 10 g, 복령 15 g, 법제대황 5 g, 용골 15 g, 모려 15 g, 건강 5 g, 홍조 20 g. 10일분을 1–2 복용법으로 처방하였으며 수면 전 복용하게 하였다.

2019년 7월 2일: 배고픔이 계속 있으며 매일 대변을 잘 본다. 아랫배의 찬 느낌은 줄어들었고 많이 먹으면 배가 그득해진다. 여전히 추위를 싫어하며 쉽게 깨고 꿈을 많이 꾸고 지쳐 있다.

처방 1: 원방. 1–2 복용법

처방 2: 시호 15 g, 백작약 15 g, 지각 15 g, 생감초 5 g, 건백합 30 g

위의 두 처방을 각 10일분씩 교대로 복용하도록 하였다.

(8) 오매환

[적용소견]

만성위장질환에서 통상적인 치료가 효과가 없으며 병정(病情)에 한열허실이 섞여 있는 경우. 크론병, 궤양성대장염, 세균성이질, 만성담낭염, 담도회충, 위, 식도역류, 과민성대장증후군, 위장신경증, 소화불량 등에서 궐냉, 복부의 쥐어짜는 듯한 통증, 번조, 구토, 설사가 나타나는 환자

[참고사항]

1. 오매환을 적용할 환자들 중 다수는 영양불량이 있고 체질이 허약하다. 얼굴이 누런 경우가 많고 푸르스름하면서 누런 가운데 붉은 기운이 보이기도 한다. 얼음처럼 찬 손발, 불안, 우울, 불면 등 소견이 많다. 맥이 현(弦)하고 경대(硬大)하여 손가락을 때린다. 구토, 위산역류, 복통, 설사, 복부의 쥐어짜는 통증 등 증상이

한밤중이나 새벽녘에 나타나는 경우가 많다.

2. 이 처방은 매우 쓰기 때문에 질환이 호전되면 바로 복약을 멈춘다.

3. 통상 5일분을 처방하며 증상이 개선되면 용량을 줄인다.

4. 오매환은 보통 원방을 활용한다.

[전형증례]

이모씨. 남성. 41세. 176 cm/65 kg. 2013년 4월 20일 초진

병력: 크론병이 발병한지 6년이 지난 환자로 밤에 복통이 생기고 발작시 배꼽위가 부풀어오르며 통증이 심하여 수면에 영향을 줄 정도이다. 스테로이드 복용 시 2-3일 가량 증상이 완화된다. 음식섭취량은 많고 대변은 굳은 편이다.

처방: 오매 20 g, 황련 5 g, 황백 10 g, 제부편 10 g, 천초 5 g, 세신 5 g, 당귀 10 g, 육계 10 g, 당삼 15 g, 건강 10 g, 봉밀 1수저. 10일분을 5-2 복용법으로 처방하였다.

2013년 5월 31일: 복통은 거의 소실되고 잠도 잘 잘 수 있게 되었다. 대변은 굳고 덩어리져 양의 똥 같고 백색의 점액이 섞여 있다. 스테로이드 복용량을 줄이기 시작하여 현재 1주간 복용하지 않고 있다. 원방 10일분을 5-2 복용법으로 계속 복용하게 하였다.

2013년 9월 9일: 스테로이드를 중단한지 이미 3개월차로 안정적인 경과를 보이고 있으며 복통은 없다. 체중은 약간 늘었다. 원방에 홍삼 5 g을 더하여 처방하였다.

다음해 진료 시 경과는 안정된 상태였고 체중은 더욱 뚜렷하게

증가하였다.

(9) 복령음

[적용소견]

흉만, 복창, 물을 토하는 증상, 위내진수음, 식욕부진이 있는 경우

[참고사항]

1. 복령음을 투약할 환자들은 다수가 마른 편이며 얼굴이 누렇고 광택이 없다. 입술과 설질은 어두우며 혹 안면부에 가벼운 부종이 있다. 복벽은 부드럽고 저항감이 없으며 복부가 편평하다. 복부를 누르면 위내진수음이 들린다. 상복부의 적취(積聚)가 있고 복부의 두근거림이 뚜렷하다. 대부분 어지러움과 두통이 있고 가슴이 답답하면서 숨이 차며 맥은 약하고 저혈압인 소견을 동반한다.

2. 격렬한 구토, 번조, 두통이 있는 경우에는 오수유탕을 합방한다. 머리가 어지럽고 가슴이 두근거리는 경우에는 영계출감탕을 합방하여 처방한다. 오심이 있고 가래가 많으면 반하후박탕을 합방한다. 가슴이 답답하고 통증이 있으면 복령행인감초탕이나 계지지실생강탕을 합방한다.

3. 변비가 있으면 생백출의 용량을 30 g 이상으로 증량하여 투약하며 마자인을 더하여 처방해도 좋다.

[전형증례]

이모씨. 여성. 39세. 160 cm/48 kg. 2017년 1월 6일 초진

병력: 2년 전 출산 후 우울증이 생겼다. 이후 항상 가슴이 답답하고 두근거리며 심번, 불안, 식욕부진 등이 있다. 최근 위창(胃脹), 위통이 식사 후 악화되며 위산 역류, 풀어지는 대변 등의 증상이 생겼다. 잠에 잘 들지 못하여 밤을 새도 잠을 잘 수가 없다. 유리체혼탁과 안구건조증도 있다.

체징: 체격이 수척하며 얼굴은 누렇고 기미가 있다. 위내진수음, 배꼽 주변의 두근거림이 있고 안검은 붉으며 설태는 두껍고 미끌거린다. 맥은 약하고 누르면 무력하다. 저혈압이 있다.

처방: 복령 40 g, 당삼 15 g, 백출 20 g, 지각 20 g, 진피 20 g, 건강 5 g, 계지 15 g, 자감초 5 g. 10일분을 처방하였다.

2017년 2월 14일: 약물 복용 후 배가 더부룩한 증상이 가벼워졌고 수면 상태도 호전되었다. 설태가 이미 얇아졌으며 기미도 옅어졌다. 원방 10일분을 처방하고 격일로 복용하게 하였다.

4. 고혈압

고혈압은 내과에서 흔히 볼 수 있는 다빈도 질환으로 세계보건기구는 ① 정상혈압 수축압 ＜120 mmHg, 확장기 ＜80 mmHg, ② 성인 고혈압은 수축기 ≧140 mmHg 혹은 확장기 ≧90 mmHg, ③ 경계성 고혈압의 경우 정상혈압과 고혈압 사이로 정하고, 이 세 가지 항목을 고혈압의 기준으로 제시한다. 고혈압 환자는 동맥압이 지속적으로 높아짐으로 인하여 전신 세동맥의 경화가 나타나며 이는 조직, 기관에 대한 혈액공급에 영향을 미쳐 여러 심각한 합병증이 유발된다. 특히 심장, 뇌, 신장의 손상이 뚜렷하다.

고혈압 치료에 있어서의 경방의 적응증 유형은 ① 혈압약 복용으로 효과가 명확하지 않거나 부작용이 큰 환자 ② 고혈압 관련 증상이 나타난 환자 ③ 강압제에 대한 공포와 심리적 압박이 크고, 자각증상이 뚜렷한 환자 등이다.

경방에 의한 고혈압 치료의 장점은 ① 증상을 개선하고 혈압을 조절하며 ② 고혈압 환자의 체질을 개선하여 합병증을 억제하고 질환의 진행을 억제하는 점을 들 수 있다.

서로 다른 개인의 특징에 따라 고혈압의 치료에 일상적으로 선택하는 경방은 아래의 예와 같다.

(1) 황련해독탕

[적용소견]

원발성고혈압에서 빈맥, 번조, 불면이 있는 경우

[참고사항]

1. 황련해독탕의 대상 체질은 체격이 건장하고 근육이 단단하게 긴장되어 있으며 얼굴이 붉고 기름기가 돈다. 안구는 충혈되어 있고, 눈곱이 많이 낀다. 입술은 검붉으며 설질은 쪼그라들어 있고 맥은 활삭(滑數)하다. 번조가 잦고 항상 수면장애가 있다. 피부에 항상 부스럼이 있고 입에는 궤양이 잘 생긴다. 소변은 색이 누렇고 양이 적다. 이 처방의 적응증은 중년층 및 고령층에서 많이 볼 수 있다. 식욕부진, 빈혈, 서맥, 간부전 및 신부전 환자에게는 신중히 투여한다.

2. 황련해독탕의 맛은 매우 쓰기 때문에 생강, 홍조를 늘려 맛을 조절한다. 일반적으로 복약 후 크게 쓰지 않고 입안이 상쾌하다면 대부분 증에 맞게 약을 준 것이다. 복약 후 위내불쾌감, 오심구토가 있고 심하면 식욕이 부진해지는 경우는 처방이 적절치 않은 것으로 볼 수 있다.

3. 탕제는 장복하기 어렵다. 통상 5–7일 분량을 투여하고 증상이 좋아지면 중단하거나 캡슐제, 환제 또는 소용량의 탕제를 일정기간 복용한다.

4. 위내의 불쾌감에는 건강 10 g, 생감초 10 g을 더하여 처방하

고 대변이 건조하고 덩어리지며 출혈이 있을 경우 생대황 10 g을 더한다.

[전형증례]

동모씨. 남성. 35세 168 cm/75 kg. 2013년 2월 2일 초진

병력: 지난해 가을에 혈압이 올라 양약을 복용하여 수축기혈압은 조절되었으나 확장기 혈압은 잘 조절되지 않았다. 현재의 혈압 수치는 120-130/90-100 mmHg. 평소 명확한 불쾌감은 없고 항상 입이 마르며 두면부에 기름기가 많고 각기가 있다. 담결석, 습진, 지루성 탈모 등의 기왕력이 있다.

가족력: 모계 고혈압

체징: 체격은 충실하다. 입술은 붉고 얼굴은 기름지다. 정수리에 탈모가 있고 설질은 붉으며 맥은 활삭(滑數)하여 108회/분이다.

처방: 황련 5 g, 황금 10 g, 황백 10 g, 치자 10 g, 법제대황 5 g, 건강 10 g, 생감초 5 g. 15일분을 1-2 복용법으로 처방하였다.

2013년 4월 6일: 3일 복용 후 확장기 혈압이 80 mmHg까지 떨어졌다. 이에 혈압약 복용을 중단하였더니 확장기 혈압이 다시 100 mmHg로 크게 올랐다. 위의 한약 처방에 강압제 반알을 함께 투약하는 방식으로 40일간 복용하게 하였다. 확장기 혈압은 85 mmHg 정도이며 환자는 편안해 한다. 원방 15일분을 처방하고 3-2 복용법으로 계속 복용하게 하였다.

(2) 사심탕

[적용소견]

고혈압에서 번조, 불안, 두통이 있는 환자. 또는 뇌출혈, 지주막하출혈 환자.

[참고사항]

1. 이 처방을 장기간 투약하기 위해서는 환자의 체질을 잘 확인하여야 한다. 사심탕을 투약할 환자들은 체격이 건장하면서 얼굴이 붉게 달아오르고 기름기가 있으며 입술은 붉거나 검붉고 설질도 검붉다. 설태는 누렇고 미끌거리거나 건조하다. 복부는 충실하고 힘이 있으며 상복부의 불편감이 있을 수 있다. 대변이 건조하고 덩어리가 지며 변비, 고혈압, 고지혈증, 과다점성 증후군, 빈맥 등이 있다. 이상의 소견이 없다면 본 처방은 신중히 사용하여야 한다.

2. 급증에는 대량을 투여하며 경과가 완만하다면 소량 투여한다.

3. 대변이 풀어지더라도 끈적이고 심한 냄새가 있으며 설태가 누렇고 미끌거리는 환자에게는 이 처방을 투여할 수 있다.

4. 얼굴이 붉고 두통이 있다. 맥이 활삭한 환자에는 황백 10 g, 치자 15 g을 더한다. 체격이 건장하고 상복부가 항상 불룩한 환자에게는 대시호탕을 합방하여 치방한다.

[전형증례]

장모씨. 여성 40세. 169 cm/66 kg. 2018년 10월 9일 초진

병력: 2017년 12월 좌측대동맥협착으로 수술하였으며 현재 혈압이 여전히 높은 상태이다. 어지럽고 성격이 급하며 꿈을 많이 꾼다. 긴장할 때는 심장이 뛰는 소리를 들을 수 있을 정도이다. 식욕이 왕성하고 점성이 높은 변을 보거나 변비가 있으며 어지러움과 치질이 있다.

체징: 얼굴이 붉고 기름기가 돌며, 여드름이 있다. 설질과 입술은 모두 붉으며, 배꼽 주변의 두근거림이 뚜렷하다.

처방: 생대황 10 g, 황련 5 g, 황금 10 g. 15일분을 5–2 복용법으로 끓는 물에 타서 복약하도록 하였다.

2018년 11월 6일: 어지러움, 심계항진, 변비가 호전되었고 심리와 수면상태도 개선되었다. 원방 30일분을 추가로 처방하였다.

(3) 온담탕

[적용소견]

경계성 고혈압이나 초기고혈압에서 다음 특징이 관찰되는 경우: ① 혈압은 임계치이거나 변동이 심하고 심장, 뇌, 신장의 합병증은 없다. ② 주소증이 비교적 많고 중증의 두통, 어지러움, 불면, 다몽 등이 있으며 심하면 악몽을 꾸는 경우도 있다. 쉽게 놀라고 공포 신경증이 있다. ③ 환자는 다수가 청장년이고 체형은 중등도이거나 비만한 편으로 영양상태는 좋다. 안면부의 피부는 비

교적 기름지다. ④ 백의고혈압으로 긴장하면 혈압이 상승한다.

[참고사항]

1. 온담탕은 수면상태를 개선하고 공포 신경증을 감소시키며 두통과 가슴답답함 등의 신체 증상을 개선한다.

2. 투여는 통상 7일 단위로 하며 효과가 있다면 지속적으로 상기 복용한다.

3. 가슴이 답답하며 번조와 빈맥 등이 있는 경우에는 황련을 5 g 더한다. 불안하고 초조감이 있으며 배가 더부룩한 경우 치자 15 g을 더한다. 갱년기 중장년 및 고령 여성의 고혈압에서 정신이 아찔하고 여러 치료 방법에 반응이 없으면서, 맥이 활(滑)하지 않고 설질도 붉지 않다면 산조인 30 g, 지모 15 g, 천궁 15 g을 더한다.

[전형증례]

장모씨. 여성. 55세. 2016년 5월 16일 초진

병력: 6년 이상의 고혈압 병력이 있다. 어지러움과 오심이 4–5년간 반복되며 공기가 잘 통하지 않는 장소에서 증상이 뚜렷해진다. 강압제인 로자르탄(losartan)으로 혈압이 항상 조절된다. 빈뇨, 위창과 함께 잠이 잘 들지 못하고 꿈을 많이 꾸는 증상이 있고 안면마비 기왕력이 있다.

가족력: 부친의 관상동맥질환, 고혈압

체징: 살집이 있고 얼굴이 둥글며 얼굴은 어두운 누런 빛을 띈다. 설질은 통통하여 입 안에 꽉 차며 치흔이 있고 설태는 희고 미

끌거린다. 맥은 활(滑)하다.

처방: 강반하 20 g, 복령 20 g, 진피 20 g, 생감초 5 g, 지각 20 g, 죽여 10 g, 건강 5 g, 홍조 20 g. 10일분을 5-2 복용법으로 처방하였다.

2016년 5월 30일: 어지러움과 오심이 없어졌고 혈압약의 복용량을 절반으로 줄였다. 밤에 잘 때 꿈을 꾼다. 원방 10일분을 3-2 복용법으로 계속 복약하도록 처방하였다.

(4) 대시호탕

[적용소견]

고혈압에 수반되는 담낭염, 담결석증, 고지혈증, 변비증에 쓴다. 환자는 다수가 건장하거나 비만한 체격이고 상복부의 창만이 있으며 설태는 두껍다.

[참고사항]

1. 복약 후 다수에서 설사가 나타난다. 일반적으로 하루 2-3회 정도면 괜찮다.

2. 장기 투약 시에는 대황의 용량을 조절하여 배변 회수를 조절한다.

3. 대시호탕은 통상 7일분을 처방한다. 증상이 개선되면 체질 개선 목적으로 용량을 줄여 계속 투약할 수 있다.

4. 번조가 있으며 설질이 붉고 맥이 삭(數)한 소견에는 황련 5 g

을 더한다. 얼굴이 검붉고 변비가 있다면 도인 10 g, 복령 10 g, 목단피 10 g, 계지 10 g을 더한다.

[전형증례]

모모씨. 남성. 20세. 172 cm/109 kg. 2015년 8월 25일 초진

병력: 고혈압, 비만, 고지혈증이 있은지 2년이 되었다. 현재 피로하여 힘이 없고 땀이 많이 난다. 배가 더부룩하고 위산이 역류하는 소견이 있다. 잠에 잘 들지 못하고 꿈을 많이 꾸며 밤 12시부터 새벽 해뜰녘까지 기침을 한다.

체징: 비만하고 둥근 얼굴이다. 얼굴에 기름기가 돌고, 설질은 어두우며 맥은 활(滑)하여 90회/분이다. 혈압은 140/110 mmHg.

처방: 시호 30 g, 황금 15 g, 강반하 20 g, 지각 30 g, 적작약 20 g, 법제대황 10 g, 건강 10 g, 홍조 20 g, 황련 5 g. 15일분을 5–2 복용법으로 처방하였다.

2015년 9월 1일: 체중이 줄었으며 혈압은 130/85 mmHg이다. 복창, 야간기침 및 입면장애에 뚜렷한 호전이 있다. 원방에서 법제대황을 생대황 10 g로 변경하여 30일분을 처방하고 5–2 복용법 혹은 격일 복용하토록 하였다.

(5) 시호가용골모려탕

[적용소견]

우울경향이 있는 고혈압 환자에 쓸 수 있다. 환자는 뚜렷한 피

로감, 의욕저하, 수면장애, 정서불안정, 작업효율 감소, 공포 및 불안신경증, 가슴 및 복부의 두근거림 등이 많이 나타난다. 이 처방은 이외에도 노인 뇌경색, 뇌혈관성 치매, 기억력 저하, 사고력 감퇴, 번조, 불면 등에 적용할 수 있다.

[참고사항]

1. 대변상태에 따라 용량을 조절한다. 하루 1–2회 변을 보는 정도로 유지하면 적절하다.

2. 이 처방은 통상 7일분을 투여한다. 증상이 개선되면 용량을 줄여 장기복용하도록 한다.

3. 수면 전 복용하면 수면상태 개선에 도움이 된다.

4. 뇌혈관성 치매가 있고 얼굴이 붉은 환자에게는 계지복령환을 합방하여 처방한다. 가슴이 답답하며 번조와 불면이 있고 배가 그득한 경우에는 치자 15 g, 후박 15 g, 지각 15 g을 더한다.

[전형증례]

가모씨. 남성 35세. 172 cm/70 kg. 2014년 5월 6일 초진

병력: 고혈압이 3년 전에 발병하였으며 장기적으로 혈압은 155/110 mmHg 정도에서 안정된 상태이다. 니트렌디핀(nitrendipine), 캡토프릴(captopril) 등의 강압제가 효과가 없었으며 형개연교탕, 대시호탕 복용으로 체열, 번조 등의 증상이 개선되었으나 강압효과는 분명하지 않았다. 지난주부터 혈압이 올라 180/100 mmHg 이상이었으며, 최고 192/122 mmHg까지 높아졌다. 최근

항상 두통과 어지러움이 있으며, 양 눈이 붓고 뻑뻑하면서 피로하고 기운이 빠져서 잠을 자고 싶어한다.

가족력: 부모가 모두 고혈압

체징: 얼굴에 기름이 많고 등에 여드름이 있다. 복부는 충실하고 양늑궁하의 저항감이 있다. 인후와 혀는 검붉은 색이고 설태는 두터우며 설하정맥에 보라색 어혈이 보인다.

처방: 시호 12 g, 황금 6 g, 강반하 12 g, 당삼 12 g, 계지 12 g, 복령 12 g, 법제대황 6 g, 용골 12 g, 모려 12 g, 생석고 12 g, 건강 6 g, 홍조 15. 10일분을 5–2 복용법으로 처방하였다.

2014년 5월 20일: 복약 후 1주일 사이에 혈압이 비교적 잘 조절되어 139/94 mmHg(한약복용 중 강압제 복용 중단)이다. 원방을 매일 저녁 한 차례씩 10일분 더 복용하도록 하였다.

(6) 황기계지오물탕

[적용소견]

고혈압이 수반된 당뇨병, 관상동맥질환, 동맥경화증, 추골기저동맥허혈 등에서 두통이 있고 가슴이 답답하며 숨이 차고 피로하여 무기력한 소견을 보이는 환자

1. 이 처방은 중년층 및 고령자에 많이 적용한다. 얼굴이 누렇고 어두우며 피부가 힘이 없고 건조하다.

2. 황기계지오물탕은 식욕을 확인하여 식욕이 왕성한 사람에게 투약하며, 식후 배가 불러오르고 복통이 나타나는 환자에게는 부

적절하다.

3. 이 처방은 장기간 복용할 수 있다.

4. 자한, 부종에 황기를 증량하여 투여할 수 있다.

5. 현훈, 두통이 있으면서 숨이 차면 갈근 30 g, 천궁 15 g을 더한다. 심장과 신장 기능에 손상이 있는 2기, 3기 고혈압 환자가 부종 및 요퇴통 증상을 호소하는 경우 회우슬 30 g을 더한다.

[전형증례]

심모씨. 남성. 63세. 2005년 11월 진찰

병력: 당뇨, 고혈압, 뇌하수체종양, 막성신염, 중등도 수면호흡폐쇄증후군 등의 병력이 있다. 현재의 주소증은 어지러움으로 마치 술을 마신 후에 감기에 걸렸거나 감기에 걸려서 열이 나는 것 같은 느낌이 있다고 한다. 혈압강하제 등을 10여 알 복용하였으나 효과가 뚜렷하지 않았다. 식욕은 왕성하나 피로하여 무기력하며 허리가 시리고 다리에는 힘이 없다. 검사상 요잠혈(+++), 180/100 mmHg.

체징: 체격은 건장하고 얼굴이 어두운 누런색이다. 복부은 힘없고 연하며 설체는 비대하고 설질은 연하다.

처방: 생황기 60 g, 육계 6 g, 계지 10 g, 적작약 15 g, 백작약 15 g, 건강 6 g, 홍조 20 g, 회우슬 30 g, 천석곡 30 g, 단삼 12 g, 갈근 30 g

효과: 처방 2개월 복용 후 혈압 140/80 mmHg으로 안정되었다. 피로감은 없어졌으며 다리에 힘이 붙었고 허리가 시린 증상도 없어졌다. 얼굴에 광택이 돈다.

(7) 진무탕

[적용소견]

고혈압 2-3기. 고혈압성 심장질환, 울혈성심부전, 고혈압성신부전 등에서 환자의 얼굴이 누렇고 어둡거나 창백하면서 광택이 없고 반응 지연, 신경쇠약이 있다. 부은 듯한 얼굴을 하고 있으며 팔다리가 떨리고 보행이 불안정하여 심하면 일어서있기도 어렵다. 주소증으로 어지러움, 가슴 두근거림, 피로감, 다한증이 많다. 맥은 침세(沈細)하며 설질은 부어서 커져 있고 설태는 활(滑)하다.

[참고사항]

1. 진무탕을 투약할 환자는 대다수가 뇌, 심장, 신장, 소화기 및 내분비 질환이 있으며 주요 장기기능에 손상이 있다. 중년층이나 고령자에 많이 보인다. 체격이 건장한 고혈압 환자에게는 신중히 투여한다.

2. 부자는 독이 있어서 선전(先煎)할 필요가 있다. 10 g까지는 30분, 30 g 이상은 반드시 60분 이상 선전해야 한다. 약액이 혀를 마비시키지 않는지 확인하고 복용한다.

3. 7일분을 우선 투여하여 증상이 개선되고 혈압이 안정되면 간헐적으로 복용할 수 있다.

4. 설체는 부어서 커져 있고 설질은 어두운 보라색이며 가슴 두근거림이 있으면 육계 10 g을 더한다. 혈압이 안정적이지 못하고 심기능 부전이 있는 경우에는 홍삼 10 g, 육계 10 g을 더한다. 딱이

나며 불면과 다몽(多夢), 공포 및 불안 신경증이 있는 경우에는 계지 15 g, 감초 5 g, 용골 15 g, 모려 15 g을 더한다.

[전형증례]

마모씨. 여성. 70세. 1964년 4월 17일 초진

3년 전 고혈압 진단을 받았다. 어지럽고 두통이 있으며 이명으로 잘 들리지 않는다. 피로하면 더 증상이 심해진다. 체중이 갈수록 늘고 있고 소변실금이 간혹 있으며 저녁에 소변이 잦다. 가래가 많고 추위를 싫어하며 손발이 차다. 물을 마시면 배가 그득해지며 따뜻한 음식을 좋아하고 찬 음식이나 날 음식은 먹지 못한다. 혈압은 230/118 mmHg. 육맥이 침세(沈細)하고, 우측이 심하다. 설질은 옅은 색이고 태는 활(滑)하다. 양허수역(陽虛水逆)증에 속하므로 온양진수법(溫陽鎭水法), 건비화담법(健脾化痰法)을 쓴다.

처방: 천부편(川附片) 6 g, 복령 9 g, 생백출 6 g, 백작약 6 g, 생강 4.5 g, 법반하 9 g, 생용골, 생모려 각 12 g

4월 25일 재진: 어지러움이 줄고 수면상태가 호전되었다. 혈압은 210/108 mmHg. 맥, 설은 이전과 같다. 원방에 오미자(打) 3 g, 구판 12 g을 더해 처방.

5월 7일 3진: 어지러움과 두통이 더욱 경감되었고 정신도 맑아졌다. 일을 할 수 있을 정도로 신체기능이 개선되었으며 소변상태도 정상이고 가래도 뚜렷하게 줄었다. 설질은 붉고 설태는 얇게 껴 있으며 맥은 침세활(沈細滑)하다. 원방에 귤홍 4.5 g, 백개자

(炒) 6 g을 더하여 처방하였다. 복용 후 혈압은 200/100 mmHg로 유지되었으나 자각증상은 명확히 줄어들었다.(《蒲輔周 醫療經驗, 일부발췌》)

(8) 계지가갈근탕

[적용소견]

뇌경색, 뇌혈류부족으로 두통, 어지러움, 시력저하, 이명, 불면, 건망, 진전 등에 이른 경우. 중년층 및 고령자에게 많다. 얼굴이 창백하거나 누렇고 어두우며 초췌하고 광택이 없다. 설질은 옅은 붉은색이거나 어두운 보라색이며 맥은 부약(浮弱)하다.

[참고사항]

1. 체중감소가 뚜렷하지 않거나 피부가 연하고 무력하며 하지부종이 있다면 감초를 제외하고 황기 30 g을 더해 처방한다. 피부색이 누렇고 어둡거나, 피부가 거칠고 검다면 마황 5 g을 더한다. 두통과 어지러움에는 천궁 15 g을 더한다. 변비가 있고 설태가 두꺼운 경우에는 대황 5~10 g을 더한다.

2. 복용 후 치통, 허약감, 배고픔, 머리와 얼굴의 열감, 변비 등이 나타나는 것은 증상의 개선 경과이므로 처방을 바꿀 필요 없이 복용량을 줄이면 된다.

[전형증례]

반모씨. 여성. 64세. 161 cm/46 kg. 2016년 9월 7일 초진

병력: 뇌경색 4년. 현재 두통, 두피 감각 저하(바람을 맞으면 심해짐) 시력저하, 건망(증상을 수첩에 적어옴), 수전증 등이 있고 잠에서 자주 깨며 하지가 얼음처럼 차다. 풀어지는 대변을 본다.

체징: 체격이 수척하고 얼굴색이 누렇고 어둡다. 입술은 보라색이며 설질도 어둡다. 피부가 건조하고 복직근이 긴장되어 있으며 하지정맥류가 있다.

처방: 계지 10 g, 육계 10 g, 적작약 10 g, 백작약 10 g, 갈근 40 g, 생감초 5 g, 건강 5 g, 홍조 20 g, 천궁 20 g. 10일분을 5−2 복용법으로 처방하였다.

피드백: 약물 복용 후 두통과 안면부 마비감이 현저하게 좋아졌다.

(9) 속명탕

[적용소견]

팔다리의 마비와 저림 및 감각이상, 실어증 등을 임상적 특징으로 하는 돌발성 질환에 쓴다. 환자는 대체로 건장한 체격에 복부가 충실하며 얼굴색이 누렇고 어두우며 피부도 거칠고 건조하다. 추운 날씨와 바람에 노출된 것이 원인이 되어 천식음, 얼굴과 눈의 부종, 목덜미와 등줄기의 긴장 및 통증, 전신의 긴장 등이 나타난다. 현재 길랑바레증후군, 급성척수염, 뇌간뇌염, 저칼륨혈증,

신경근염, 안면신경마비, 뇌졸중, 뇌종양, 파킨슨병 등에 많이 활용한다.

[참고사항]

1. 본 방에서 인삼을 제거하고, 황금을 더하여 구성한 처방을 서주속명탕(西州續命湯)이라고 하며 바람과 습기에 의하여 허리 및 다리의 긴장과 통증이 생긴 경우에 쓴다.

2. 본 방에서 당귀를 제거하고 부자, 방풍, 작약, 방기, 황금 더하여 구성한 처방을 천금소속명탕(千金小續命湯)이라고 하며, 졸중풍(卒中風)으로 죽을 것 같은 상태로써 전신 근력저하, 안면마비가 있고 혀가 굳어 말하기 어려우며 매우 급작스럽게 정신 혼란이 있는 소견에 본 방이 적합하다.

3. 徐靈胎는 소속명탕에서 부자와 계지를 빼고 대황을 더하여 담화중풍(痰化中風)을 치료한다고 하였다.

4. 뇌출혈이 있으며 혈압이 높고 맥이 대(大), 경(硬)한 경우에는 신중히 투여한다.

[전형증례]

유모씨. 남성. 75세. 162 cm/60 kg. 2019년 11월 18일 초진

병력: 다년간 고혈압을 앓았다. 2019년 7월 28일 뇌경색 후 실독증과 실어증이 생겨 말로 생각을 표현할 수 없다. 좌측 손이 부어서 활동이 편하지 못하고 인후에 가래가 낀다.

체징: 얼굴과 관자놀이가 검붉으며 안구가 충혈되어 있고 아래

눈두덩이 도드라져 보인다. 입술은 검붉은 보라색이고 혀 표면은 물기가 많고 미끌미끌하다. 설태는 누렇고 두터우며 미끌미끌하다.

처방: 생마황 10 g, 계지 15 g, 행인 15 g, 생감초 5 g, 생석고 30 g, 당귀 10 g, 천궁 15 g, 생쇄삼 10 g, 건강 10 g, 강반하 15 g. 14일분을 처방하여 식후에 복용하게 하였다.

2019년 12월 9일: 복용 후 언어능력은 개선되지 않았으나, 원하는 바를 표현할 수는 있게 되었고 오른손의 붓기도 가라앉았다. 물기가 많고 축축한 설태는 없어졌으나 입술은 계속 검붉은 보라색이다. 원방을 지속 투약하였다.

5. 당뇨병

당뇨병은 당 대사 장애로 나타나는 임상증후군이다. 유전적 요인과 환경적 요인이 함께 작용하여 발생한다. 인슐린의 분비량이 적거나 기능이상으로 인해 탄수화물, 지방, 단백질, 물 및 전해질 등의 대사장애가 발생하고 만성적인(장기) 고혈당이 주요 특징이다. 임상에서 당뇨병이 만성기에 접어들면 "3다1소" 즉, 다음(多飮)과 다식(多食), 다뇨(多尿) 및 체중저하가 나타난다. 심한 경우에는 당뇨병성 케톤산증, 비케톤성 혼수 또는 젖산중독 등이 발생할 수 있다. 만성 당뇨에서는 눈, 신장, 심혈관, 위장, 비뇨기 등 여러 영역의 손상이 나타날 수 있으며 이는 장애와 사망의 주요 원인이기도 하다.

임상에서 흔히 보이는 당뇨병은 2형 당뇨로 비인슐린 의존성 당뇨병이라고도 부르며 주로 과체중 및 운동부족이 원인이다. 그 특징으로는 ① 느린 발병, 종종 당뇨병 증상이 없거나 거의 없다는 점 ② 인슐린과 무관하며 케톤증이 발생하지 않으나 감염 및 스트레스 시에는 케톤증(ketosis)이 발생할 수 있다는 점 ③ 대부분 발병은 40세 이후에 발생하며 유전과 관련이 있고 비만환자에서 더 많이 보인다는 점 등을 들 수 있다.

당뇨병의 가장 심각한 문제는 합병증이다. 당뇨병성 망막증은 실명의 주요 원인이며 당뇨병 환자의 약 50%에서 신경 손상이 나타난다. 합병증과 관련한 일반적인 증상은 손발의 저림, 통증, 무감각 또는 시린 감각이다. 발의 신경 및 혈관 손상은 족부 궤양의 가능성을 증가시키고 결국 절단으로 이어지게 된다. 당뇨병 환자의 10–20%가 신부전으로 사망하고, 약 50 %는 심혈관 질환으로 사망하게 된다(주로 심장질환 혹은 뇌졸중).

경방은 당뇨환자의 체질을 개선하고 합병증을 예방 및 치료하여 삶의 질을 높이는 데에 장점이 있다. 당뇨환자에게 경방을 사용하는 것은 인슐린 혹은 혈당강하제를 사용해도 혈당 조절이 만족스럽지 못하거나 합병증이 생겼을 때, 혹은 기타 당뇨와 무관한 증상들을 치료해도 효과가 없는 경우이다.

서로 다른 개인의 특징에 따라 당뇨병의 치료에 일상적으로 선택하는 경방은 아래의 예와 같다.

(1) 갈근금련탕

[적용소견]

당뇨에서 갈증, 다한증이 있고 머리가 어지러우면서 생기는 두통과 함께 피로감, 맥이 삭(數)한 소견이 있는 경우

[참고사항]

1. 갈근금련탕을 처방할 환자는 대부분 체격이 건장하고 얼굴에 기름기가 가득하며 어지러움과 목덜미에서 등줄기에 이르는 긴장이 있다. 더위를 싫어하고 끈적이고 냄새나는 땀이 난다. 설사가 있으며 입안이 마르고 끈적이면서 입냄새가 심하다. 설질은 검

붉으며 맥은 활삭(滑數)하고 혈당은 잘 내려가지 않는다.

2. 이 처방은 당뇨병 초, 중기의 기본방으로 통상 2주분을 투여하고 증상이 완화된 후 장기간 복용을 유지한다.

3. 대변이 건조하고 덩어리지거나 끈적이면서 썩는 듯한 냄새가 나는 경우 법제대황 10 g을 더한다. 설질이 어두운 보라색인 환자에는 육계 10 g을 더한다.

[전형증례]

왕모씨. 남성. 44세. 178 cm/90-95 kg. 2012년 4월 30일 초진

병력: 혈압, 혈당이 높아진 지 5년 남짓 되었다. 식후혈당은 270 mg/dL (270 mg/dL – 역자 주) 정도이다. 어지러움, 편두통이 있고 땀이 많아서 조금만 움직이면 바로 땀이 흐른다. 비가 오기 전에 허리가 시리고 아프며 수면상태는 정상이다. 약간 묽은 대변을 하루 한 차례 본다. 등에 여드름이 약간 있다.

가족력: 부친 고혈압, 당뇨

체징: 체격이 건장하고, 얼굴에 기름기가 돌며 광택이 있다. 설질은 검붉다.

처방: 갈근 60 g, 황련 5 g, 황금 10 g, 생감초 5 g, 육계 10 g, 법제대황 5 g. 10일분을 5–2 복용법으로 처방하였다.

2013년 10월 14일: 공복, 식후 30분 혹은 식후 2시간 후 혈당은 216 mg/dL 정도. 약물 복용 후 혈압은 130/80 mmHg. 체중에는 변동이 없다.

처방: 갈근 60 g, 황련 15 g, 황금 15 g, 생감초 10 g, 법제대황

10 g, 육계 10 g. 15일분을 2-1 복용법으로 처방하였다.

(2) 황련탕

[적용소견]

당뇨병성 위장관 합병증인 경도의 당뇨병성 위마비에서 식욕부진, 오심구토, 속이 쓰리고 상복부에 타는듯한 느낌이 드는 복통, 복창, 입이 쓰고 입냄새가 있으며 구강의 궤양 등 소견이 보이는 경우

[참고사항]

1. 황련탕을 처방할 환자들은 마르고 허약하며 얼굴빛이 누렇고 어둡다. 복부는 평평한 경우가 많으며 복근은 매우 얇고 탄력도 없다. 설질은 어둡고 설태는 희고 두텁거나 미끌거리기도 하고 물기가 많아 축축하기도 하다. 맥은 약(弱)하고 무력(無力)하며 공대(空大)하거나 세약(細弱)하다. 대다수에서 서맥이 보이며 불면, 다몽(多夢), 불안, 가슴의 답답함 및 두근거림, 자한(自汗) 등 정신신경증상을 동반한다. 혹은 우울, 알코올성 두드러기(癮) 등이 있기도 하다. 소변이 잘 통하지 않고 힘없이 나오며 아랫배의 긴장 및 감각저하 등이 있다.

2. 두통이나 복부가 차면서 통증이 있을 경우에는 오수유 10 g, 육계 10 g을 더하여 처방하며, 이외에 따로 부자이중탕을 복용한다. 변비에는 법제대황 5 g을 더한다. 처방 중 황련의 용량은 혈당

에 따라 증감하도록 한다.

[전형증례]

강모씨. 남성. 45세. 177 cm/72 kg. 2017년 9월 20일 초진

병력: 최근 2년 사이에 당뇨병을 앓고 있으며 체중이 15 kg 정도 줄었다. 피로감을 느끼며 식사량이 적고 많이 먹으면 바로 상복부가 부풀어 오르며 입안이 쓴 증상이 생긴다. 선잠을 잔다. 공복혈당 126–144 mg/dL

체징: 얼굴색이 창백하고 빈혈기가 있는 외모이며 맥은 공대(空大)하다. 혈압 116/74 mmHg

처방: 육계 10 g, 계지 10 g, 황련 5 g, 생쇄삼 10 g, 당삼 10 g, 강반하 15 g, 건강 5 g, 자감초 5 g, 홍조 15 g. 10일분 처방

2018년 3월 28일: 복약 후 소화기 증상은 기존적으로 소실되었고, 수면 상태도 개선되어 6–7시간 가량 잘 수 있다. 혈당은 3개월 정도 안정되어 있었으나 춘절 후 혈당이 상승하여 현재는 126 mg/dL이다.

(3) 백호가인삼탕

[적용소견]

당뇨환자에서 갈증이 심하여 물을 많이 마시고 입과 입술이 마르며 변비가 있고 땀이 많이 나면서 마르고 수척한 체격 등의 소견이 보이는 경우. 또는 당뇨병성케톤산증에서 피로와 무력감, 식

욕감퇴, 다음(多飮), 다뇨(多尿), 어지러움, 두통 등 소견이 있는 경우

[참고사항]

1. 백호가인삼탕을 적용할 환자들은 대부분 현저하게 여윈 체격을 보이며, 피부는 희고 깨끗하며 약간의 광택이 있다. 대변은 건조하여 밤알처럼 덩어리진다. 갈증이 매우 뚜렷하게 나타나고 땀이 많으며, 더운 것을 싫어하고 찬 것을 좋아한다. 입술과 설질의 색은 정상이나 약간 옅은 편이고 설면은 건조한 경우가 많다. 피부가 어둡고 검거나 누렇고 부어있으며 만면에 붉은 빛이 가득한 환자에는 본 처방이 적당하지 않다.

2. 입마름과 갈증이 심하고, 대변이 건조하여 덩어리지는 환자에는 생지 20 g, 현삼 15 g, 맥문동 30 g을 더한다. 입냄새가 나고 잇몸이 붓고 아프면서 구강 내에 궤양이 있는 경우에는 황련 15 g을 더한다.

3. 인삼은 이 처방의 가장 중요한 약물이다. 별직삼(別直蔘), 백삼과 홍삼은 효능이 같다.

[전형증례]

주모씨. 남성. 39세. 농업. 1963년 10월 4일 내원

발병한지 약 2개월이 되었다. 현 병력상 입이 말라 물을 많이 마시는 증상이 계속 심해지며 식사량이 보통 사람의 2배까지 늘어나는 소견을 보이고 있다. 내원 시점의 음수량이 하루에 6-8L에

달하고 소변량도 많다. 체격은 마른 편으로 얼굴빛은 붉고 윤기가 있으며 안광이 번득이고 안구가 충혈되어 있다. 좌측 하악부에 깊이 1 cm 정도의 아문 상처자국이 하나 있다. 맥은 정상에 가까운데 자세히 살펴보면 약간 홍(洪)하고 유력하다. 불안초조감이 있으며 피로감, 심하비경이 있다. 백호가인삼탕 5일분을 투여하고 식사량을 제한하기 시작하여 매 끼니 쌀 150 g까지만 섭취하도록 하되 엄격하게 식사요법을 지키도록 하지는 않았다.

3일 후 소갈, 음수량이 함께 감소하기 시작하였고 1주일 후 식사량 제한 상태에서도 배고픔이 거의 없어졌다. 이후 갈증, 음수량, 소변량이 지속적으로 줄어들어 1개월 복용 후에는 자각증상이 대부분 사라졌다.(《古今醫案選篇》 中集)

(4) 오령산

[적용소견]

당뇨병의 번갈과 소변불리, 당뇨병성 위마비 및 설사, 비만형 당뇨에서 지방간, 통풍을 동반한 경우

[참고사항]

1. 갈증이 심하고 입이 마르며 물을 마시기 싫어하거나 따뜻한 것을 마시려고 한다. 물을 마시면 바로 토하기도 하며 간혹 위의 불쾌감과 신수음이 있다. 소변량은 적고 부종이 있기도 하며, 물 같은 설사가 나오거나 풀어진 대변을 본다. 설질은 비대하고 연하

며 설변에 치흔이 있다. 설태는 희고 두터우며 끈적거리거나 물기가 많고 축축하다.

2. 오령산을 복용한 후 익히지 않은 날 것이나 차가운 음식 및 음료를 섭취하는 것은 좋지 않다. 목이 많이 마를 때 따뜻한 물을 마시는 것은 좋다. 고열량 음식을 약간 먹도록 한다.

3. 배가 더부룩하며 식욕저하와 함께 입안이 쓰고 끈끈하며 오심구토가 있고 설태가 희고 끈적이는 경우 평위산(창출 20 g, 후박 15 g, 진피 15 g, 감초 5 g)을 합방하여 처방한다. 수양변에는 갈근 50 g, 건강 10 g을 더한다.

[전형증례]

와슈(和州, 현재의 나라현 부근 – 역자)사람 모씨가 와서 말하기를 "50년간 하인 생활을 했는데 지금까지 병에 걸린 적이 없다. 지금은 늙었지만 아직 건강하다. 음식은 평소보다 줄었다. 나는 예전부터 1인극을 좋아했는데 보고 있으면 혈기가 잘 도는 것 같기 때문이다. 지난 정사년(丁巳年,1797) 봄부터 식사량이 세 배가 되었다. 올해에 들어서는 목이 마르고 물을 몇 되나 마시는데도 배가 부르지 않는다. 이상해서 스스로 조절하려고 했지만 잘 되지 않았다. 그러면 체중이 늘어야 하는데 오히려 날이 갈수록 마르고 있다. 다른 불편한 곳은 없다. 선생이 진찰해주기를 바란다."

이에 답하기를: "복부피부가 감각이 저하되어 있고, 소변이 빈삭하다고 하니 오령산을 처방한다. 복용하면 갈증이 나을 것이다."(《金匱要略今釋》 卷四에 인용된 《續建殊錄》)

(5) 황기계지오물탕

[적용소견]

당뇨병 중기나 후기에서 팔다리의 감각이 저하되며 반복적인 피부감염이 있고 궤양이 오래되어 낫지 않은 소견

[참고사항]

1. 황기계지오물탕을 투약할 환자는 주로 비만하다. 얼굴이 누렇고 어두우며 근육은 힘이 없어 늘어지고 복부는 연하고 크다. 입술과 설질은 어두운 보라색이며 땀이 많이 나고 하지부종이 있다. 자주 배고프고 저혈당이 나타난다.

2. 이 처방은 당뇨 중, 후기환자의 기본처방으로 통상 1개월분을 처방하며 임상적 소견에 따라 장기 복용하는 처방이다.

3. 당뇨 환자가 땀이 많으면 황기를 60−120 g까지 대량 투여한다.

4. 당뇨와 심혈관질환이 있어 가슴이 답답하고 활동 후 숨이 가쁘며 가슴을 쥐어짜는 통증 등이 보이거나, 뇌혈관질환으로 뇌경색, 뇌위축 등이 있는 경우 등에는 갈근, 천궁, 단삼을 더한다.

5. 당뇨병성 신병증, 부종, 악성고혈압에는 계지복령환, 사미건보탕(석곡 30 g, 회우슬 30 g, 적작약 30 g, 단삼 15 g)을 합방한다.

[전형증례]

백모씨. 남성. 75세. 170 cm/75 kg. 2019년 2월 25일 초진

병력: 당뇨병, 뇌경색, 심방세동 기왕력이 있다. 범혈구감소증을 진단받은지 2개월이 되었다(2019년 1월 4일, 백혈구 수 1.7×109/L). 보통 한밤중에 흥건할 정도로 땀이 많이 난다. 숨이 차고 가슴이 답답하며 뛰면 숨이 가쁘다. 기력이 없고 전신에 통증이 있으나 식욕은 좋다.

체징: 얼굴은 누렇고 어두우며 설질은 옅은 보라색이다. 맥은 약하다.

처방: 생황기 30 g, 계지 10 g, 육계 10 g, 적작약 20 g, 건강 10 g, 홍조 15 g. 15일분을 5-2 복용법으로 처방하였다.

복용 후 땀이 줄고 힘이 생겼으며 얼굴도 나아지면서 제반 증상이 가벼워졌다.

(6) 계지복령환

[적용소견]

당뇨병 환자에게서 다리의 피부가 검게 변하면서 궤양이 생기는 소견이 발생하거나 뇌경색, 뇌혈전이 있을 경우. 환자는 다수가 얼굴이 검붉으며 입술과 설질은 어두운 보라색이다. 피부가 건조하거나 인설이 일어나 있으며 다리에 좀더 뚜렷하게 나타나는 피부궤양이 있는 경우도 있다. 하복부는 충실하거나 압통이 있으며 배꼽 양측 특히 좌측 하복부에서 명확하다. 어지러움, 두통, 불

면, 번조, 분노감, 정서 불안 등이 잦으며 이외에도 기억력과 사고력 및 언어기능의 저하가 관찰된다.

[참고사항]

1. 이 처방은 주로 당뇨환자의 중후기에 많이 활용하며 장기간 복용해야 한다.

2. 당뇨발에는 황기계지오물탕, 사미건보탕을 합방한다.

3. 심장질환 및 뇌혈관질환에는 갈근 50 g, 천궁 15 g, 단삼 15 g을 더한다. 당뇨병성 신증, 크레아티닌, 요소가 떨어지지 않으며, 대변이 건조하여 덩어리진다면 대황 10 g, 회우슬 30 g, 석곡 30 g을 더한다. 부종, 단백뇨가 있으면 황기 30–60 g을 더한다.

[전형증례]

모씨. 여성. 60세. 162 cm/65 kg. 2010년 12월 14월 초진

병력: 20년 전부터 당뇨병이 있었으며 이미 실명 상태이다. 허리 아래가 얼음처럼 차고 아프다. 다리는 검게 변해있고 부종이 있으며 단단하고 통증이 있다. 때때로 하지경련이 있고 전문의가 하지를 절단할 것을 권하였다.

처방: 생황기 60 g, 계지 10 g, 육계 10 g, 적작약 20 g, 회우슬 30 g, 천석곡 30 g, 단삼 20 g, 목단피 15 g, 복령 15 g, 도인 15 g, 갈근 60 g, 천궁 15 g, 건강 10 g, 홍조 15 g. 7일분. 1일분을 하루에서 이틀 사이에 나누어 복용하고 투약기간은 3개월로 하였다.

2014년 4월 19일(초진으로부터 3년): 하지 부종 소견이 뚜렷하

지 않게 되었으며 색소 침착도 소실되었고 발톱도 탈락하지 않고 있다. 양손 감각의 저하 소견이 있다. 원방을 지속 복용하게 하였다.

2019년 2월 26일: 위 처방 복용 후 9년. 전신 상태는 좋으며, 복약 기간 중에도 별도로 내원하지 않았다. 원방의 천궁을 20 g으로 늘려 계속 복용하게 하였다.

(7) 신기환

[적용소견]

당뇨병 중기 또는 후기의 합병증, 당뇨병성 신증에서의 방광무력증이나 요실금 등 소견이 보이고 소변량이 많으며 소변색은 맑은 경우. 당뇨병성 피부질환에서 국소의 발열, 가려움, 태선화가 보이는 경우나 궤양이 장기간 유합되지 않고 피부색이 어두우며 피부가 단단한 경우. 당뇨병성 배뇨장애 및 발기부전.

[참고사항]

1. 신기환을 적용할 환자는 대부분 고령이고 이환 기간이 길며 합병증이 많다. 환자는 다수가 마르고 초췌하며 얼굴이 검거나 화장한 것처럼 붉다. 피부는 건조하고 탄력이 없으며 부은 듯한 외양이 있고 광택이 없다. 복진 시에 하복벽이 무력하고 연하여 누르면 면화처럼 저항감이 없다. 쉽게 피로해하고, 항상 요통이 있으며 발과 무릎이 시큰거리고 무력하다. 하반신이 차고 저리며 부

종이 있기도 하다. 맥은 현(弦), 경(硬), 공대(空大)하다. 가볍게 누르면 맥이 잡힌다. 설질은 연하고 비대하여 입안을 가득 채우며 연홍색을 띄거나 어두우며 설태가 없는 경우도 있다.

2. 이 처방은 상복하는 약물로 체질을 개선할 수 있는 처방이기도 하다. 만성당뇨와 그 합병증을 개선할 수 있다.

3. 탕제로 효과를 본 후에 환제로 바꾸어 쓸 수 있다.

4. 신기환에 차전자 15 g, 회우슬 30 g을 가한 것을 제생신기환이라고 한다. 방광내압을 조절하고 당뇨병 환자의 대사기능 및 신경기능을 개선하는 등의 작용을 한다. 또한 당뇨환자의 배뇨기능을 개선한다. 발열감, 성욕감퇴, 발기부전, 기립 시 현훈, 설사, 변비 등 증상에도 효과적이다.

[전형증례]

범모씨. 남성. 45세. 168 cm/72 kg. 2017년 7월 19일 초진

병력: 3년여 전 당뇨병을 진단받았다. 다리에 힘이 없다(계단을 내려갈 때 특히 심함). 슬개골 통증이 있고 식욕은 좋으며 소변이 바로 나오지 않는다.

체징: 얼굴과 눈 주변이 어두우며 안구가 충혈되어 있다. 설질은 옅은 붉은색이며, 입술은 어둡다. 하지피부는 건조하고 부종이 있으며 혀도 커져있다. 혈압은 130/90 mmHg(이미 약물 복용 중)

처방: 회우슬 30 g, 차전자 15 g, 법제부자 10 g, 육계 10 g, 생지황 30 g, 산수유 20 g, 복령 20 g, 산약 20 g, 목단피 15 g, 택사 20 g, 천석곡(川石斛) 20 g. 15일분을 5-2 복용법으로 처방하였다.

2017년 8월 30일 여름 진료: 8월 12일 투약을 시작한 후 개선이 뚜렷하다. 다리에 힘이 붙어 달려도 후들거리지 않는다. 하지 냉감도 없어졌으며 성기능 또한 개선되었다. 얼굴빛은 붉으며 광택이 돌아왔다. 혈당은 7–8 mmol/L이다. 원방으로 20일분을 처방하였다.

(8) 신가탕

[적용소견]

혈당조절이 잘 되지 않고 극도의 피로와 신체의 통증 및 감각저하, 현저한 체중감소, 창백한 얼굴, 어두운 설질 등 소견이 있는 경우. 이 처방은 당뇨병성 말초혈관병증, 당뇨병성 말초신경병증, 당뇨병성 망막병변, 당뇨병성 신병증 등과 같은 당뇨병성 합병증에 활용한다.

[참고사항]

1. 이 처방을 적용할 환자들은 다수에서 현저한 체중감소가 있고 피부는 창백하고 건조하며 극도의 피로감을 느낀다. 맥은 대체로 부대(浮大)하고 약하거나 침세(沈細)하고 무력하다. 설질은 대부분 어둡다.

2. 마른 환자에게는 인삼을 다량 더하여 처방한다. 관절의 통증에는 백출, 부자를 더하여 처방한다. 궤양이 장기간 유합되지 않는 경우에는 황기를 더하여 처방한다.

[전형증례]

모씨. 남성. 57세. 175 cm/67 kg. 2018년 4월 16일 초진

병력: 7년 전부터 당뇨병이 있었다. 2개월간 체중이 5 kg 줄었고, 전신에 통증과 감각저하가 있다. 땀이 난 상태에서 바람을 맞으면 온몸을 떨고 쉽게 감기에 걸린다. 아침에 일어나 밥을 먹은 후에는 피곤해져서 자고 싶어 한다. 다른 병원에서 당뇨병성 망막병증, 당뇨병성 신증, 당뇨병성 말초혈관병증, 당뇨병성 말초신경병증을 진단받았다.

체징: 체격이 수척하며 얼굴이 누렇고 어둡다. 복부는 부드럽고 피부는 습윤하며 설질은 옅은 색이면서 부어서 치흔이 있다. 설태는 미끌미끌하며 맥은 허(虛), 현(弦), 대(大)하다.

처방: 계지 15 g, 육계 10 g, 백작약 20 g, 자감초 5 g, 생쇄삼 15 g, 건강 10 g, 홍조 15 g. 7일분을 처방하였다.

2018년 5월 7일: 땀이 난 상태에서 바람을 맞기 싫어하는 증상은 뚜렷하게 호전되었다. 체중도 1 kg 늘었으며 얼굴이 좋아졌다. 아침의 기분도 크게 개선되었고 식욕도 증가하였다. 원방에 적작약을 가하여 계속 복용하게 하였다.

6. 불면

불면은 환자의 수면시간이나 수면의 질이 충분하지 않은 것을 말하며 이로 인해 환자는 낮에 사회활동에 영향을 받는다고 느끼게 된다. 통상적인 불면의 형태는 잠에 들기까지 걸리는 시간이 길어 잠이 들려면 30분을 넘는 경우, 수면유지가 곤란하여 밤중에 두 번 이상 깨어나거나 새벽까지 잠을 못 이루고 일찍 잠에서 깨는 등 수면의 질과 양의 변동이 크고 악몽을 자주 꾸는 경우, 수면유지 시간이 6시간 이하로 자고난 다음날 이른 아침에 어지러움, 기력 부족, 졸림, 무기력감 등이 나타나는 경우 등을 모두 포함한다. 불면 환자의 약 50%는 각종 정신질환, 우울, 불안, 공포증, 정신분열증, 노인성치매, 강박증, 경계성인격장애 등 소견을 보이며 이로 인해 불면이 나타날 수 있다. 우울과 불면은 서로 밀접한 관계가 있다.

경방을 통한 불면의 치료는 정체관에 의한 접근을 특징으로 한다. 체질을 조절하여 자연스럽게 전신의 증상, 우울, 불안 등의 심리적 문제를 개선하며 이를 통해 수면의 질을 높인다. 한약은 강렬한 작용을 갖는 진정제가 아니므로 화학약물 수면제에서의 '약물의존' 또는 '익일의 잔여효과'와 같은 부작용이 없다.

서로 다른 개인의 특징에 따라 불면의 치료에 일상적으로 선택하는 경방의 예는 다음과 같다.

(1) 시호가용골모려탕

[적용소견]

불면, 기분의 저조, 가슴 두근거림, 잦은 놀람 등을 주요 증상으로 하는 우울, 불안, 공포증, 조광증, 정신분열 등 정신심리질환에 사용한다. 불면환자에 수반되는 고혈압, 뇌동맥경화, 뇌위축, 노년성치매, 만성 위염, 과민성대장증후군, 만성전립선염, 성기능장애 등에도 효과가 있다.

[참고사항]

1. 시호가용골모려탕을 활용할 수 있는 환자들은 대부분 복부가 충실하고 양늑하를 누르면 저항감이나 경직된 느낌이 있다. 배꼽을 누르면 뚜렷한 복부대동맥박동이 느껴진다. 대변이 건조하고 덩어리진다. 복부가 무력하고 연하며 풀어지는 대변을 보는 환자에게는 신중히 투여한다.

2. 이 처방에는 약간의 완하(緩下) 작용이 있어, 환자에 따라 복약 후 복통 및 설사가 발생할 수 있다. 약물 복용을 중단하면 자연스럽게 해소된다.

3. 통상 7일 단위로 처방한다. 증상이 가벼워진 후에는 약물 용량을 줄여 2주 이상 추가로 투여한다.

4. 일반적으로 아침과 저녁 식후에 복용한다. 하루에 1회 복용하는 경우에는 저녁에 복용하여 수면을 돕게 한다.

5. 불안감이 있고 배가 더부룩하며 설질과 인후가 붉은 경우 치

자 15 g, 후박 15 g, 지각 15 g을 더한다. 조광(躁狂), 변비가 있다면 도인 15 g, 망초 10 g, 감초 5 g을 더한다.

[전형증례]

월모씨. 여성 27세. 172 cm/60 kg/ 2015년 5월 12일 초진

병력: 양극성장애를 6년째 앓고 있다. 성장환경의 영향으로 자신감이 결여되어 있고 자폐 경향이 있다. 불안 초조하고 격렬한 감정기복이 잦아 사람과 만나려 하지 않는다. 식욕은 왕성하며, 환상이 많아 "벌레, 뱀이 나오는 꿈을 자주 꾼다"고 한다.

체징: 마른 체격이며 얼굴빛이 누렇고 계란형이며 눈썹은 검다. 무관심한 표정을 하고 있으며 얼굴에 여드름이 있다. 복진 시 배꼽 주변의 두근거림이 현저하고 우하복부 압통이 있다. 설첨이 붉다.

처방: 시호 15 g, 황금 10 g, 강반하 15 g, 당삼 10 g, 계지 15 g, 복령 20 g, 법제대황 10 g, 용골 15 g, 모려 15 g, 건강 5 g. 홍조 20 g, 치자 15 g. 15일분을 처방하였으며 증상이 개선되면 격일로 복용하기로 하였다.

2015년 6월 9일: 약을 복용한 후 자제심이 이전에 비해 개선되었다고 한다. 조급한 심리 상태와 악몽도 줄어들었으나 안정감은 없어서 "TV에서 교통사고 현장을 보면 나도 차안에서 그 광경을 보고 있는 것 같아서 아주 무섭다."고 한다. 빈뇨가 있고 잠에 드는 시간이 늦으며 깨어난 후의 피로감이 뚜렷하다. 원방에 산약 15 g을 더하여 격일에 하루분씩 복용하기로 하고 15일분을 처방하였다.

2017년 1월 3일: 환자의 표정이 자연스럽다. 이미 약을 1년간 복용하였는데 약의 복용량은 매일 1일분에서 격일에 1일분으로 줄었다. 그리고 다시 주당 2일분으로 줄었으며 마지막으로는 일주일에 1일분만 복용하게 되었다. 현재 증상은 현저하게 개선되었으며 꿈이 줄어들고 심리상태도 좋아졌다. 월경은 정상이고 얕은 잠을 자지만 불면은 없다. 여전히 자극을 받지 않아도 자주 감정기복이 있다. 원방을 계속 복용하기를 원하여 1주일에 1일분씩만 복용하도록 하였다.

(2) 온담탕

[적용소견]

공포 신경증을 동반한 불면증. 불면과 잦은 악몽 및 소심하여 잘 당황하는 경향, 허번, 혼돈스러운 정신상태, 우울, 주의력결핍, 어지러움, 가슴의 답답함 및 두근거림, 자한, 오심, 구토 등이 특징적 소견이다. 온담탕은 외상후스트레스장애, 신경증, 공포증, 불안, 산후 우울증, 고혈압, 관상동맥질환, 뇌진탕 후유증, 갱년기증후군, 정신 분열증 등에 효과적이다.

[참고사항]

1. 온담탕을 활용할 수 있는 환자들은 대부분 체형이 비만한 편이고 피부가 기름지고 광택이 있다. 얼굴이 둥근 사람들이 많고, 눈은 크고 또렷하여 광채가 있으나 눈동자가 불안정하다. 이들 다

수는 불안 혹은 우울감이 있으며 발병은 과도한 공황, 돌발성 사건과 관련이 있다. 소아, 청소년, 여성에서 많이 보인다.

2. 이 처방은 통상 7일분을 처방하며 증상이 경감되면 간헐적으로 장기복용할 수 있다.

3. 이 처방은 보통 산조인탕, 반하후박탕, 치자후박탕 등과 같이 처방한다. 가슴이 답답하며 번조, 불면, 빈맥이 있는 경우 황련 5 g을 더한다. 얼굴이 누렇고 맥은 완(緩)하며 피로하고 무력한 경우에는 마황 5 g을 더한다. 두통, 어지러움, 경련에는 천마 10 g을 더한다. 근경련이나 신경장애에 의한 경련에는 전갈 5 g, 오공 10 g을 더한다.

[전형증례]

모씨. 여성. 33세. 162 cm/63 kg. 2018년 6월 6일 초진

병력: 1년 전 창상을 입은 후 격렬한 반응이 나타나 증상이 3개월간 점차 악화되었다. 출산시에 태아의 심음이 들리지 않아 긴급히 수술을 하였는데 마취가 잘 이루어지지 않은 상태에서 개복을 한 것이 발생 원인이다. 현재 쉽게 공황에 빠지며 어두운 것을 무서워하여 예컨대 터널을 통과할 때 가슴이 답답하고 두근거린다고 한다. 큰 목소리에 쉽게 놀라고 꿈이 많으며, 땀이 잘 나고 근심이 많다.

체징: 체형은 비만하며 눈이 크고 쌍커풀이 졌다. 입술이 두껍고 설첨이 붉다.

처방: 강반하 20 g, 진피 20 g, 복령 25 g, 지각 20 g, 죽여 10 g,

생감초 5 g, 건강 5 g, 홍조 20 g. 9일분을 3–2 복용법으로 처방하였다.

2018년 6월 20일: 수면상태가 개선되었고 공포증상도 완화되었다.

처방 1: 원방

처방 2: 강반하 20 g, 복령 20 g, 후박 15 g, 소엽 10 g, 생강 5편

위의 두 처방을 각 10일분씩 교대로 하루 네 차례 복용하도록 하였다.

2018년 7월 18일: 짧은 터널에서는 공황이 나타나지 않으며 악몽도 줄어들었다. 한약을 복용한 이후 몸이 가벼운 느낌이 든다고 한다.

(3) 사역산

[적용소견]

과도한 심리적 부담에 따른 불면. 환자의 다수가 입면곤란 증상이 있으며 수면을 취하기 위해서는 별도의 환경을 조성해야 한다. 또한 가슴의 답답함, 두근거림, 번조, 두통, 팔다리의 냉감, 오심구토, 복창, 복통, 변비나 설사 등 전신 증상이 있다.

[참고사항]

1. 사역산은 청장년환자에 많이 쓰며 여성에서 적응증이 많이 보인다. 체격은 중간 정도나 마른 편이며 얼굴은 누렇거나 푸르스

릅하면서 희다. 상복부 및 양 늑하의 복근이 비교적 긴장되어 있으며 누르면 비교적 단단하다. 팔다리가 차갑고 맥은 대체로 현(弦)하다.

2. 난치성 불면이 있으나 환자의 심리상태는 양호하여 불안이나 신경쇠약 등은 없다. 얼굴은 푸르스름하거나 어둡고 근육은 단단하게 긴장되어 있다. 피부는 건조하고 심하면 인설이 떨어진다. 설질이 어두운 보라색이거나 보라색 점이 보이는 경우 당귀 10 g, 천궁 15 g, 도인 15 g, 홍화 5 g을 더한다.

3. 신경증에 의한 불면, 복창, 인후이물감 등에는 사역산과 반하후박탕을 합방하여 처방한다.

4. 이 처방을 과다복용하거나 장기복용하면 설사, 피로 및 무력감 등이 나타날 수 있다. 복약을 중단한 후에는 소실된다.

5. 3–5일분 정도 분량으로 처방하며 간격을 두어 복용한다.

[전형증례]

왕모씨. 여성. 43세. 162 cm/58 kg. 2017년 5월 17일 초진

병력: 불면이 발생한지 1년 여. 아무리 누워있어도 잠이 오지 않고 전날에도 잠을 못잤다고 한다. 약간의 움직임(강아지가 물마시는 소리)에도 바로 일어난다. 잠을 잘 때는 머리맡에 베개를 두고 잔다. 겨울날씨에도 일주일에 3–4일은 촛불이 타는 것과 같은 조열감(燥熱感)이 들어 손발을 이불 밖으로 빼내야 하지만 만져보면 얼음처럼 차갑다. 직업은 제약영업이고 아이가 고등학교 3학년으로 스트레스를 많이 받는다고 한다.

체징: 얼굴이 누렇고 색소반이 있다. 늑골궁하에 저항감이 있다. 손이 차고 검붉다. 맥은 세현(細弦).

처방: 시호 20 g, 백작약 20 g, 지각 20 g, 생감초 15 g, 당귀 15 g, 천궁 15 g, 도인 15 g, 홍화 5 g. 7일분을 처방하였다.

2017년 5월 22일: WeChat을 통해 약을 3일분 복용한 후 손바닥의 열감이 사라지고 불면이 개선되어 계속 복용하고 싶다고 연락이 왔다.

(4) 치자후박탕

[적용소견]

불면으로 설첨이 붉고 인후가 충혈된 소견이 보이며 이와 더불어 수면장애, 기분장애가 있다. 환자는 가슴 답답함, 번조, 잠에 잘 들지 못하는 소견 등이 있어 수면의 질 저하가 많이 보이며 한편 복창만, 식욕부진, 대변곤란 등의 증상이 있다.

[참고사항]

1. 치자후박탕에는 완하(緩下) 작용이 있어 일부 환자는 복용 후 풀어지는 대변이나 설사가 나타날 수 있다.

2. 이 처방을 오래 복약하면 눈꺼풀이 검게 변하거나 얼굴빛이 푸르스름하게 될 수 있다. 복약을 중단하면 사라진다.

3. 가슴답답증, 디한증, 인후불쾌감에는 연교 30 g을 더하여 처방하고 인후이물감 및 다량의 점성이 있는 가래에는 반하후박탕을

합방하여 처방한다.

[전형증례]

왕모씨. 남성. 15세. 180 cm/60 kg. 2019년 3월 26일 초진

병력: 두통과 어지럼증이 3년 되었다. 학습에 영향을 주는데, 1년 사이에 악화 소견이 있어서 휴학을 하였다. 매주 감기 증상이 있고 가슴이 답답하고 두근거리며 기침이 나와 숨을 쉬기 어렵고 몸에 열이 나서 날숨이 뜨겁다고 호소한다. 식욕은 왕성하지만 위창(胃脹)이 있다. 잠을 잘 이루지 못하고 쉽게 깬다. 대변은 건조하다. 얼마 전 코피가 났으며 어린시절에는 코피가 자주 났다고 한다. 게임을 좋아한다. 아데노이드비대 절제술을 받은 적이 있는데 이 수술 후에 격렬한 두통이 발생하였다.

체징: 눈썹과 머리털이 빽빽하게 나 있고 쌍꺼풀이 있으며 눈동자가 크다. 눈꺼풀과 입술이 붉은 색이고 설첨에는 붉은 점이 있다. 검상돌기 아래에 가벼운 압통이 있고 맥은 활맥(滑脈)이다.

처방: 강반하 15 g, 후박 15 g, 복령 20 g, 소경 15 g, 황금 15 g, 치자 20 g, 연교 30 g, 지각 15 g. 15일분을 3–2 복용법으로 처방하였다.

2019년 4월 16일: 증상이 호전되었으며 잠에 잘 들지 못하는 것도 좋아졌다. 두통이 없어졌으나 어지럽고 머리가 무거운 느낌은 여전하다. 복약기간 중 설사를 3–4회하였다. 날숨에 열기가 있고 코피가 났다고 한다. 원방 15일분을 처방하였다.

(5) 산조인탕

[적용소견]

생활이 어려워 일을 많이 해야 하는 중년층 또는 고령층 여성의 불면. 환자는 수척한 체형으로 피부는 메말라 있고 입술이 창백하다. 평소에도 쉽게 피곤해하고 심정기복이 있으며 쉽게 긴장하여 긴장이 잘 풀리지 않는다. 정서가 불안정하여 자주 과민반응을 하고, 부정수소(不定愁訴)가 많다. 의식혼란, 가벼운 불안이나 우울이 있다. 산조인탕은 갱년기증후군, 우울증, 불안증, 히스테리, 의심증, 몽유병, 정신분열증, 불면, 쉽게 졸림, 신경쇠약, 관상동맥질환, 협심증, 편두통 등에서 수면상태를 개선하는 효과가 있다.

[참고사항]

1. 이 처방은 대부분 설태가 얇고 희거나 태가 많지 않은 경우에 적용한다. 설태가 두껍고 미끌미끌한 환자에게는 신중히 투여한다.

2. 산조인탕에는 활장(滑腸) 작용이 있으므로 설사나 풀어지는 대변을 보는 환자에게는 신중히 투여한다.

3. 꿈을 많이 꾸거나 놀라서 두근거림이 생기고 어지러움이 있는 경우에는 온담탕을 합방하여 처방한다. 배가 더부룩하고 인후에 이물감이 있는 경우 반하후박탕을 합방하여 처방한다. 혼란스럽거나 불안하며 입과 설질이 건조하면 백합지모탕을 합방하여 처방한다. 도한(盜汗), 자한(自汗)이 있으면 부소맥을 더하여 처방

한다. 대변이 건조하고 덩어리지면 생지황을 더하여 처방한다.

[전형증례]

양모씨. 여성 48세. 158 cm/52 kg. 2019년 5월 22일 초진

병력: 5세부터 편두통이 있어 항상 발작이 있으며 그때마다 진통제를 복용해 왔다. 혈압의 변동이 심하고 혈압이 높을 때는 긴장감 및 공포감이 든다. 잠에 잘 들지 못하여 12시를 넘겨서야 잘 수 있다. 스스로 호흡이 얕은 느낌과 달아오르는 열감을 호소한다. 때때로 구토를 하고 등줄기가 아프며 목이 뻣뻣한 느낌이 든다.

체징: 수척한 체격으로 피부는 희며 안검은 붉지 않고 아랫입술이 약간 떨린다. 복부는 연하고 배꼽 주변의 두근거림이 있다. 설질이 붉다. 맥은 105회/분.

처방 1: 산조인 30 g, 천궁 15 g, 지모 15 g, 생감초 10 g, 복령 20 g

처방 2: 백합건 30 g, 지모 15 g, 부소맥 30 g, 자감초 10 g, 홍조 30 g

두 처방을 격일로 교대 복용하도록 하고 각 7일분을 처방하였다.

2019년 6월 12일: 두통과 수면상태가 개선되었고 꿈을 꾸지 않으며 혈압이 안정되었다. 업무 시 혈압 130/80 mmHg. 큰소리로 말하고 나면 어지럽고 숨이 차다. 설첨에 찌르고 마비된 느낌과 감각저하가 있다. 대변은 비교적 건조하다.

처방 1: 원방

처방 2: 원방에 생지황 15 g을 더한다.

각각 10일분씩 처방하였으며 복용법은 전과 같다.

(6) 황련아교탕

[적용소견]

심한 수면장애가 있어서 늘 극도로 피곤하지만 잠에 잘 들지 못하며 심하면 밤새 잠을 이루지 못하는 경우도 있다. 밤에는 괴로워하고 낮에 상태가 호전되는 특징이 있다. 환자의 다수는 주의력과 집중력 및 기억력이 저하되어 있고 가슴이 답답하고 두근거리며 빈맥 등이 있다. 황련아교탕은 발열성 질환을 앓고 난 이후의 번조, 불면 및 출혈 후의 불면에 쓸 수 있다. 불안, 우울, 노인성치매 등에도 이 처방을 활용할 기회가 있다.

[참고사항]

1. 황련아교탕은 주로 여성환자에 투약할 기회가 많다. 환자는 입술이 붉고 설질은 진홍색이며 구강내에 미란과 궤양이 있다. 출혈 경향이 있으며 월경량은 적고 점성이 높으면서 진한 붉은색을 띈다. 혹 조기유산 등이 있는 경우도 있다.

2. 이 처방은 장기복용해서는 안된다. 통상 7일분을 투여하고 증상이 해소되면 즉시 복용량을 줄인다.

3. 황련을 대량 장기복용하면 식욕저하가 나타날 수 있다. 따라서 식욕이 왕성한 환자에게 본 방을 투여할 수 있다.

4. 출혈을 동반하는 경우 생지황 30 g을 더하여 처방하고 대변

이 건조하고 덩어리진 경우에는 대황 10 g을 더한다.

[전형증례]

모씨. 여성. 29세. 163 cm/52 kg. 2016년 7월 4일 초진

병력: 유선수술 후 마황이 포함된 양화탕(陽和湯)을 복용하고 수면장애가 나타나 45일이 지나도 개선되지 않는다. 잠에 잘 들지 못하여 심할 때는 밤새 잠을 이루지 못한다. 수면제(조피클론)를 복용해도 1시간마다 깬다. 밤이 되면 몸에 열이 나서 땀이 흐르며 꿈을 많이 꾼다. 손바닥이 뜨겁고 잇몸에서 출혈이 있으며 가끔 변비가 있다. 피부는 희고 입술은 붉다.

처방: 황련 5 g, 황금 10 g, 백작약 15 g, 아교 10 g(따로 녹인다.). 7일분을 처방하고, 복용 시에 계란 노른자 1개를 더하여 복용하도록 하였다.

2016년 7월 11일: 수면 상태가 개선되어 수면제 복용 중단하였다. 전체적인 수면 시간이 늘었고 잠이 드는 시간도 11시로 앞당겨졌다. 밤에는 네 차례 정도 깨지만, 다음날 정신은 맑다고 하였다. 원방의 복용을 지속하기로 하였다.

2016년 7월 25일: 하루 6시간 이상 수면을 취하며 침대에 누우면 1시간 안에 잠들 수 있다. 얼굴은 좋고 변비도 개선되었다.

(7) 마황부자세신탕

[적용소견]

양허(陽虛)로 인한 불면. 환자는 얼굴빛이 누렇고 어둡거나 혹은 거무튀튀하다. 신경쇠약, 피로와 권태로 졸려하지만 편하게 누워있지 못하며 밤과 낮이 뒤바뀌기도 한다. 차가운 것을 싫어하고 땀이 없으며 두통, 복통, 요통, 치통 등 소견이 보이는 경우도 있다. 많은 여성환자의 경우 지연월경이나 무월경이 관찰되며 월경량은 적기도 하고 대량으로 나와 멎지 않는 경우도 있다.

[참고사항]

1. 마황부자세신탕을 적용할 환자들은 맥이 침(沈)한 경우가 많다. 맥상이 부삭(浮數)하거나 허완무력(虛緩無力)하다면 신중히 투여한다. 심질환, 심방세동, 심부전 환자에게도 신중히 투여한다.

2. 이 처방을 장기간 복용하거나 상시 복용하는 것은 적절치 않다. 복약 후 수면상태가 개선되면 즉시 복약을 중단한다.

3. 마황부자세신탕은 공복에 복용하면 과다발한이나 가슴 두근거림 등이 잘 나타날 수 있어 빈 속에 복약하지 않도록 한다. 이와 같은 반응이 나타났다면 설탕물이나 용안육, 홍조 등을 섭취한다.

4. 마황부자세신탕은 단독 투여할 수 있지만 가미하여 쓸 수도 있다. 풀어지는 대변을 보며 찬 것을 싫어하고 월경색이 옅은 환자에게는 건강 10 g, 자감초 5 g을 더한다. 여위고 얼굴이 누런 환

자에게는 육계 10 g, 생강 20 g, 자감초 5 g을 더한다.

[전형증례]

나모씨. 여성. 51세. 164 cm/55 kg. 2018년 3월 28일 초진

병력: 반년째 불면이 있다. 쉽게 잠들기 어렵고 잠에서 쉽게 깨며 꿈이 많다. 낮에는 정신이 맑지 않고 눈을 뜨고 있기가 힘들다. 치통이 있어서 2개월간 일을 하지 못하였다. 스스로 설태가 두껍다고 느껴 설태를 긁어내곤 한다.

체징: 얼굴이 누렇고 눈을 자주 깜빡인다. 혀에 하얀 설태가 가득하며 혀가 떨린다.

처방: 생마황 5 g, 부자 10 g, 세신 5 g, 계지 15 g, 자감초 5 g, 용골 15 g, 모려 15 g, 건강 5 g, 홍조 20 g. 7일분을 처방하며 식후에 복용하도록 하였다.

2018년 4월 4일: 복용 5일 후부터 수면을 잘 취할 수 있게 되었다. 날이 밝을 때까지 푹 잘 수 있어 낮에는 정신이 맑다. 원방에 백작약 20 g을 더하여 10일분을 처방하고 아침마다 1/2일분씩 복용하도록 하였다.

(8) 진무탕

[적용소견]

갱년기불면에 많이 쓴다. 환자는 부종, 피로, 권태감이 자주 있고 종종 밤새도록 잠을 못 자거나 계속 몽롱하다. 풀어지는 대변,

식욕부진, 소변불리, 발한, 어지러움, 가슴 두근거림이 있으며 심하면 머리는 무겁고 다리에는 힘이 없는 느낌이 들거나 팔다리의 떨림 등이 나타난다.

[참고사항]

1. 진무탕을 적용할 환자의 다수는 뇌, 심장, 신장, 소화기계 및 내분비 질환이 있다. 대다수에서 갑상선기능저하나 부신기능저하를 볼 수 있고 주요 장기기능의 손상이 있다. 중고령자에서 많이 볼 수 있으며 젊은 환자의 불면에는 신중히 투여한다.

2. 부자는 독성이 있으므로 선전할 필요가 있다. 부자를 10 g 이상 탕전할 경우 선전시간은 30−60분이며 30 g 이상인 경우에는 반드시 60분 이상 선전한다. 약액이 혀를 마비시키지 않는지 확인하고 복용한다.

3. 진무탕은 통상 7일분을 투약하며 증상이 호전된 후에는 간격을 두어 복용한다.

4. 자한, 도한에는 계지 15 g, 감초 5 g, 용골 15 g, 모려 15 g을 더한다.

[전형증례]

모씨. 여성. 54세. 168 cm/66.7 kg. 2017년 7월 26일 초진

병력: 3개월 전부터 불면이 있다. 잠드는 것이 어렵고 수면시간이 3−4시간 정도로 짧다. 얼굴에 열기가 붉게 달아오르고 땀이 나며 하지가 무력하고 뚜렷한 피로감이 있다. 최근 갑상선기능저하

증이 발병하였다. TSH 6.17 mU/L (0.27-4.2 mU/L)

체징: 얼굴이 누렇고 어두우며 설진상 치흔이 있다.

처방: 법부편(法附片) 15 g(선전(先煎) 30분), 계지 15 g, 백작약 15 g, 백출 20 g, 복령 20 g, 용골 15 g, 모려 15 g, 자감초 5 g, 건강 5 g, 홍조 20 g. 15일분을 5-2 복용법으로 처방하였다.

2017년 10월 18일: 잠을 아주 잘 잔다. 9시에 잠들어 7시에 일어난다. 상기 처방을 1개월 중단하였더니 최근 다시 불면이 있어 원방으로 30일분을 처방하였다.

(9) 계지가용골모려탕

[적용소견]

심리적 불안에 기인한 불면으로 성적인 꿈을 꾸거나 다몽증 등이 있으며 가슴 두근거림과 자한, 도한 등도 나타난다. 불안장애, 갱년기불면, 큰 병을 앓고 난 이후의 허약 상태, 소아저칼슘혈증 등에 많이 활용한다.

[참고사항]

1. 계지가용골모려탕을 적용할 환자들은 얼굴색이 희고 수척하며 맥은 부대(浮大)하고 약하다. 혹 얼굴이 붉고 기름지기도 하며 다리는 차갑다. 복부의 두근거림이 현저하며 숨이 차고 어지럽거나 과다발한 소견 등과 함께 성적인 꿈이나 성기능장애가 나타나기도 한다.

2. 설태가 얇고 흰색인 경우에 적용하며 대변이 풀어지고 배가 더부룩한 경우에는 신중하게 투여한다.

3. 식욕부진이 있으면 산약 30 g을 더하여 처방한다. 숨이 차고 어지러우며 눈앞이 아찔거리는 경우 오미자 5 g, 부소맥 30 g을 더하여 처방한다.

[전형증례]

양모씨. 남성. 53세. 169 cm/49 kg. 2018년 10월 16일 초진

병력: 8년 전 식도암 수술 후 잔여소견으로 위염과 위의 미란성 궤양이 있다. 몇 년 사이 불면이 생겼고 몽정(유정)이 잦으며 가슴이 두근거리고 도한, 식욕변화, 위산역류 등 있다.

체징: 체격은 수척하고 얼굴이 누렇다. 배꼽 주변의 두근거림이 뚜렷하며 복부는 평평하다. 설체는 부어서 커져있고 설변에 치흔이 있다. 맥은 현활(弦滑)하며 깊게 누르면 무력하다.

처방: 계지 10 g, 육계 5 g, 백작약 15 g, 자감초 5 g, 홍조 5 g, 용골 15 g, 모려 15 g, 홍조 20 g. 10일분을 5-2 복용법으로 처방하였다.

2018년 10월 30일: 수면상태가 개선되었고 가슴 두근거림과 위산역류도 호전되었다. 몽정 및 유정 또한 소실되었다. 원방에 산약 20 g을 더하여 20일분을 5-2 복용법으로 처방하였다.

(10) 감맥대조탕

[적용소견]

히스테리에 의한 불면, 우울, 불안초조, 갱년기증후군 환자의 불면에 많이 활용한다. 주로 여성 및 소아 환자가 많다. 환자는 평소 울상이며 성격이 어둡고 정신 혼란 상태로 말과 행동이 비정상적이다. 이유없이 슬퍼하며, 쉽게 눈물을 흘리거나 흐느끼는 정도가 과도하다. 많은 사례에서 크게 놀란 경험이나 심리적 외상 등이 유발요인이 된다. 이 처방은 소아뇌전증, 소아야경증, 소아야제, 주의력 결핍 과잉행동장애, 몽유병, 도한 등에도 효과가 있다.

[참고사항]

1. 이 처방은 대부분 체형이 수척하고 얼굴에 붉은 빛이 없이 빈혈기가 있는 환자에게 적용한다. 전신 근육의 긴장이나 팔다리의 강직이 있으며 복직근이 긴장하여 복부가 널빤지 같기도 하다. 다만, 일부 환자는 복직근이 부드러운 경우도 있다.

2. 이 처방은 식이요법으로도 활용할 수 있다. 구성 약물로 죽을 끓이거나 빵을 만들어서 섭취하게 한다.

3. 불안, 가슴 두근거림, 다한증, 입마름, 배꼽 주변의 두근거림 등이 있다면 시호계지건강탕을 처방해볼 수 있다(시호 20 g, 계지 15 g 혹은 육계 10 g, 건강 10 g, 천화분 20 g, 황금 15 g, 모려 10 g, 자감초 10 g을 물 1,200 mL와 같이 달여 탕액 300 mL를 취한다. 이를 2-3회에 나누어 따뜻하게 복용). 이 처방과 시호계지건강탕

을 격일로 나누어 복용한다.

4. 쉽게 놀라고 악몽을 많이 꾼다면 온담탕을 합방한다. 설질이 붉고 초췌하며 피부가 건조하고 월경량이 적은 환자는 건백합 30 g, 생지황 30 g을 더한다.

[전형증례]

모씨. 여성. 67세. 158 cm/50 kg. 2018년 8월 21일 초진

병력: 가슴 두근거림이 동반되는 불면을 20년째 앓고 있고 자살 시도의 기왕력이 있다. 에스타졸람(estazolam)을 장기간 복용해왔다. 지난 1–2년간 체중이 갑자기 줄고 이상할 정도로 짜증이 나며 밤새 잠을 이루지 못하여 왔다. 잠꼬대가 많고 침대에서 자주 떨어진다. 평소에도 행동이 이상하고 공포감, 슬픔, 건망증 등이 있다. 항상 등줄기가 불편하다고 호소하며 손으로 등을 두들긴다. 초조하고 쉽게 화를 내며 입에는 짠 맛이 돌고 눈과 입이 건조하다. 땀이 많으며 변비가 있고 변이 건조하면서 덩어리져서 며칠에 한번 변을 본다.

체징: 체형이 수척하고 피부가 희며 얼굴이 초췌하다. 피부는 거칠고 얼굴에 주름이 많다. 앉아서 안절부절 못하며 동작이 빠르고 많을 뿐 아니라 팔다리의 동작이 크고 조절되지도 않는다. 설질은 연한 붉은 색이고 설태는 광택이 있으며 맥은 세(細)하다. 손바닥이 건조하다.

처방: 부소맥 50 g, 자감초 20 g, 홍소 50 g, 백합건 30 g, 숙지황 20 g. 15일분을 처방하고 증상이 감소하면 격일 복용하기로 하

였다.

2018년 11월 13일: 수면 상태가 호전되었고 밤중에 안정을 찾았다. 침대에서 떨어지지 않는다. 심리상태도 비교적 안정적이다. 원방에 생지황 30 g을 더하여 20일분을 처방하고 격일로 복용하도록 하였다.

2019년 4월 23일: 현저한 수면상태 호전이 있고 심리적으로도 안정되어 있다. 진료 중에도 정신적으로 안정된 상태였으며 팔다리의 이상운동도 보이지 않았다.

7. 신장질환

신장질환은 인간의 건강을 심각하게 위협하는 질환으로 여러 종류의 신염, 급성 신부전, 신장 결석, 신장 낭종 등을 포함한다. 본서에서 추천하는 처방은 주로 만성 신장질환의 치료에 활용된다. 만성 신장질환(chronic kidney disease, CKD)은 대부분의 신장질환(사구체신염, 잠복성신염, 신우신염, Henoch-Schonlein자반신염, 홍반성루푸스신염, 통풍성신염, IgA신병증, 신증후군, 막성신병증, 당뇨병성신증, 고혈압성신증, 간질성신염, 다낭성신장질환 등)을 통칭하는 것이다. 관련 역학 자료에 따르면 중국인의 만성 신장질환 발생률은 약 11-13%로 환자 수가 1억 명을 넘어섰다(劉志紅: 中國腎臟病診治三十年回顧與展望, 中國實用內科雜志, 2012年 第1期). 이들 환자군에 대한 중의의 관리와 예방은 개척할 가치가 있는 영역이다.

신장질환의 발생은 신장 자체의 질환뿐만 아니라 당뇨병성 신증, 루푸스 신증과 같은 전신 질환에 의한 신장 관련 질환도 포함된다. 따라서 개인맞춤 치료가 관건이 된다. 경방을 통한 신장병 치료는 "해당하는 증이 있을 때 맞는 처방을 쓴다"는 원칙을 따라 방증을 구분하고 적용 가능한 환자에게 적합한 처방을 사용하는 것이 중요하다. 신장질환의 완치는 매우 어려우므로 진행을 억제하고 합병증을 조절하는 것이 주요 목표가 된다.

서로 다른 개인의 특징에 따라 신장질환의 치료에 일상적으로 선택하는 경방은 아래의 예와 같다.

(1) 계지복령환

[적용소견]

신장질환에서 어혈이 있는 환자. 당뇨병성 신증, 통풍성 신장질환에 많이 활용한다.

[참고사항]

1. 계지복령환은 활혈화어(活血化瘀)하는 처방이며 허리에서 다리로 미치는 통증을 특징으로 하는 어혈성 질환이 주된 적응증이다. 어혈소견이 없는 환자에게는 신중히 투여한다.

2. 이 처방을 활용할 수 있는 환자는 얼굴이 붉게 달아오르거나 검붉고 입술도 검붉으며 설질은 어두운 보라색이다. 피부는 건조하고 쉽게 인설이 일어나며 특히 다리의 피부에서 소견이 현저하다. 종아리의 근경련이 있거나 하지 부종이 나타난다. 복부는 대체로 충실하고 자주 변비가 있다. 허리와 대퇴부의 통증 및 무력함도 있다.

3. 통상 사미건보탕(저자경험방: 적작약 30 g, 석곡 30 g, 회우슬 30 g, 단삼 20 g)을 합방하여 처방한다. 아랫배가 충실하고 변비가 있는 환자에는 법제대황을 더하여 처방하며, 팔다리가 저리거나 감각이 떨어지고 다리에 궤양이 있는 환자에게는 황기를 더한다.

[전형증례]

왕모씨. 남성. 22세. 175 cm/60 kg. 2016년 12월 5일 초진

병력: 만성신부전 FSGS (국소성분절성사구체경화증, focal Segmental glomerulosclerosis)를 1년째 앓고있다. 실험실 검사에서 요단백(+++), 크레아티닌 221 μmol/L (62−125 μmol/L), 요산 476 μmol/L (150−420 μmol/L). 초음파상 좌측 신장 90×89 mm, 우측 신장 84×83 mm(중국 저장성 타이저우시 센터병원 2016년 12월 5일) 편도선염과 인후통이 잘 생긴다. 수면의 질이 좋지 않고 꿈을 많이 꾸며 잠에서 일찍 깬다. 소변에 거품이 많고 대변은 건조한 편으로 이틀에 한번 본다.

체징: 체형이 수척하고 입술이 검붉으며 인후와 안검도 붉다. 심흉부와 등줄기에 피부발적이 있으나 가려움은 없다. 배꼽 주위에 가벼운 압통과 두근거림이 있고 아랫배가 충실하면서 압통이 있다. 간혹 요통이 있다. 설첨은 붉고 설태는 누렇고 미끌미끌하며 맥은 활(滑)하다. 96회/분.

처방: 계지 15 g, 목단피 15 g, 적작약 15 g, 도인 15 g, 복령 15 g, 법제대황 15 g, 회우슬 30 g. 15일분을 처방하였다.

2016년 12월 19일: 약 복용 후 묽은 대변을 하루 세 차례 본다. 크레아티닌 및 요산 수치는 줄었으며 요단백은 이전 검사치와 같다. 요단백(+++), 크레아티닌 201 μmol/L (62−125 μmol/L), 요산 441 μmol/L (150−420 μmol/L)(중국 저장성 타이저우시 센터병원 2016년 12월 17일) 원방에서 법제대황을 생대황 10 g으로 바꾸어 15일분을 처방하였다.

2019년 12월 2일: 계속해서 위 처방 복용. 일상생활에 지장이 없다. 혈액요소질소(BUN) 8.3 mmol/L, 크레아티닌 227 μmol/L (62–115 μmol/L), 요산 494 μmol/L, 요단백(+++)(2019년 11월 29일)

처방: 법제대황 100 g, 회우슬 300 g, 육계 100 g, 복령 150 g, 목단피 15 g, 도인 150 g, 적작약 150 g, 황금 100 g. 밀환(蜜丸)으로 만들어 매일 10 g씩을 잠들기 전 복용하는 것으로 하였다.

(2) 황기계지오물탕

[적용소견]

신증후군, 만성신질환, 다발성골수종에서 부종, 단백뇨가 보임

[참고사항]

1. 황기계지오물탕은 대체로 비만한 체형으로 근육이 무력하고 연하며 피부에 탄성이 없는 환자에게 적용한다. 얼굴빛이 누렇고 어둡거나 검붉으며 설질은 비대하고 어두운 보라색이다. 입술도 어두우며 팔다리 말단 부위 또한 어두운 보라색을 띈다. 손톱은 누렇고 두껍다. 복부는 크고 연하며 눌러도 저항감 및 창통이 없다. 식욕은 왕성하다. 하지에 부종이 있는 경우가 많다. 국소 피부는 건조하거나 혹은 어두우며 팔다리에 저림 및 감각저하가 잘 생긴다. 피로, 어지러움, 숨참, 다한증 등 소견이 있고 운동 후에 증상이 심해진다. 이 처방의 적응증은 심뇌혈관질환에서 많이 보이며 중년층 및 고령자에서 자주 관찰된다.

2. 자한이 있고 바람을 맞으면 코가 막히는 환자에게는 백출, 방풍을 더하여 처방한다. 단백뇨가 개선되지 않고 부종이 명확하다면 회우슬을 더하여 처방한다. 설체가 비대하고 맥이 침(沈)하면 진무탕을 합방하여 처방한다.

3. 배가 더부룩하고 식욕부진이 있으면 황기의 용량을 줄여서 치방힌다.

4. 이 처방은 장기복용할 수 있다.

[전형증례]

범모씨. 29세. 176 cm/90 kg. 2017년 3월 29일 초진

병력: 1년 전 불명확한 요인으로 급성신부전이 두 번 발생하였으나, 지금은 특별히 불편한 점은 없다. 쉽게 피로하고 배고파지는 소견만을 호소한다. 실험실 검사에서 신기능, 크레아티닌 103 μmol/L (59−104 μmol/L), 요산 514 μmol/L (150−420 μmol/L), eFR 85.4 [>90 mL/min·1.73 m]. 소변은 규칙적으로 본다. 단백뇨(++), 요잠혈(+)(2016년 10월).

체징: 체격이 건장하고 얼굴빛이 누렇다. 양측 다리에 부종이 있고 맥은 침(沈)하다. 66회/분.

처방: 생황기 30 g, 계지 15 g, 백작약 15 g, 백출 20 g, 방풍 15 g, 건강 5 g, 홍조 20 g. 15일분을 5−2 복용법으로 처방하였다.

2017년 5월 16일: 약 복용 후 피로와 무력감이 이전보다 호전되었고, 다리의 부종도 줄었다. 시험실검사상 신기능 크레아티닌 76 μnmol/L (57−97 μmol/L), 요산 452 μmol/L (208−428 μmol/L), eFR 116 [>90 mL/min·1.73m]. 소변은 규칙적. 단백뇨(+++), 잠혈(±)(2017년 5월 3일). 원방 20일분을 5−2 복용법으로 처방하였다.

2018년 10월 7일: WeChat을 통한 회신 내용: 위 처방을 지금까지 복용하면서 피로할 때 다리가 한달에 3−4번 정도 빈도로 부었으나 1−2일 지나면 사라진다(원래 한약을 복용하지 않던 중에도 계속해서 하지 부종의 증감이 있었음). 한약 복용 후 양약은 완전히 끊었다. 지금은 따로 검사를 받지는 않는다.

(3) 형개연교탕

[적용소견]

젊은 여성의 IgA신증, 루푸스신염

[참고사항]

1. 형개연교탕은 후세방으로 구성은 사역산, 황련해독탕, 사물탕의 가미방으로 볼 수 있다.

2. 이 처방을 적용할 환자는 젊은 여성이 많다. 얼굴이 붉게 달아오르고 기름기가 번들거리며 입술은 붉고 두껍다. 인후는 충혈되고 혀는 붉다. 알러지 반응이 잘 일어나고 여드름, 편도선부종, 부비동염, 헤르페스, 구강궤양, 잇몸출혈 등도 잦다. 여성 질환으로는 골반염, 자궁경부미란, 질염 등도 자주 보인다.

3. 이 처방은 고한(苦寒)하여 식욕부진이 있거나 노인 또는 허

약체질, 얼굴빛이 푸르스름하고 눈주위가 어두운 환자에는 신중히 투여한다. 간기능이상이 있는 경우에는 금기이며 2개월 이상 투약할 때는 간기능검사를 한다.

4. 이 처방을 장기간 복용하거나 과량 복용하는 것은 부적절하다. 증상이 개선되면 즉시 투여 용량을 줄인다.

[전형증례]

호모씨. 여성. 38세. 165 cm/67 kg. 2019년 3월 19일 초진

병력: 전신성 홍반성 루푸스를 15년 전부터 앓고 있으며 신기능부전도 있다. 실험실 검사상 BUN 12.27 mmol/L, 크레아티닌 139.2 μmol/L, 요산 478.8 μmol/L, 총콜레스테롤 232.4 mg/dL, 요단백(+)(2019년 3월 3일). 쉽게 피로하고, 피로가 누적되면 가슴 두근거림, 입마름 및 갈증 구건갈이 생긴다. 자반(紫癍)이 자주 생기며, 얼굴에 달아오르는 열기가 느껴지고 손바닥에도 발열감이 있다. 잠에 잘 들지 못하고 심리상태가 불안정하여 쉽게 화를 낸다. 대변이 때로는 건조하고 때로는 묽다. 폐경이 된지 1년이 지났다고 한다.

체징: 얼굴이 창백하고 무심한 표정이다. 피부는 건조하고 빈혈기가 보이며 안면부 얼굴이 부어있다. 설질은 붉고 설태는 두터우며 누렇고 건조하다. 복근은 연하고 맥은 활(滑)하다. 양 다리에 부종이 있다.

처방: 형개 15 g, 방풍 15 g, 시호 15 g, 복령 20 g, 연교 20 g, 지각 10 g, 길경 10 g, 박하 5 g, 생감초 15 g, 백지 10 g, 당귀 10 g,

백작약 15 g, 생지황 15 g, 천궁 10 g, 황금 15 g, 황련 5 g, 황백 10 g, 치자 10 g. 15일분을 5-2 복용법으로 처방하였다.

2019년 6월 25일: 입마름과 갈증이 뚜렷하지 않게 되었으며 몸에 기운이 생겼다고 한다. 프레드니손 복용량이 2정/일로 줄었다. 실험실검사: 크레아티닌 122 μmol/L, BUN 9.5 mmol/L, β2-Micro globulin 4.3 μg/mL (1-3 μg/mL), 요산 239 μmol/L, 총콜레스테롤 8.2 mmol/L (2019년 5월 26일). 원방에서 치자를 제외하여 20일분을 처방하고 격일 복용하도록 하였다.

(4) 소시호탕거강가황백백작탕(小柴胡湯去姜加黃柏白芍湯)

[적용소견]

여성의 IgA신증, 루푸스신염, 쇼그렌증후군 등

[참고사항]

1. 환자의 열상(熱象)은 형개연교탕증에 비해 가볍다. 다수의 환자는 입술과 설질이 붉은 편이고 식욕이 좋지 않다. 쉽게 알러지, 구강궤양 등이 생기며 월경색은 붉고 월경량이 많다.

2. 스테로이드 복용 후 식욕이 항진되고 얼굴이 붉은 환자에는 생지황 30 g을 더하여 처방한다.

[전형증례]

장모씨. 여성. 19세. 160 cm/56 kg. 2018년 6월 4일 초진

병력: 전신성홍반성루푸스를 진단받은지 1개월이 되었다. 2018년 5월 18일 퇴원기록 상 SLE, 루푸스신염, 위장관 침범 등 내용이 있다. 자주 코피가 난다. 식욕이 왕성하며 기왕력으로는 두드러기, 과민성자반증, 해산물 알러지 등이 있고 이미 스테로이드를 복용 중이다.

체징: 체격은 중간 정도이고 피부는 희다. 입술이 붉고 얼굴은 통통하며 눈꺼풀도 붉다. 손바닥에 땀이 난다. 설첨이 붉으며 설질은 부어있고 치흔이 있다. 맥은 99회/분.

처방: 시호 20 g, 황금 15 g, 강반하 10 g, 당삼 10 g, 생감초 5 g, 백작약 15 g, 황백 10 g, 생지황 20 g, 건강 5 g, 홍조 20 g. 15일분을 처방하고 하루에 0.5일분씩 복용하도록 하였다.

2018년 7월 17일: 24h 요단백정량 599 mg(참고치 24−141 mg)(2018년 5월 3일). 원방 15일분을 처방하고, 복용법은 상기와 동일하게 하였다.

2018년 10월 30일: 복용 후 전신이 편안, 식사량 감소. 24h 요단백정량 145 mg (24−141 mg). 원방에서 건강을 제거하고 20일분을 처방하였다.

2019년 6월 4일: 24h 요단백정량 125 mg(참고치 24−141 mg)

2019년 10월 16일: 24h 요단백정량검사는 정상이고 체중이 줄었으며 최근에는 탈모가 왔다고 한다. 원방(2018년 8월 20일 처방)에 묵한련(墨旱蓮) 20 g을 더하여 20일분을 처방하고 일주일에 3

일분씩 복용하도록 하였다.

(5) 시귀탕(柴歸湯)

[적용소견]

여성의 IgA신증, 루푸스신염, 쇼그렌증후군신병증 등. 월경장애, 월경량 감소 혹은 난임을 동반하기도 한다.

[참고사항]

1. 이 처방을 활용할 수 있는 환자들은 얼굴이 누렇고 피로감이 뚜렷하며 기분이 저하되어 있고 우울하다. 찬 날씨를 힘들어 한다. 몸이 가렵고 아프며 얼굴 혹은 양 하지에 경미한 부종이 있다. 월경량 감소나 폐경이 있고 성욕이 감퇴되어 있다.

2. 이 처방의 적응증이 있는 환자 다수는 하시모토병, 자가면역간염, 류마티스성관절염, 만성두드러기 등 면역질환을 동반한다.

3. 피부의 소양증에는 형개, 방풍을 더하여 처방한다. 소변잠혈에는 한련초, 여정자를 더하여 처방한다.

4. 처방의 복용 후 발열이 있을 때 항생제를 쓸 필요는 없으며 시호의 용량을 늘리면 체온은 자연스럽게 정상으로 회복된다.

5. 이 첩망을 투약할 때 하루분을 이틀에 걸쳐 복용하거나 격일로 복용하는 방법을 활용할 수 있으며 일반적으로 3개월에서 반년 이상 투약한다.

[전형증례]

황모씨. 여성. 32세. 160 cm/60 kg. 2014년 4월 15일 초진

병력: IgA신증 병력 6년. 병정은 안정되어 있다. 2013년 6월 비를 맞은 후 요단백, 요잠혈이 나타났고 최근 검사에서는 요단백(−), 요잠혈(++), 요적혈구 55로 나왔다. 만성인후염이 있어 올해 1월 편도절제술을 받았으며, 그 이후 월경 후 하지 발목부근에 자반이 나타났다. 평소 월경량은 적다. 허리가 시큰거리며 등줄기가 차고 관절통이 있다. 감기에 잘 걸린다. 페니실린 알러지가 있다. 피부스크래치검사 양성. 설담홍(舌淡紅).

처방: 형개 15 g, 방풍 15 g, 시호 15 g, 황금 10 g, 강반하 10 g, 당삼 10 g, 생감초 5 g, 당귀 10 g, 천궁 15 g, 백작약 20 g, 백출 15 g, 복령 15 g, 택사 15 g, 건강 10 g, 홍조 30 g. 15일분을 처방하고 하루에 0.5 일분씩 복용하도록 하였다.

2014년 5월 20일: 약물 복용 후 월경량이 증가하였다. 원방 15 일분을 처방하여 계속 복용하도록 하였다.

2014년 9월 2일: 약물 복용 후 월경전후에 나타나던 피하자반이 줄어들었으며 월경 2일째 월경혈이 흐르는 것을 느낄 수 있다. 소변은 규칙적이다. 요잠혈(+), 요단백 약음성, 적혈구 29개/HPF (2014년 8월 19일)

(6) 황련아교탕

[적용소견]

신질환 환자의 쇼그렌증후군, 혈소판감소증 등에서 구강건조증, 피하자반, 잇몸의 출혈, 코피 등이 보이는 경우

[참고사항]

1. 황련아교탕을 적용할 환자는 여성이 많다. 환자의 피부는 희고 얼굴이 붉게 달아올라 있다. 이전에는 얼굴에 윤기가 있었지만 지금은 거칠다. 입술과 설질, 안구가 모두 붉은색이다. 근육은 비교적 단단하게 긴장되어 있다. 불면이 있고 꿈을 많이 꾼다. 몸에 열이 나며 가슴이 두근거리고 빈맥 소견이 있으면서 맥은 삭(數)하다. 피하자반, 코피, 복통, 혈변이 잦다. 빈발월경이 자주 있으며 월경간 출혈도 있다. 월경색은 선홍색이고 점성이 있으며 덩어리가 있는 경우도 있다. 설질은 진한 홍색이고 구강궤양이 있는 경우도 있다.

2. 출혈 경향이 뚜렷하고 대변이 건조하여 단단하게 굳어있으면 생지황, 대황을 더하여 처방한다.

3. 황련아교탕에는 황련이 비교적 많이 포함되어 있어 장기간의 복용은 부적절하다. 증상이 개선된 후에는 용량을 줄여야 하며, 식욕부진한 경우에는 신중히 투여한다.

[전형증례]

이모씨. 여성. 62세 159 cm/42.8 kg. 2017년 8월 2일 초진

병력: 만성신염(혈뇨성) 5년. 최근 체중이 갑자기 감소하고 피로가 심해졌다. 구강궤양이 지속되고 잇몸출혈이 있다. 오후에는 하지가 무력하여 보행이 곤란하고 가슴이 답답하여 잠들기도 힘들고 밤중에 일찍 잠에서 깬다. 식사할 때 속쓰림이 있다. 변은 건조하고 밤같이 굳어 있으며 때때로 출혈이 있다. 식욕은 일반적이다. 대변 1회/일. 기왕력으로 심실조기수축(PVC), 만성 식도염, 위염이 있다. 실험실 요검사상 잠혈(++) 백혈구 27, 적혈구 580,000/mL. 75%가 이형적혈구(2017년 7월 26일)

체징: 인후와 설첨이 붉다.

처방: 황련 3 g, 황금 15 g, 백작약 15 g, 아교 10 g(별도로 녹여서 복용), 생지황 30 g, 자감초 10 g, 홍조 20 g. 10일분을 5-2 복용법으로 처방하였다.

2017년 8월 30일: 잠혈 지표는 정상으로 요잠혈 소견이 없어졌다. 잠에 잘 들지 못하는 증상 및 조기각성도 호전되었다. 달리면 가슴이 두근거리고 다리가 떨리는 증상은 반 정도 개선되었으며 행복한 느낌이 든다고 한다.

2017년 8월 22일: 요검사상 적혈구(−), 요잠혈(−). 원방 20일분을 처방하여 계속 복용하게 하였다.

(7) 월비가출탕

[적용소견]

요산염신병증, 즉 통풍성신병증

[참고사항]

1. 월비가출탕을 적용할 환자들은 중년층 및 고령 남성에 많고 환자의 체격은 건장하거나 비만하다. 피부는 누런 색이고 부은 듯하며 복부를 누르면 비교적 충실한 느낌이 든다. 피부에 염증, 습진이 잦다. 맥상은 유력하다. 쉽게 땀이 나고 입이 말라 마시는 것을 좋아한다. 관절이 붓고 통증이 있으며 특히 슬관절종대가 있어서 항상 서있기 어렵고 걷기가 곤란하다.

2. 이 처방을 복용한 후에 땀이 더 많이 나거나 소변량이 증가할 수 있다.

3. 고령자, 노인, 허약자, 복합질환자, 영양장애가 있는 환자에게는 신중히 투여하거나 금기로 한다.

4. 관절통증이 심하면 부자 15 g을 더하여 처방한다. 관절이 붉게 부어오르면 황백을 더하여 처방한다. 고지혈증에는 택사를 더하여 처방한다. 얼굴이 검붉고 변비가 있으면 계지복령환을 더하여 처방한다.

5. 전통적인 투약관행에 따라 부종에는 백출을 쓰고, 배가 더부룩하며 설태가 두껍고 미끌미끌한 경우에는 창출을 쓴다.

[전형증례]

왕모씨. 남성. 35세. 174 cm/100 kg. 2019년 3월 11일 초진

병력: 2–3년 전부터 통풍을 앓았다. 요산을 낮추기 위해 페북소스타트(febuxostat) 복용. 올해는 오른발과 왼발 모두 3건의 발작이 있었다. 피로하면 발이 뻣뻣하고 아프며, 발꿈치에도 통증이 있다. 쉽게 땀이 많이 난다. 후발제의 모낭염이 9년간 반복된다. 기름진 음식을 좋아하며 이전에는 맥주를 많이 좋아했고 현재의 식욕도 좋다. 대변은 하루 2–3회. 경도의 지방간이 있다.

체징: 체격은 비만하고 건장하여 허리는 호랑이처럼 크고 등줄기는 곰처럼 넓다. 복부가 크고 피부는 희다. 설첨이 붉고 설하정맥이 충혈되어 있으며 설변에 치흔이 있다. 맥은 활(滑)하다.

처방: 생마황 10 g, 생석고 40 g, 생감초 5 g, 창출 30 g, 택사 60 g, 건강 5 g, 홍조 20 g, 황백 10 g. 15일분을 5–2 복용법으로 처방하였고 식후에 복용하도록 하였다.

2019년 9월 19일: 약물 복용 후 통풍발작과 후두모낭염이 소실되었다. 인후에 이물감과 끈적이는 가래가 있어 자주 목구멍을 헹궈야 한다. 온도변화가 있거나 찬 음식을 섭취하면 설사가 나고 입이 말라 최소 하루에 물 1,500 mL를 마신다. 다시 오령산합반하후박탕을 10일분 처방하였다.

(8) 제생신기환

[적용소견]

만성신질환으로 얼굴이 검고 체격이 수척하며 초췌하다. 소변이 방울방울 떨어지고 복수(腹水)나 하지부종이 있는 경우가 있다.

[참고사항]

1. 제생신기환을 적용할 환자들은 대부분 얼굴이 검거나 어두운 누런색이고 광택이 적다. 맥은 현(弦), 경(硬)하다. 설질은 통통하고 크며 옅은 붉은색을 띤다. 배꼽 아래쪽은 무력하고 연하다. 식욕은 왕성하지만 쉽게 피로하며 때때로 번열감이 있기도 하다. 가슴이 두근거리고 답답하며 어지럽다. 허리와 무릎이 시리고 힘이 없으며 하반신이 차다.

2. 두통이 있고 혈압이 떨어지지 않는 환자는 백국화, 구기자를 더하여 처방한다.

3. 대변이 건조하여 단단하게 굳어있고 설질이 어두운 보라색인 경우에는 계지복령환을 더하여 처방할 수 있다.

[전형증례]

1. 창수시(常熟市)의 동문 밖 안항교(顔港桥)의 끓인 물을 파는 가게에서 일하는 10세 소년

앞서 신장낭종이 커져서 계내금 단방을 복용하였다. 40일 후 팔

다리가 마르고 복부는 팽만해져 배꼽이 튀어나오고, 기침이 나면서 신피막이 커지면서 신우가 부어올라 달팽이나 밧줄처럼 꼬였다. 소변을 6, 7일간 보지 못하고 헐떡이는 상태였다. 내가 진단해보니 이는 치료하기 어려운 급성의 중증이므로 급히 대량의 제생신기환을 투여하였다. 부자, 육계를 1돈으로 하고 차전자, 복령, 댁사의 용량을 2배로 하였다. 2일분을 복용하니 소변이 점차 통하여 하루에 몇 방울 나오기 시작했다. 5, 6일분을 복용한 후 소변이 점점 더 잘 통하게 되고, 낭종도 줄어들었다. 원방을 감량하여 20일분을 처방하였다. 복창은 줄어들었지만 소년이 아주 여위었기 때문에 삼령백출산으로 조리하도록 하였다. 10세의 소아에게도 계지, 부자를 투약할 수 있다. 소아를 순양(純陽)이라고 하지만 여기에 구애받을 것은 아니다(《餘聽鴻 醫案》).

2. 예모씨. 여성 74세. 155 cm/50 kg. 2016년 11월 15일 초진

병력: 고혈압을 40여 년간 앓았다. 요독증으로 매주 세 차례 혈액투석을 한 지 이미 4개월이 되었으며 현재 피로와 배고픔을 자주 호소한다. 소변량이 극도로 적다. 하루에 항상 2-3회 설사를 한다. 일찍 잠에서 깨며 오른쪽 다리에 자주 경련이 일어난다.

체징: 체격은 수척하고 얼굴은 어둡고 누런색이며 입술도 어둡다. 다리에 가벼운 부종이 있고 비늘처럼 건조하다. 맥은 현(弦), 대(大), 약(弱)하고 76회/분. 설질은 옅은 붉은색이다.

처방: 회우슬 30 g, 차선자 20 g, 제부편(制附片) 10 g, 육계 10 g, 숙지황 30 g, 산수유 20 g, 산약 20 g, 목단피 15 g, 복령 15 g,

택사 15 g. 15일분을 처방하였다.

2017년 5월 10일: 위 처방을 지금까지 계속 처방하고 있다. 약을 복용한 후 정신이 맑아지고 얼굴색이 좋아졌다. 하지의 이상이 호전되었으며 소변량도 늘었다. 원방에 계지 10 g을 더하여 14일분을 처방하고 매일 1일분씩 복용하도록 하였다.

(9) 소건중탕

[적용소견]

낭창성 신염에서 복통, 변비가 보이는 경우

[참고사항]

1. 소건중탕을 적용할 환자는 얼굴이 누렇고 단 것을 좋아하며 쉽게 배고프다. 맥은 약하며 설태는 얇다. 얼굴이 붉고 기름지며 인후통이 있고 설태가 누렇고 끈적끈적한 환자에게는 신중히 투여한다.

2. 처방을 복용할 때 장명음, 설사가 있는 경우 백작약의 용량을 줄인다.

[전형증례]

진모씨. 여성. 38세. 161 cm/53 kg. 2013년 8월 24일 초진

병력: 4년 전 과민성자반증이 발병하였으며 최근 육안적 혈뇨가 세 차례 있었다. 평소에 쉽게 배고프고 단 것을 좋아하는데 저

혈당이 명확하다. 손발이 뜨겁다.

체징: 설질은 어두운 보라색이며 자반(紫瘢)이 있다. 맥은 깊게 누르면 무력하다.

처방: 계지 10 g, 육계 5 g, 백작약 30 g, 자감초 10 g, 건강 10 g, 홍조 30 g, 맥아당 50 g. 10일분을 5-2 복용법으로 투약하였다.

2013년 10월 12일: 육안적 혈뇨의 재발이 없다. 정신이 맑아졌으며 체중도 늘어 현재 55 kg 정도이다. 저혈당 발작도 없었다. 원방을 계속 복용하기로 하고 15일분을 처방하였다. 하루에 0.5일분을 복용하도록 하였다.

2013년 11월 26일: 현재까지 혈뇨가 없다.

8. 종양

종양은 양성 종양과 악성 종양으로 구분할 수 있다. 양성 종양은 천천히 성장하고 전이가 없으며 수술로 근치가 가능하여 재발이 드물고 예후가 양호하다. 지방종, 혈관종, 섬유종 등이 대표적이다. 반면 악성 종양은 암이라고도 하며 다수가 빠르게 증식하고 조기발견시를 제외하면 전이가 있다. 또한 일반적으로 수술에 의한 절제가 용이하지 않고 쉽게 재발하며 근치가 곤란하여 생명을 위협하는 등 예후가 좋지 않다. 간암, 폐암, 대장암 등이 이 같은 양상을 보인다.

종양의 주요 치료수단으로는 주로 수술 절제, 항암화학요법, 방사선요법, 중재요법, 중의약치료 등이 있다. 이 외에도 고열요법, 냉동요법, 광화학요법, 생물학적 요법, 유전자요법 등이 발전하고 있다. 현 시점에서 단일요법으로는 최적의 효과를 얻기 어렵다. 초기종양의 특수 유형 외에 대다수의 종양치료는 종합적 접근을 원칙으로 하며 여기에 중의약 치료도 포함된다.

종양 환자에서 중의 치료를 활용하는 경우는 다음과 같다. 첫 번째는 화학요법을 위주로 하는 서양의학적 종합치료에도 효과가 없거나 화학요법의 부작용이 큰 경우 또는 말기 종양 환자에게 화학요법을 시행하기 어렵거나 환자가 거부하는 경우이다. 두 번째는 환자의 연령대가 높거나 개인의 체질차이 혹은 주요 장기기능의 손상 등의 원인으로 진행암에서 통상적인 화학요법과 방사선요법의 병용요법을 받아들이기 어려운 경우를 들 수 있다.
경방은 거의 고통이 없고 부작용이 극히 적으며 비용이 저렴하므로 암 환자의 순응도가 높다.
경방에 의한 종양 치료의 기본적 사고의 맥락은 다음과 같다. 첫 번째, 체질상태를 조절하여 암의 발생 환경을 조절한다. 두 번째, 증상을 완화하여 삶의 실을 높인다. 세 번째, 종양의 크기보다는 환자의 생존기간 연장을 중시하고 암과 인간이 장기공존할 수 있도록 한다.
서로 다른 개인의 특징에 따라 종양의 치료에 일상적으로 선택하는 경방은 아래의 예와 같다.

(1) 자감초탕

[적용소견]

암 말기에 출현하는 악액질 혹은 종양화학요법 후 체질이 극도로 허약해진 환자. 임상에서는 여위고 빈혈과 부정맥이 있으며 대변이 건조하고 덩어리져 잘 풀리지 않는 소견의 환자에게 가장 유효하다. 식도암, 위암, 폐암, 혈액암, 구강암 등에 응용하는 경우가 많다. 종양화학요법 중에 심장손상이 나타난 환자에도 활용 가능하다.

[참고사항]

1. 자감초탕을 적용할 환자는 대부분 빈혈이 있으며 빈혈이 없

는 경우에는 처방의 효과가 좋지 않다.

2. 처방에 포함된 지황, 아교의 용량이 과다하면 식욕부진 및 복창, 설사를 유발할 수 있다.

3. 식욕이 좋지 않고 체질이 허약한 환자에게는 용량을 줄여 투약하는데 1일분을 2-3일에 걸쳐 복용하도록 한다.

4. 처방의 복용기간에는 환자가 동물성 단백질, 특히 족발, 소힘줄, 오리날개, 오리발 요리 등 콜라겐이 많은 음식을 섭취하도록 한다.

[전형증례]

탕모씨. 여성 89세. 155 cm/55 kg. 2013년 12월 6일 초진

병력: 근 5개월 동안 연하곤란이 있으며 1년이 채 안되는 사이 체중이 5 kg 줄었다. 위내시경진단상 식도점막저분화암으로 편평상피암 경향.

체징: 맥박이 불규칙하고 맥박 58회/분. 설질은 옅은 색이다.

처방: 자감초 20 g, 육계 5 g, 계지 10 g, 맥문동 30 g, 생쇄삼 10 g, 아교 10 g, 생지황 50 g, 생강 15 g, 대조 60 g, 화마인 10 g, 황주 5수저를 물에 달여 복용한다. 10일분을 2-1 복용법으로 처방하였다.

2014년 7월 22일: 상기 처방을 35일분 복용하였다. 근 반년 사이에 식욕이 이전처럼 돌아왔으며 체력도 회복되었다. 원방에 천문동 15 g을 더하여 20일분을 1-3복용법으로 처방하였다. 따로 돼지족발, 허벅지족발, 소힘줄, 찹쌀죽 등을 섭취하도록 하였다.

2014년 12월 내원: 모든 증상이 좋아졌다.

(2) 소시호탕

[적용소견]

종양에 발열, 오심, 구토가 수반된다. 발열이 반복 지속되며 찬 기운과 바람을 싫어하는 것을 특징으로 한다. 환자의 전신 소견은 비교적 양호하며 체중 감소는 뚜렷하지 않고 빈혈도 없다. 우울 경향이 있다. 위암, 간암, 폐암, 혈액종양 환자에서 비교적 많이 보이는 소견이다.

[참고사항]

1. 소시호탕은 오령산, 당귀작약산, 반하후박탕, 사역산 등과 합방하여 전신상태가 좋고 빈혈이 없는 종양 환자의 체질조리에 사용한다.

2. 바람을 싫어하고 몸에 통증이 있거나 알러지 과거력이 있다면 형개 15 g, 방풍 15 g을 더하여 처방한다. 백혈구 수치 저하에는 구기자 15 g, 여정자 15 g, 묵한련 15 g을 더하여 처방한다. 임파선 종양, 림프구성백혈병, 종양의 전이에 의한 림프부종이 있는 경우에는 연교 30–60 g을 더하여 처방하며 마른 체격 환자의 식욕부진에는 맥문동 30 g을 더하여 처방한다. 기침과 누런 가래 및 변비가 있으면 황련 5 g, 선과루 30 g을 더하여 처방한다.

[전형증례]

장모씨. 남성. 67세. 교사. 174 cm/70 kg. 2019년 1월 9일 초진

현 병력: 폐선암 중기로 수술을 한 상태이며 현재까지 흉통이 현저하여 신음을 멈추지 못한다. 푸단대 화산병원에서 2018년 12월 18일 방사선 진단을 받은 결과 폐암수술 후 우폐문 음영의 증가 소견이 있으며, 우측 폐에서 소결절 음영 및 반점형 음영(Patchy shadow)이 관찰된다. CT검사와 결합결과 우측흉강에 소량의 삼출액 및 경도의 흉막반응이 있다. 불면과 심하면 10–60분에 한번은 소변을 봐야 하는 잦은 야뇨가 있다. 때때로 두통이 있고 식욕은 중간 정도이다.

체징: 신체우측늑하부에 대상포진이 있고, 복부에 압통은 없다. 맥은 현활(弦滑)하고 설질은 검붉으며 설태는 건조하고 찐득거리며 두껍다.

처방 1: 시호 20 g, 황금 15 g, 강반하 15 g, 당삼 15 g, 생감초 5 g, 황련 5 g, 전과루 30 g, 홍조 20 g, 건강 5 g. 7일분을 처방하고 이른 저녁에 복용하도록 하였다.

처방 2: 노근 50 g, 생의이인 50 g, 동과인 50 g, 도인 15 g. 7일분을 처방하고 탕약을 차 대신 음용하도록 하였다.

2019년 1월 23일: 약 복용 후 흉통이 경감되고 신음이 사라졌으며 수면 상태도 호전되었다. 야뇨는 세 차례 정도로 호전되었다. 약간의 설사 소견이 있다. 원방 20일분을 5–2 복용법으로 처방하였다.

(3) 시령탕

[적용소견]

종양에 발열, 오심구토, 설사가 수반되는 환자. 만성림프구성 백혈병, 폐암, 대장암, 간암, 난소암, 유선암에 많이 처방한다.

[참고사항]

1. 이 처방을 투약할 환자들은 얼굴이 누렇거나 기미가 있다. 부종이나 체강내 삼출액이 있다. 차가운 날씨를 힘들어하고 피부 가려움, 발적, 신체의 통증이 있다. 설질은 어둡고 부어서 커져있으며 설변에 치흔이 있다.

2. 차가운 날씨를 싫어하고 피부 가려움증이 있는 환자에는 형개 20 g, 방풍 15 g을 더하여 처방한다.

3. 복약 중 찬 음식이나 날 것의 섭취는 금기로 한다.

[전형증례]

유모씨. 여성. 56세. 161 cm/45 kg. 2018년 8월 21일 초진

병력: 악성림프구성백혈병이 발병한지 1년이 넘었다. 2017년 4월 이마티닙(imatinib) 복용. 실험실 검사상(2017년 7월 31일 퇴원기록): 급성림프구성백혈병 필라델피아 염색체 양성 PH(+)(B세포형), 남경시 고루병원에서 2018년 3월 14일 활동성 골수증 진단을 받았으며 2018년 8월 12일의 생화학 섬사 상 젖산탈수소효소(LDH) 285 U/L(참조치 109−245 U/L). 현재 무기력하며 찬 기운

을 힘들어한다. 물을 마시려 하지 않고 마시면 오심이 생긴다. 자주 위산 역류가 있고 피부의 가려움은 없다. 식욕과 수면 상태는 보통이며 대변도 정상이다. 기왕력으로는 페니실린 과민, 담결석으로 담낭절제술 등이 있다.

체징: 현재 하지의 가벼운 부종이 있다. 설태가 두껍고 맥은 현활(弦滑)하다.

처방: 시호 15 g, 황금 10 g, 강반하 15 g, 당삼 15 g, 생감초 5 g, 계지 15 g, 백출 20 g, 복령 20 g, 저령 20 g, 택사 20 g, 건강 5 g, 홍조 20 g. 15일분을 5-2 복용법으로 처방하였다.

2018년 10월 9일: 약물 복용 후 정신이 맑아지고 식욕이 호전되었다. 복부의 진수음은 현저하지 않으며 경도의 하지부종이 남아있다. 원방에 생쇄삼 5 g을 더하여 20일분을 처방하였다. 복용법은 전과 같다.

(4) 서여환

[적용소견]

종양 환자이면서 다음 4가지 소견에 속하는 경우: ① 악성종양 환자로 체중감소 ② 종양으로 항암화학요법 후 식욕부진 ③ 폐암, 대장암, 위암, 다발성골수종 등 종양 ④ 고령 노인의 종양으로 보수적 접근이 필요한 환자

[참고사항]

1. 서여환은 본래 "허로로 제부족이 있고 풍기(風氣)로 백병이 일어난 것"을 치료한다. 이 처방은 종양 환자에서 많이 볼 수 있는 메마르고 건조한 환자로 빈혈기가 보이는 소견에 쓴다. 맥은 세약(細弱)하며 설질은 옅은 색이다. 쉽게 감기에 걸리고 기침, 담을 토한다. 미열을 수반하거나 식욕부진한 경우가 많으며 풀어지는 대변을 본다. 다수가 고령의 노인에서 보이며 종양 수술 후 화학요법, 위절제술 후, 폐기능저하, 대량의 출혈 등 상태에서 중증의 영양장애가 발생한 환자에 활용할 수 있다.

2. 서여환은 종양 환자에 널리 사용할 수 있는 조리방으로 식욕을 증가시키고 빈혈을 개선하며 백혈구를 증가시키고 삶의 질을 개선하여 생존기간을 연장시킨다. 화학요법 주기 사이에 복용하여 부작용을 감소시킬 수 있다.

3. 이 처방은 효과가 날 때까지 장기복용할 필요가 있다. 일반적으로 3개월 치료를 1회의 치료과정으로 한다. 매일 10 g씩 식후에 복용하며(《金匱要略》)의 용량 비율대로 밀환(蜜丸)이나 고제(膏劑)로 조제하여 장기복용하는 것도 좋다.

[전형증례]

이모씨. 여성. 79세. 155 cm/37 kg. 2011년 7월 9일 초진

병력: 환자는 결장암으로 2011년 3월 31일 "췌십이지장절제술 및 좌반결장절제술"을 받았다. 수술 후 체중감소가 현저하며 목소리가 쉬어서 나오지 않고 구강건조증, 기침, 끈끈하여 뱉어 내기

어려운 가래, 무력한 보행상태, 어지러움, 찬 것을 싫어하는 소견, 식욕부진 등이 나타났다.

체징: 체격은 수척하고 얼굴도 초췌하다. 눈두덩이 쑥 들어가있으며 피부가 얇고 근육이 적다. 얼굴이 붉고 정신은 맑으며 설질에 광택이 있고 설태는 적다. 맥은 공(空), 현(弦)

처방: 생쇄삼 10 g, 복령 10 g, 생감초 5 g, 당귀 10 g, 백작약 10 g, 생지황 15 g, 시호 15 g, 방풍 15 g, 행인 15 g, 길경 10 g, 신곡 16 g, 대두황권 10 g, 건강 10 g, 산약 30 g, 홍조 30 g, 맥문동 20 g, 육계 10 g, 아교 10 g. 7일분을 처방하고 1일분을 5일에 나누어 복용하도록 하였다.

2013년 3월 3일: 2년간의 한약 복용 후 증상에 호전이 있었음을 스스로 인지하고 있다. 식욕은 항상 좋고 체중도 최근 늘어서 41 kg을 앞두고 있다. 서여탕 하루분을 3일에 나누어 따뜻하게 하여 계속 복용하도록 하였다.

2018년 9월 12일: 2014년부터 서여환으로 바꾸어 계속 복용 중이다. 지금까지 매일 아침에 일어나 5 g을 따뜻한 물에 복용하고 있다. 사고가 명료하고 말도 뚜렷하다. 일상활동은 정상이다. 종종 작은 에세이나 시를 쓰며 사진촬영도 즐긴다. 현재 체중 45 kg. 입이 마르므로 서여환 외에 별도로 매일 맥문동 한줌씩을 차처럼 끓여 마신다.

2019년 12월 15일 WeChat을 통한 회신: 서여환을 계속 복용한 이래 감기에 걸리지 않고, 기침도 나지 않는다. 최근 X선검사에서 양폐좌우 하각이 회복되어 첨형으로 돌아간 것을 확인했다.

(5) 맥문동탕

[적용소견]

위암, 식도암 등 환자에서 구토, 섭취곤란, 식욕부진, 잘 해소되지 않는 변비, 구강건조증 등이 나타나는 경우. 다수의 환자가 극노로 여위고 목소리는 쉬어서 잘 나오지 않으며 말이 또렷하지 않는 등의 소견을 보인다. 목소리는 쉬어있으며 말소리가 맑지 않은 등의 증상이 있다. 비인두암화학요법 후 구강건조, 말기폐암, 구강암, 인후암 등에 활용할 수 있다.

[참고사항]

1. 이 처방은 맑은 향이 나고 맛이 좋으며 개위(開胃), 자보(滋補)하는 작용이 있다. 처방 중 갱미는 같이 탕전하므로 본 처방은 이런 점에서 일종의 약죽이라고 할 수 있다. 따라서 이 처방은 소화기종양 및 섭식장애, 식욕부진에 매우 적합하며 갱미는 없어서는 안되는 약물이다.

2. 처방에서 맥문동과 반하의 용량은 비례하므로 임상에서 반하 하루 투여량이 6 g이라면 맥문동은 40 g 이상 쓴다.

3. 연하곤란, 식욕부진 환자에게는 처방의 탕전액을 소량으로 여러 차례 복용하도록 한다. 원문에는 하루 4회, 낮 3회, 밤 1회 복용하도록 규정하고 있다.

4. 빈혈 환자에는 아교, 생지황을 더하여 처방한다. 변비에는 화마인을 더하여 처방한다.

[전형증례]

이모씨. 여성. 55세. 163 cm/57 kg. 2018년 9월 10일 초진

현 병력: 좌측 설암수술 후 1년이 경과하였다. 최근 방사선 요법 후 구강 내 궤양이 생겼고 찌르는 통증이 수반되어 "혀 끝에 소금을 뿌린 것 같다"고 한다. 유동식만 먹을 수 있고 체중은 10 kg 줄었다. 입안과 목구멍이 건조하며 혀를 설압자로 누르면 오심이 있다. 대변은 며칠 걸러 한번 본다. 고혈압과 2형 당뇨 기왕력이 있고 수년간 채식을 해왔다.

체징: 얼굴은 누렇고 어두우며 목소리는 쉬었다. 설첨(舌尖)이 붉고 설질 우변에 넓은 궤양이 있다. 인후 좌측이 붉게 부어있다. 눈꺼풀 색이 옅다.

처방: 강반하 10 g, 맥문동 30 g, 당삼 15 g, 자감초 20 g, 홍조 30 g, 갱미 한줌, 생지황 30 g, 아교 10 g(녹여 넣는다), 화마인 10 g. 7일분을 하루 4회 나누어 복용하도록 하여 처방하였으며, 차게 복용하도록 하였다.

2018년 10월 16일: 체중이 늘어 58.2 kg가 되었고 얼굴이 다시 붉어졌고, 눈꺼풀에도 혈색이 돌아왔다. 배고픔을 느낄 수 있게 되었고 정신상태도 호전되었다. 쉽게 입주변이 마르며 이때 토하고 싶다고 호소한다. 가래가 있다. 혀의 통증은 개선되었고 대변 상태도 양호하지만 아직 미각은 없다. 원방에 천문동 15 g을 더하여 15일분을 처방하고 격일로 복용하게 하였다.

(6) 황금탕 합 백두옹탕

[적용소견]

대장암, 자궁경부암 등에서 혈변, 질출혈이 있는 경우

[참고사항]

1. 환자 다수는 체격이 건장하고 크다. 얼굴은 기름지거나 말랐으나 눈동자에 충기가 있으며 번조가 있는 모습이다. 눈꺼풀이 충혈되어 있고 입술과 설질이 붉으며 설태는 누렇거나 말라있다. 맥은 활삭(滑數)하다. 밤중에 불안하고 도한이 있다. 이급후중이 있고 항문에 종창이 생겨 작열감이 느껴진다. 복부를 누르면 작열감이 느껴지고 대변 냄새가 심하고 끈끈하여 불쾌하다. 황적색 소변이 나오기도 한다. 질분비물에서 비린내가 나기도 하고 자궁에서 끈적이는 출혈이 있기도 하다. 구강 내의 궤양과 입마름 및 입안의 쓴 느낌, 입냄새 등도 있을 수 있다.

2. 변비가 악화되면 백작약 용량을 늘려 처방한다. 대황을 같이 늘려도 좋다. 발열이 있거나 찬 것을 싫어하면 시호를 더하여 처방하며, 식욕부진에는 인삼 10 g, 당삼 20 g을 더하여 처방한다. 고령의 신체가 쇠약한 환자가 암, 화학요법을 받는 경우에는 서여환을 합방하여 처방한다.

3. 처방 시에 환자가 권태로워하고 입술이 옅은 흰색으로 메말라있으며 맥이 침완(枕緩)한 경우에는 신중히 투여한다. 실사가 심한 환자에게는 투여를 중단한다. 식욕부진이 있거나 간기능 이

상이 발생하는 환자도 복용을 중단하게 한다. 얼굴이 푸르스름해지고 눈 주변이 어둡게 변하는 환자도 복용을 중단하게 한다.

[전형증례]

1. 범모씨. 여성 52세. 153 cm/62.5 kg. 2019년 4월 17일 초진

현 병력: 2018년 6월 자궁내막암 IIIa기로 수술 후 화학요법 5회. 현재 방사선 요법은 받지 않는다. 최근 배변 시 선홍색 혈변이 보였다. 때때로 구강궤양이나 각기가 생긴다. 식욕은 좋고 대변은 격일에 한 차례씩 본다.

체징: 인후부가 붉고 맥은 활(滑)하다.

처방: 황금 15 g, 백작약 15 g, 생감초 5 g, 백두옹 10 g, 진피(秦皮) 10 g, 황백 10 g, 황련 5 g, 홍조 30 g. 15일분을 처방하고 격일로 복용하도록 하였다.

2019년 5월 22일: 혈변이 멈추었으며 하체의 분비물과 항문 통증도 소실되었다. 식욕도 정상으로 돌아와 복약 후 체중이 늘었다. 원방에 자감초 5 g을 더하여 15일분을 상기와 동일한 복용법으로 처방하였다.

2. 시모씨. 남성. 76세. 167 cm/52 kg. 2018년 8월 20일 초진

주소: 2개월 전 소장간질종양을 수술하였다. 현재 배가 불러오르며 어지러움을 호소하고 더운 것을 싫어하여 밤중의 번조로 잠을 이루지 못하고 물을 찾는다. 끈적거리는 대변을 하루에 한 차례 본다. 입마름이 있다.

체징: 체격이 수척하며 얼굴과 눈꺼풀이 붉고 입술은 검붉다. 맥은 현활(弦滑)하고 빈맥이 자주 보인다.

처방: 황련 5 g, 황금 15 g, 백작약 15 g, 생감초 5 g, 황백 10 g, 홍조 20 g, 백두옹 5 g, 진피(秦皮) 5 g. 7일분을 처방하였다.

2018년 8월 27일: 더운 것을 싫어하는 소견 및 복창 증상이 소실되었다. 원방 10일분을 5−2 복용법으로 처방하였다.

2018년 9월 10일: 복약 후에 어지러움이 나타나지 않으며 복창은 이미 없다. 약 맛도 견딜 만 하다. 현재는 대변이 건조하고 덩어리져 이틀에 한 차례 변을 보고 상초열로 우측 어금니가 붓고 통증이 있으며 수면 상태가 썩 좋지 않다는 것이 주소증이다. 설태는 두껍고 맥은 활(滑)하다. 원방에 생대황 10 g(別包)을 더하여 10일분을 처방하였다.

2018년 11월 6일: 약물 복용 후 편안해하고 배가 부풀지 않는다고 직접 말해왔다. 대변은 잘 통하며 약맛도 쓰게 느껴지지 않는다. 원방 15일분을 1−1 복용법으로 처방하였다.

(7) 형개연교탕

[적용소견]

폐암, 비인두암, 림프암에서 기침, 혈담(血痰)이 있고 가슴이 답답한 경우. 폐암 등에서 약물 복용 후 피부의 가려움, 농포가 있는 경우에 널리 활용한다.

[참고사항]

1. 형개연교탕을 적용할 환자들은 대부분 얼굴이 붉게 달아오르거나 검붉으며 기름기가 돈다. 입술은 붉고 인후는 충혈되어 있으며 설질도 붉다. 흉늑부에 저항감 혹은 압통이 있다. 복근은 긴장된 편이고 자주 번조, 초조감, 혹은 우울증 등이 있으며 불면이나 기면(嗜眠), 두통 및 어지럼증, 피로, 찬 것을 싫어하는 소견 등이 자주 보인다. 여성에게서는 월경통, 자궁경부의 염증, 미란, 질염 등이 쉽게 나타나며 남성에서는 다한증, 액취증, 무좀 등이 보인다.

2. 입이 마르고 갈증이 있으며 도한, 맥활삭(脈滑數) 소견이 보이는 경우 생석고 30 g 이상을 더해 처방한다. 변비가 있고 설태가 두터우면 생대황 10 g을 더하여 처방한다.

3. 이 처방은 간손상을 유발할 수 있으므로 간기능 이상 환자에 대한 투여는 금기이다. 2개월 이상 투여 시에는 간기능검사를 시행한다.

4. 장기 복용이나 대용량 투약은 부적절하다. 증상이 개선되면 점진적으로 용량을 줄일 수 있다.

[전형증례]

유모씨. 여성. 53세. 163 cm/70 kg. 2019년 1월 22일 초진

현 병력: 유선암 폐전이. 2016년 8월 표적항암제 복용을 시작한 후 엄지발가락에 농포가 생겼다. 식후에 배가 그득해지거나 하는 증상은 없지만 대변을 3–4일에 한 차례 본다. 무좀이 있고 입마름 때문에 차를 끓여마시는 것을 좋아한다. 간혹 혈변, 변비 소견이

있다.

기왕력: 1995년 이하선 림프종, 2012년 뇌경색, 2015년 유선암

가족력: 부친 고혈압, 모친 뇌출혈

체징: 체격은 중간에서 약간 비만한 편. 얼굴과 설질은 검붉은 색이며 좌측 설체에서 반흔을 볼 수 있다. 맥은 침활(沈滑)하다.

처방: 형개 15 g, 방풍 15 g, 연교 30 g, 시호 15 g, 길경 10 g, 지각 10 g, 생감초 10 g, 황금 10 g, 황련 5 g, 황백 10 g, 백작약 10 g, 백지 10 g, 치자 10 g, 당귀 10 g, 천궁 10 g, 생지황 15 g, 박하 5 g. 15일분을 처방하고 하루에 0.5일분씩 복용하도록 하였다.

2019년 2월 26일: 피부손상 소견과 발 위의 농포가 감소하였다. 대변은 1일 1회. 원방에 건강 5 g을 더하여 10일분을 처방하였다. 하루에 0.5일분씩을 복용하고 일주일에 2일분 분량만 복용하도록 하였다.

2019년 6월 4일: 매주 3일분씩을 복용하고 있다. 피부의 농포는 기본적으로 조절되었으며 얼굴의 피부 손상도 없어졌다. 손 위의 주름도 줄었으며 최근에는 심한 구강궤양도 없고 땀도 나지 않는다. 원방 생석고 40 g을 더하여 25일분을 처방하고 일주일에 2일분 분량씩 복용하도록 하였다.

(8) 온비탕

[적용소견]

말기 종양 환자에서 악성 변비와 복통이 있고 배가 불러오르는

경우. 환자 다수가 신경쇠약이 있고 허약한 모습이다. 변비가 있어 며칠씩 변을 보지 못하고 견디기 어려운 복창통이 있다. 식욕부진으로 때때로 며칠씩 식사를 못한다. 설태는 두껍고 끈적끈적하며 흰색일 때도 있고 누런색일 때도 있다.

[참고사항]

1. 온비탕은 전통적인 온하지통(溫下止痛) 처방으로 말기종양 환자에서 장폐색, 장유착이 수반되는 경우 많이 활용된다. 이 환자들은 나뭇가지처럼 피골이 상접한 경우가 많으며 복통이나 변비가 있어도 공하법으로 치료할 수 없다.

2. 이 처방은 복부에 냉통(冷痛)이 있고 설태가 희고 두꺼운 소견이 있는 환자에게 가장 적합하다. 더운 것을 싫어하고 땀이 많으며 입이 말라 물을 마시고 싶어하고 대변이 건조하여 변이 잘 나오지 않는 환자에게는 부자, 건강을 제거하고 현삼, 맥문동을 더하여 처방한다.

3. 처방 중의 현명분(玄明粉)은 사하통변약이므로 변을 보면 투약을 중단해도 좋다.

[전형증례]

나모씨. 남성. 77세. 2017년 5월 27일 초진

병력: 4개월째 복통이 있고 트림이 나온다. 2017년 5월 23일 CT상 췌장의 체부와 미부에 악성의 공간점유성 병변(6.1×4.3×3.5 cm)이 자리잡고 있으며, 병변과 위(胃) 후복벽 사이 및 비장

문부에 다발성 전이결절(1 cm)이 위치한다. 지라정맥은 종양에 의해 압박을 받아 폐색되었다.

체징: 체격은 수척하고 힘이 없으며 얼굴이 어둡고 누렇다. 혀는 보라색이고 말라 비틀어졌다.

처방: 계지 20 g, 육계 10 g, 백작약 30 g, 적작약 30 g, 자감초 10 g, 건강 10 g, 홍조 30 g, 맥아당 50 g, 생쇄삼 10 g. 7일분을 처방하였다.

2017년 5월 31일: 증상은 위와 같아 복창, 복통이 있고 식욕이 좋지 않으며 소화도 잘 되지 않는다. 복부를 두드리면 가스가 있으며 좌하복부에 압통이 있다.

처방: 생대황 10 g, 현명분 10 g(별도로 충복. 변을 보면 중단한다.), 자감초 10 g, 제부편 15 g(先煎 30분), 건강 10 g, 홍삼 10 g, 당귀 10 g, 육계 10 g. 3일분을 처방하고 현명분은 변이 통하면 중단하기로 하였다.

2017년 6월 3일: 복통이 완화되었다.

처방 1: 원방

처방 2: 서여환 500 g. 매일 10−20 g

2017년 7월 13일: 심리적으로 안정되었다. 췌장과 위의 공간점유성 병변 5×4.4 cm이며 소량의 복수가 있다. 원방에서 육계를 제거하여 계속 처방하였으며 서여환은 위와 같이 계속 복용하게 하였다.

9. 골관절염

골관절 질환은 그 범위가 비교적 넓은데 일반적으로는 경추질환, 요추질환, 골관절염, 오십견, 류마티스 관절염, 대퇴골두괴사, 윤활낭염, 활막염, 통풍성 관절염 등이 있으며 중의에서는 이들을 통틀어 비증(痺證)이라고 한다.
경추증은 경추증후군이라고도 하며 경추골관절염, 퇴행성 경추염, 경추신경근증, 경추간판탈출증 등을 아우른다. 이들은 퇴행성 변화가 기본적 병리인 질환으로 주로 경추의 장기간의 피로 및 손상, 골증식, 추간판 탈출, 인대비후 등이 경추 척수의 신경근 혹은 추골동맥에 압박을 주어 발생하는 일련의 기능장애가 관찰되는 임상 증후군이다. 이 질환은 40대 이상의 환자에서 흔히 보인다.
요추질환은 요추간판탈출, 요추 골증식, 요추근육긴장 및 요추염좌 등을 통틀어 지칭하는 것으로 전형적인 임상 증상은 요통 및 하지로의 방사성 통증이다. 일부 증례에서는 하지의 감각저하, 냉감 및 간헐적 파행 등이 동반된다.
골관절염은 가장 흔한 관절병변의 하나로 명칭도 매우 다양하여 비대성골관절염, 퇴행성관절염, 변형성관절염, 증식성골관절염, 골관절질환 등으로 불리지만 이들은 모두 하나의 질환이다. 중국에서는 용어를 골관절염으로 통일하여 사용하고 있다. 유병률은 연령 증가에 따라 증가하며 여성이 남성에 비해 많다. 골관절염은 주로 원위 및 근위 지간관절, 슬관절, 주관절, 견관절 및 척수관절에서 잘 나타나며 손목 및 발목관절에는 잘 나타나지않는다. 골증식성 변화는 골관절염의 주요 징후로 뼈와 관절의 퇴행성 변화이다.

동결견은 어깨 근육, 힘줄, 윤활낭 및 관절낭 등 연부조직의 만성 염증으로 50세 전후환자에서 비교적 흔하게 나타난다.

류마티스 관절염은 관절의 활막염을 특징으로 하는 만성 전신성 자가면역질환이다. 활막염이 장기간 반복적으로 일어나게 되면 관절의 연골과 뼈의 파괴, 관절 기능 장애는 물론 신체의 불구로까지 이어질 수 있다.

관절통은 골관절 질환의 주요 증상이지만 한편으로는 주관적인 소견이므로 개별 환자가 호소하는 관절통 증상의 실제 의미는 각기 다를 수 있으며 이에 적용할 경방도 제각각 달라지게 된다.

경방을 통한 골관절염의 치료는 관절통 및 부종과 같은 국소 증상의 제거에 주의를 기울일 뿐만 아니라 환자 개인의 상태 또한 중요하게 고려하여 이병동치(異病同治) 원리에 따른 개인 맞춤 치료를 강조한다.

서로 다른 개인의 특징에 따라 골관절염의 치료에 일상적으로 선택하는 경방은 아래의 예와 같다.

(1) 작약감초탕

[적용소견]

각종 근경련질환 및 족부경련과 통증을 특징으로 하는 질환. 비복근경련, 좌골신경통, 급성요추염좌, 요추근긴장, 요추척추증, 당뇨병성족부병증, 하지의 정맥혈전증, 대퇴골두의 무혈성괴사, 골증식증, 발 뒤꿈치 통증 등

[참고사항]

1. 작약감초탕은 고대의 해경지통(解痙止痛) 처방으로 적응증이 있는 환자들은 대부분 다리의 통증, 복통, 변비, 근육경련을 자주 겪는다. 환자의 체형은 다양하지만 다수에서 근육이 긴장되어 있으며 특히 복벽근육이 긴장되어 있어 누르면 비교적 단단하다. 누르지 않으면 아프지는 않으나, 누르면 통증을 호소한다. 허리의 근육긴장과 경련도 흔하다. 통증은 다수에서 견인통으로 나타나고 발작성으로 찌르는 것 같거나 전기가 통하는 것 같은 소견이 나타나는 경우가 많다.

2. 다리의 통증과 감각이상, 경련 및 보행장애 등이 나타나는 것이 본 증의 특징이다.

3. 대변이 건조하여 밤알처럼 덩어리지거나 배꼽 주변에 복통이 있는 환자들에게 효과적이다.

4. 통증이 심한 경우 부자 15 g을 더하여 처방한다.

[전형증례]

J모씨. 여성. 48세. 2018년 10월 21일 초진

좌측 허벅지의 심한 통증이 2주째 지속되어 걷기도 어렵다. 가족의 도움을 받아 몸을 굽힌 채로 병원에 내원했다. 통증을 참기가 어려우며 앉기도 힘들고 서기도 힘들다고 호소한다. 모 병원의 CT 검사상 요추의 퇴행성 변화, 첫 번째 척추의 요추화, 요추추간판탈출이 나타났다. 수술을 고려해야 했으나 환자가 수술을 원하지 않고 중의 치료를 원했다. 환자는 수척하고 허리와 복부 근육이 긴장되어 있었으며 허리의 근긴장이 더 뚜렷하여 만져보니 단단하기가 철판과 같았다.

처방: 생백작약 60 g, 생감초 15 g. 5일분을 처방하였다. 처방전을 받은 후 환자가 이상하게 생각하며 돌아와 물었다.

"약물이 두 종류 뿐인데 효과가 있나요?" 나는 웃으며 대답했다. "먹어 보세요!"

2018년 10월 28일 재진: 복용 후 통증이 크게 줄었다. 가만히 앉아 있으면 아프지 않고 걸을 수 있다. 그러나 걸을 때 여전히 통증은 있다. 환자와 가족 모두 놀라고 즐거워하며 계속해서 신기하다고 한다. 허리 근육을 촉진해보니 긴장이 완화되었다.

처방: 원방을 증량하여 생백작약 100 g, 생감초 20 g. 10일분을 5-2 복용법으로 처방하였다.

2018년 11월 4일 3차 진료: 통증은 완화되었고 앉거나 걸을 때 증상이 없다. 약을 복용한 후 경미한 설사가 있었다. 폐경된 지 반 년이 지났는데 다시 월경이 있다. 원래 월경혈은 흑색이었는데 이

번에는 선홍색이다(梁佑民 案例).

(2) 계지복령환

[적용소견]

얼굴이 검붉으며 변비가 있는 요퇴통환자. 요추간판탈출, 요추협착증, 경막외혈종, 골반골절, 요추염좌, 발목염좌, 통풍성관절염, 좌골신경통, 당뇨병성족부병증, 하지정맥혈전증, 대퇴골두무혈성괴사, 골증식증, 발꿈치 통증 등에 많이 활용한다.

[참고사항]

1. 계지복령환을 투약할 환자들은 얼굴이 붉거나 자홍(紫紅)색이다. 복부는 충실하고 좌하복부를 누르면 저항감과 압통이 있다. 두통, 어지러움, 불면, 번조, 두근거림이 있으며 설질은 어둡거나 자반(紫瘢)이 있다. 이와 같은 주요 증상이 없는 환자에는 신중히 투여한다.

2. 이 처방은 경전의 활혈화어(活血化瘀) 처방으로 어혈증이 없는 환자, 잦은 출혈경향을 보이는 환자, 응고기능장애 환자에게는 금기이다.

3. 통증이 심한 경우에는 부자 15 g(선전), 세신 10 g을 더하여 처방한다. 변비가 있고 대변이 덩어리지는 경우에는 회우슬 30 g, 법제대황 10 g을 더하여 처방한다. 요통, 허벅지 통증, 간헐성 파행, 건조하고 덩어리지는 대변, 비늘처럼 일어나는 피부, 두 눈이

어두운 경우 등에는 수질 10 g, 자충 10 g을 더하여 처방한다.

[전형증례]

전모씨. 남성. 65세. 2017년 2월 20일 초진

병력: 허리와 다리의 시린 통증이 1년여 전부터 지속되었다. 꿈을 많이 꾸고 잠에서 일찍 깨며 다리에 자주 경련이 있다. 5년 전 뇌경색이 있었으며 요추 추간판탈출증과 전립선염도 있다.

체징: 얼굴빛과 설질이 검붉으며 설하정맥이 충혈되어 보라색 어혈 소견이 보인다.

처방: 계지 15 g, 적작약 15 g, 목단피 15 g, 도인 15 g, 복령 15 g, 법제대황 5 g, 천궁 15 g, 회우슬 30 g. 15일분을 처방하였다.

2017년 5월 10일 전화통화: 약의 효과는 매우 좋다. 허리와 다리의 통증은 개선되었고 근경련도 줄어들어서 걸어갈 수 있는 거리가 늘었다.

2017년 5월 22일:

처방 1. 원방 가 갈근 40 g, 법제대황 10 g. 15일분을 처방하였다.

처방 2. 육계 100 g, 적작약 150 g, 목단피 150 g, 도인 150 g, 복령 150 g, 회우슬 200 g, 천궁 150 g, 법제대황 50 g, 수질 50 g, 자충 50 g, 갈근 400 g, 삼칠분 50 g. 밀환(蜜丸)으로 매일 10 g을 복용하게 하였다.

2017년 11월 6일: 약 복용 후 하지의 근경련과 시린 통증이 크게 호전되었다. 상기의 환제 1회분을 동일한 복용법으로 처방하였다.

(3) 마황부자세신탕

[적용소견]

찬 것을 싫어하는 소견이 뚜렷하며 무한(無汗), 신경쇠약이 있고 맥이 침세(沈細)한 요통, 골관절염 환자에 활용할 수 있다. 본 처방은 특히 통증이 극심하고 돌발성이며 찬 기운을 접하면 더 악화되는 허리 및 다리의 통증에 적합하다. 좌골신경통, 요추간판탈출증, 요추염좌, 골증식, 경추질환, 통풍성관절염, 류마티스성관절염, 전이암에서의 통증 등

[참고사항]

1. 이 처방은 고대의 온열성 진통제이며 경전의 온경산한(溫經散寒) 처방이다. 이 처방은 신경쇠약, 오한, 무한(無汗), 신체의 통증, 맥침(脈沈)을 특징으로 하는 질환에 쓴다. 환자는 얼굴빛이 누렇고 어두우며 맥이 침(沈)하다. 만약 환자가 더운 것을 싫어하고 얼굴에 붉은기가 돌고 희며 맥이 삭(數)하다면 신중히 투여하거나 금기로 한다.

2. 통증이 심한 경우 부자를 단계적으로 증량할 수 있다. 단, 부자는 독성이 있으므로 장시간 탕전하여야 한다. 통상 부자의 용량을 10 g 증가시킬 때마다 탕전시간도 15분씩 늘린다.

3. 처방 복용 후에는 바람을 피하고 땀을 내도록 한다.

4. 이 처방을 장기간 투약하거나 대용량으로 복용해서는 안된다. 일반적으로 효과가 나타나면 복용을 중단하거나 복용량을 줄

인다.

5. 허리와 다리의 근육경련과 통증이 있다면 백작약 30 g, 감초 10 g을 더하여 처방한다. 변비에는 대황 10 g을 더하여 처방한다. 목덜미와 등줄기가 긴장되고, 피부가 건조하다면 갈근탕을 합방하여 처방한다.

[전형증례]

가화의 李君이 玉堂에 있을 당시 음력 6월었는데 갑자기 좌측 발에 통증이 생겨 침상에서 돌아눕지 못하고 신음소리가 문 밖까지 새어나온다. 진찰해보니 맥이 침긴(沈緊)하고 설태가 희며 입이 쓰거나 마르지는 않았다. 이는 풍한(風寒)이 소음(少陰)에 직접 들어간 것으로 당연히 중경의 마황부자세신탕을 써야 한다 … 세 약을 각 1錢씩, 모두 합쳐 3錢을 물 2잔에 달여 두 번에 나누어 복용한다. 한 번 복용하면 호전을 알 것이고, 두 번 복용하면 평소처럼 걸을 수 있을 것이다. 경방의 뛰어난 효과는 사람들을 놀라게 한다.(《遯园医案》)

(4) 황기계지오물탕

[적용소견]

골관절질환으로 팔다리의 통증 및 감각저하, 무력, 강직, 운동장애, 근육위축이 나타나는 환자에게 쓴다. 본 처방은 골관절염, 경추질환, 추간판탈출증, 오십견, 골증식증, 당뇨 및 그 합병증에 활용할 수 있다.

[참고사항]

1. 황기계지오물탕은 중년층 및 고령자에게 많이 쓴다. 얼굴이 누렇고 어두우며 피부는 탄력이 없고 늘어지며 건조하다. 쉽게 붓고, 손발톱은 노랗고 두껍다. 설질은 어둡고 맥은 현(弦), 삽(澁), 미(微)하다.

1. 얼굴이 붉고 기름기가 있으며 설질이 붉고 설태가 누런 환자에게는 신중히 투여한다. 식욕이 좋지 않고 배가 더부룩하며 변비가 있는 환자에게도 신중히 투여한다.

2. 허리와 다리에 통증이 있으면 회우슬 30 g을 더하여 처방한다. 목덜미와 등줄기 통증에도 갈근 30 g을 더하여 처방한다. 관절종통, 입마름, 부종, 다한(多汗)에는 황기 30 g, 백출 20 g, 분방기 30 g을 더하여 처방한다.

[전형증례]

영모씨. 남성. 60세. 2012년 8월 27일 초진

병력: 다년간 경추질환을 앓아왔다. 좌반신 및 양측 하지의 감각저하와 저림이 있고 걸을 때 힘이 없다. 경부 MR에서 C2−C3, C3−C4, C4−C5, C5−C6, C6−C7 추간판 탈출. C4−C5에서 척추관협착 및 경추변성, 경추퇴행성 병변

체징: 체격은 중간 정도이며 얼굴은 약간 검붉고 양측 손, 발, 손발톱이 마르고 황색을 띈다. 설질의 색은 연하며, 맥은 허(虛),

현(弦)하다.

처방: 생황기 60 g, 계지 20 g, 육계 10 g, 적작약 30 g, 갈근 60 g, 천궁 20 g, 회우슬 30 g, 건강 15 g, 홍조 30 g. 10일분을 5-2 복용법으로 처방하였다. 하루 세 차례 복용하도록 하였다.

2012년 9월 10일: 약을 복용한 후 허리 위쪽으로 땀이 많이 난다. 목의 경직감이 호전되었고, 하지의 부종도 줄었다. 식욕은 좋으며 배고픔이 느껴진다. 원방 15일분을 5-2 복용법으로 처방하였다.

(5) 계지가부자탕

[적용소견]

골관절염에서 땀이 많으면서 바람을 싫어하는 소견이 뚜렷하며 신체의 통증이 있는 환자, 경추질환, 관절염, 요추간판탈출, 요추염좌, 요추퇴행성증식, 갱년기골관절 냉통, 골관절염, 통풍성관절염, 당뇨병 및 그 합병증에 활용한다.

[참고사항]

1. 통증이 심하면 부자의 용량을 늘린다. 부자는 독성이 있으므로 15 g 이상 쓸 경우에는 30분 이상 선전(先煎)한다.

2. 갱년기 여성의 관절통으로 국소의 종대가 현저하지 않으며 친 것을 싫어하고 다한(多汗), 불면, 피로 등 소견이 있으면 용골 15 g, 모려 15 g을 더하여 처방한다. 경추질환으로 인한 통증에는

갈근 30 g을 더하여 처방한다. 관절 삼출물이 있으면 백출 30 g을 더한다.

[전형증례]

우모씨. 남성. 46세. 179 cm/ 90 kg. 2016년 7월 23일 초진

병력: 2년 전부터 2형 당뇨를 앓고 있으며 우측의 슬관절 통증이 1개월째 수반되고 있다. 입원을 하여 2형당뇨와 급성통풍성관절염 진단을 받았으며 퇴원 후 통풍발작이 세차례 반복되었다. 발꿈치 내측의 통증과 부종이 뚜렷하다. 자주 배가 고프며 배가 고픈 후에는 가슴 두근거림, 신체의 떨림, 발한, 피로감 등이 나타나 심하면 밤에 땀으로 옷과 침대가 젖기도 한다.

기왕력: 심근경색으로 카테터(2011년). 고혈압, 고요산혈증, 고지혈증, 지방간, 치루. 흡연력 15년

가족력: 모계 고혈압, 당뇨, 심근경색

체징: 체격은 건장하고 피부는 습하고 차며 복부압통은 없으며, 다리가 붓는 소견도 없다. 설질은 연하고 어두운 색조를 띄고 있으며 설하정맥에 보라색 어혈이 있다. 맥은 깊게 누르면 무력하며 약하다. 맥박 90회/분

처방: 계지 20 g, 육계 10 g, 적작약 30 g, 건강 10 g, 생감초 5 g, 홍조 20 g, 백출 30 g, 창출 30 g, 제부편 15 g(先煎 30분). 7일분을 처방하였다.

2016년 8월 6일: 위 처방을 7일분 복용하고 양약은 중단하지 않았다. 통풍 발작은 없으며 자가측정혈당은 84.6–90 mg/dL. 약물 복

용 후 걸을 때 다리에 힘이 생겼으며 땀이 나서 옷을 적시는 증상도 뚜렷하게 개선되었다. 대변은 흩어지지 않고 형태를 유지하며 얼굴도 좋아졌다. 위 처방 10일분을 5-2 복용법으로 처방하였다.

(6) 계지작약지모탕

[적용소견]

전신의 관절종통이 심해서 참기 어렵고 심한 경우 관절의 종대와 변형이 있으며 보행이 곤란한 환자. 본 처방은 건선성관절염, 류마티스성 관절염, 통풍성관절염, 슬관절활막염, 슬관절삼출액, 화농성관절염, 대퇴골두괴사, 건초염 등에 활용한다.

[참고사항]

1. 이 처방은 고대의 관절통 치료 처방으로 산한지통(散寒止痛), 소종(消腫)하는 효과가 있으므로 관절의 부종 및 통증에 쓴다. 환자는 보행이 곤란하고 빈혈기가 도는 외모가 있으며 발열이 있고 땀이 많이 나며 숨이 찬 소견을 특징으로 하는 관절질환이 있다. 관절에 통증이 없는 환자는 본 처방을 신중히 투여한다.

2. 환자는 얼굴이 누렇고 어두우며 광택이 없다. 찬 것을 싫어하고 땀이 난다.

3. 공복에 복용하지 않도록 한다.

4. 관절이 붓고 통증이 있으며 발적과 작열감이 나타나는 환자로 찬 기운을 힘들어하지 않고 붉은색 소변, 건조한 대변, 번조,

홍분, 붉은 설질 및 활맥(滑脈) 등 소견이 있는 경우 열비(熱痺)에 속하므로 투여에 신중해야 한다.

[전형증례]

부모씨. 여성. 43세. 165 cm/73 kg. 2015년 7월 24일 초진

병력: 10여 년 전부터 고혈압이 있었다. 손가락, 양 무릎 및 어깨에 통증이 4년 이상 지속되며 여름에 더 심해진다. 찬 것을 싫어하고 아침에 일어나면 땀이 많이 난다.

체징: 신체는 건장하고 얼굴은 어둡다. 복부는 부드럽고 압통이 없다. 설질은 검붉으며 설태는 두껍다. 맥은 침(沈)하다. 84회/분

처방: 계지 20 g, 백작약 15 g, 지모 20 g, 생감초 10 g, 생마황 10 g, 백출 25 g, 제부편(制附片) 10 g, 방풍 20 g, 건강 10 g. 7일분을 처방하였다. 부자는 30분간 선전(先煎)하고 이후 나머지 약을 넣어 전탕하도록 하였다.

2015년 8월 28일: 통증이 개선되었다. 원래의 처방을 계속 10일분 복약하도록 하였다. 1-2 복용법

(7) 당귀사역탕

[적용소견]

골관절질환에서 관절통이 있으면서 손발이 차고 검붉은 기운이 도는 환자. 레이노병, 류마티스관절염, 혈관염, 루푸스관절통, 좌골신경통, 요통 등에서 이 처방을 활용할 기회가 많다. 통증은 다

수에서 찌르는 듯한 통증, 쥐어짜는 듯한 통증, 견인통 등 양상을 보이며 만성화 소견이 있다. 심박은 느리고 체격이 건장한 성인에서 많이 관찰된다.

[참고사항]

1. 당귀사역탕을 적용할 환자는 얼굴빛이 푸르스름하면서 희거나 자색을 띄고 팔다리가 얼음처럼 차가운 경우가 많다. 이 소견은 손발가락의 끝에서 특히 심하여 감각저하와 저림, 냉통(冷痛)을 동반하고 심하면 청자색을 띈다. 찬 기운을 접하면 더욱 악화되어 손발톱 색, 입술색, 얼굴, 귓바퀴 색이 창백하거나 검붉어진다. 맥은 세완(細緩)하고 심하면 지맥(遲脈)이 보인다. 위와 같은 증상이 없는 환자에게는 본 처방의 투여에 신중하여야 한다.

2. 처방 중의 세신은 약간의 독성이 있다. 옛사람들은 "辛不過錢"이라고 하였다. 그러나 이는 산제(散劑)에 대한 이야기로 탕제에서는 이러한 제한에 구애받을 필요가 없다. 다만 중독을 방지하기 위해서 환자의 증상과 금기를 파악하여야 하며 빈맥이나 부정맥 환자에게는 신중히 투여하여야 한다.

3. 통증이 심한 경우에는 부자 15 g을 더하여 처방한다. 맑은 물을 토하는 환자에는 오수유 5 g, 생강 30 g을 더하여 처방한다.

[전형증례]

장모씨. 여성. 26세. 155 cm/45 kg. 2016년 8월 30일 초진

병력: 2014년 류마티스관절염 확진. 메토트렉세이트(MTX)와

진통제를 복용하였으나 현재도 전신 통증을 느끼고 있으며 혈관이 울리는 것 같은 통증이 있다. 눈 분비물이 증가하였으며 아랫배의 작열통, 점성이 높은 대변, 붉은 설질 등의 소견이 보인다. 매년 동상에 걸린다고 한다.

체징: 몸이 마르고 얼굴은 어두운 누런빛을 띄고 기름기가 돈다. 입술은 어두운 붉은빛이다.

처방: 당귀 15 g, 계지 20 g, 백작약 40 g, 생감초 10 g, 세신 10 g, 황련 5 g, 황금 10 g, 황백 10 g, 치자 10 g, 법제대황 10 g, 건강 10 g, 홍조 50 g. 7제.

2017년 9월 13일: 위 처방 복용 후 악화되던 관절통증이 호전되었다. 이전에는 통증이 심해 출근하기도 어려워 항상 누워 있었는데 약 복용 후 일을 할 수 있게 되었다. ESR 및 CRP 소견은 정상으로 돌아왔다. 메토트렉세이트(MTX), 하이드록시클로로퀴논, 레플루노미드(leflunomide), 디클로페낙을 계속 복용하였음에도 효과가 없었지만, 위의 한약을 병용한 후에는 효과가 뚜렷하게 나타났다.

(8) 소시호거강가황백백작탕(小柴胡去薑加黃柏白芍湯)

[적용소견]

류마티스성 조조강직

[참고사항]

1. 이 처방은 청열퇴종(淸熱退腫) 처방으로 류마티스관절염, 강직성척추염 등 류마티스관절염 통증에 사용한다. 아침에 요통 및 관절강직이 있고 찬 것을 싫어하며 환경 및 기후변화에 민감한 소견을 보인다. 이 질환은 반복적으로 재발하는 경우가 많고 ESR, CRP가 상승한다.

2. 이 처방을 적용할 환자들 중 많은 수가 내열(內熱)이 있다. 입술이 붉고 태가 누렇고 끈적끈적하며 찬 것을 싫어하면서 인후통, 설사, 점성이 높은 대변 등의 소견을 보인다.

3. 여성의 월경량이 적으면 당귀 10 g, 천궁 15 g을 더하여 처방한다. 찬 기운을 싫어하는 소견이 현저하고 근육이 시리면서 아프거나 피부가 과민한 경우에는 형개 20 g, 방풍 15 g을 더하여 처방한다.

[전형증례]

진모씨. 여성 43세. 156 cm/43 kg. 2017년 1월 6일 초진

병력: 1년 전 어깨 통증이 시작되어 전신의 대관절 통증으로 이어졌다. 검사상 ESR 70 mm/h (<20 mm/h), RF 24.7U/mL (<20

U/mL), IgG 18.3 g/L (7.51−15.6 g/L)(2016년 8월 18일). 2015년 9월 16일 MRI상 양측 천장관절 염증과 강직성척추염 소견을 확인하였다. 현재 손가락 관절에 종창이 있고 양측 고관절 통증으로 밤에 항상 잠에서 깨며 현저한 조조강직이 나타난다. 땀이 나며 찬 것을 싫어하고 인후통, 식욕부진 등이 있다.

체징: 입술과 혀가 검붉고 설태는 누렇고 끈적끈적하며 맥은 활(滑)하다.

가족력: 조부(祖父)가 척추후만증

처방: 시호 25 g, 황금 15 g, 강반하 15 g, 당삼 10 g, 생감초 5 g, 백작약 30 g, 황백 15 g, 건강 5 g, 홍조 20 g. 10일분을 처방하였다.

2017년 2월 20일: 약을 복용한 후 어깨 주변의 야간통증은 매우 좋아졌으며 조조강직도 줄어들었다. 심리 상태도 개선되었다. ESR 43 mm/h (<20 mm/h)(2017년 2월 17일)

10. 월경질환

월경질환은 비정상적인 월경주기, 월경기간, 월경량 또는 월경색이나 월경 성상의 이상을 가리킨다. 생리적인 이유가 없이 월경이 멎는 증상, 여러 번의 월경주기에 걸쳐 나다나는 소견 및 폐경 진후에 관련 증상이 나타나는 소견을 특징으로 한다. 일반적으로 기능성자궁출혈, 무월경, 다낭성난소증후군, 자궁내막증, 자궁선근증, 월경전증후군 등이 있다.

기능성 자궁출혈은 중국에서 간단히 “功血”이라고 하며 난소기능이상으로 인한 자궁출혈을 말한다. 이 상태에서는 월경주기가 정상주기를 벗어나며 과다월경이나 월경기가 연장되는 소견이 보이고 심하면 불규칙한 질출혈 등이 나타난다. 신체 내외의 모든 요인은 시상 하부-뇌하수체-난소축 전반의 조절 기능에 영향을 미칠 수 있으며 이로 인해 월경 장애가 나타난다.

무월경은 일차성 무월경과 이차성 무월경으로 나눌 수 있다. 18세가 되었거나 2차 성징이 2년 이상 지속되었음에도 월경이 없는 것을 일차성 무월경이라고 한다. 정기적인 월경주기가 있으나 어떤 이유로 인해 6개월 이상 월경이 중단된 것을 이차성 무월경이라고 한다. 무월경은 부인과질환에서 흔히 보이는 증상으로 발달, 유전, 내분비, 면역, 정신 장애 및 기타 문제 등 여러 원인 복잡하게 뒤섞여 발생하며 또한 종양, 외상 및 약물 요인에 의해서도 발생할 수 있다.

다낭성난소증후군(PCOS)은 만성적인 무배란(배란장애 또는 배란 기능 상실) 및 고안드로겐혈증(여성의 남성호르몬 과잉생산)이 특징이다. 주요 임상 증상은 불규칙한 월경주기, 불임, 다모증, 여드름 등이며, 가장 흔히 관찰되는 여성내분비 질환이다.

월경통은 일차 월경통과 이차 월경통으로 나눌 수 있다. 일차성 월경통은 주기적인 월경통이 나타나지만 기질성 질환에 의한 것은 아니다. 이차성 통증은 자궁 내막증, 자궁근종, 골반 염증성 질환, 선근증, 자궁내막 폴립 및 자궁경관 폐색 등 생식기기형에서 흔히 볼 수 있다.

자궁내막증은 증식하는 기능을 가진 자궁내막조직이 자궁강을 덮는 점막 이외의 부위에 나타나는 증상이다. 이 질환은 골반 복막뿐만 아니라 난소, 직장-질 중격 및 요관에서도 자주 발생한다. 이 질환은 종종 불임, 골반통 및 월경통을 유발한다.

자궁선근증은 자궁내막선과 기질에 침범하여 자궁근층에 형성된 미만성 혹은 국소적 병변이다. 주요 증상은 월경의 연장과 월경량의 증가, 일부 환자에서의 월경전후 부정기 질출혈이다. 월경통은 매우 흔하며 이차성의 점차 악화되는 월경통이 특징으로 종종 월경통 1주일 전에 시작되어 월경이 끝나면 완화된다.

월경전증후군(PMS)은 여성의 월경주기 후반에 나타나는 일련의 신체적, 정서적 불편함을 말하며 월경 후 저절로 회복된다. 월경전증후군은 신체적, 사회적 심리적 요인의 조합으로 인해 발생하는 여성질환이다.

부인과질환은 국소적으로 나타나지만 전체와 관련이 있으며, 경방은 전신 상태를 조절하여 좋은 결과를 얻을 수 있다.
서로 다른 개인의 특징에 따라 월경 질환의 치료에 일상적으로 선택하는 경방은 아래의 예와 같다.

(1) 온경탕

[적용소견]

폐경, 난임 환자. 환자는 다수가 수척하고 허약하며 무배란, 월경량의 감소 등 소견이 있다. 본 처방은 갱년기의 건강관리, 폐경 후의 불면 및 불안에도 적용할 수 있다. 경과가 상대적으로 길고 점진적이며 정서와 관련성이 떨어지거나 정신적 유발요인이 없으면서 자극과 증상간의 관련이 없으며 몸이 마르고 피부가 건조한 환자에게 활용한다.

[참고사항]

1. 온경탕은 조경, 난임만이 아니라 양혈(養血), 미용 목적으로도 쓸 수 있으므로 여위고 허약한 여성의 체질 개선에 활용 가능하다. 폐경 후 여성의 위장관 질환에 대하여 기존의 치료가 효과가 없는 경우 온경탕을 활용할 수 있다. 반복적으로 설사가 나타나고 항생제가 듣지 않으며, 질 건조증이 있고 심리상태와는 무관하다는 점 등이 특징적 소견이다. 체중의 감소가 동반되는 경우가 많은데, 장관의 암을 배제진단해야 한다. 처방을 투약할 환자들에게서는 위장통이 은근하게 지속되고 식욕부진, 위산역류, 체중감소,

풀어지는 대변 등 소견이 관찰되며 일반적인 위장병 치료제가 듣지 않는다. 검사상 위축성 위염 소견이 많다.

2. 월경량이 줄거나 폐경이 있는 여성에게서 체중감소, 기미, 주름, 입술건조, 탈모, 수족균열, 불면 등이 나타날 때 온경탕을 쓴다.

3. 온경탕 복용 후에는 돼지족발, 양고기, 쇠고기, 소힘줄, 오리발, 오리날개 등 콜라겐 단백이 풍부한 식품을 복용한다.

4. 처방 복용 시에 녹각교, 홍조, 봉밀, 얼음사탕(冰糖) 등을 넣어 고제(膏劑)를 만들면 여성의 겨울철 건강식품으로 활용할 수 있다.

5. 과다월경이나 자궁근종, 혹은 월경 전 유방창통이 있다면 본 처방을 신중히 투여한다. 체형이 비만하고 건장하며 영양상태가 좋고 얼굴이 붉으면서 윤기가 흐르는 환자에게는 신중하게 투여한다.

6. 통상 1–3개월분을 처방한다. 장기간 상복하여야 효과적이다.

7. 난임환자가 본 처방을 복용하는 경우 임신한 후에는 투약을 중단한다.

8. 무월경 증상이 있고 체격이 수척하지 않은 환자는 마황 5 g, 갈근 50 g을 더하여 처방한다.

[전형증례]

사모씨. 여성. 40세. 2017년 6월 3일 초진

병력: 2년반 전부터 희발월경이 있으며 월경량도 줄었다. 최근 산부인과 진찰에서 조기난소부전으로 진단되었다. 마지막 월경은 2017년 4월 12일이다. 최근 체중이 증가하였고 기억력과 순발력은 감소하였다.

체징: 체격은 비만하고 피부색이 누렇다. 입술은 어둡고 설질은 옅은 색이다. 손바닥은 건조하고 식지의 피부가 벗져겨 있다.

처방: 갈근 50 g, 생마황 5 g, 오수유 5 g, 강반하 10 g, 당삼 10 g, 맥문동 20 g, 자감초 5 g, 육계 10 g, 백작약 10 g, 천궁 10 g, 당귀 10 g, 목단피 10 g, 아교 10 g, 건강 10 g, 홍조 30 g. 15일분을 5-2 복용법으로 처방하였다.

2017년 7월 3일: 약을 복용한 후 월경이 시작되었다(2017년 6월 7일, 7월 2일). 손의 건조감도 개선되었다. 원방을 15일분 처방하였다.

(2) 당귀작약산

[적용소견]

월경량 감소, 복통, 부종 및 빈혈이 나타나는 난임. 조기 난소부전, 기능성자궁출혈, 태위부정, 태아발육불량, 선조유산, 습관성유산, 임신성 고혈압 등에 활용한다.

[참고사항]

1. 당귀작약산을 적용할 환자들은 대다수가 얼굴이 누렇고 광택이 없으며 눈주위가 어둡다. 얼굴에 기미나 홍반, 구진이 있으며 피부가 건조하다. 피로가 뚜렷하고 눈이 건조하며 심하면 기면(嗜眠) 소견을 보인다. 얼굴이나 다리에 가벼운 부종이 있고 설사나 풀어지는 대변이 잦으며 변비와 복통이 있고 배가 그득하다. 월경이 묽고 양이 적으며 성욕이 감퇴되어 있다. 얼굴이 붉고 윤기가 있으며 입술색도 붉으면서 입과 혀의 궤양이 나타나는 경우에는 신중히 투여한다.

2. 월경부조를 동반하는 자가면역 간질환, 만성간염, 간경화, 하시모토병, 철결핍성빈혈 및 여드름, 기미, 탈항, 치질 등에 본 처방을 활용할 수 있다.

3. 이 처방은 원래 산제로 캡슐제나 환제 혹은 탕제로 제형을 바꾸어 복용할 수 있다. 산제는 통상 술과 함께 복용하는데 미주(米酒)나 황주(黃酒), 적포도주등이 좋다. 알코올에 민감한 환자에 대해서는 요거트, 끓는 물, 쌀죽, 꿀 등과 함께 복용한다.

4. 이 처방에는 안태 작용이 있으며 이런 목적으로 투약할 경우 소용량으로 투여한다.

5. 처방의 복용 시 설사가 있다면 백작약을 줄여서 복용한다.

6. 월경이 지연되고 피로, 누런 얼굴, 두통과 목덜미 통증이 있다면 갈근탕을 합방한다.피로감 및 냉감에는 진무탕을 합방한다. 자가면역질환, 알러지질환이 재발하고 치료가 되지 않는다면 소시호탕을 합방한다.

[전형증례]

1. 모씨. 여성. 28세. 회사원

결혼 후 4년째인데 임신을 못하고 있다. 산부인과에서 자궁발육부전으로 진단. 환자는 체격이 수척하고 얼굴이 하얗다. 찬 것을 매우 싫어하며 쉽게 피로하다. 월경량은 적고 맥진 및 복진소견이 모두 연약무력하다. 저혈압이 있어 허증에 속한다. 당귀작약산 탕제를 처방하였다. 복약 후 전신 상태와 얼굴, 피부 색조가 개선되었다. 피로감도 줄었다. 복약 3개월 후 월경이 멈추고 가벼운 임신오조가 나타났다. 오조가 사라진 후에는 남아를 순산하였다. 1년 후 다시 쌍둥이를 임신하여 지금은 아들이 셋이다.(《漢方治療辨證學》)

2. 장모씨. 여성. 37세. 165 cm/55 kg. 2018년 10월 17일 초진

병력: 갑상선기능저하를 8년째 앓고 있다. 월경량이 2년 전부터 줄었다. 주기는 정상이며 월경기는 6일이고 월경통은 없다. 배가 그득하고 불면과 다몽(多夢)이 있으며 쉽게 잠에서 깨 자주 피로하고 업무를 할 때 머리가 어지럽다. 감기에는 잘 걸리지 않거나 쉽게 얼굴이 달아오른다. 대변이 건조하고 덩어리져서 3-5일에 한 차례 변을 본다.

체징: 체격은 수척하고 빈혈기가 있다. 얼굴은 어두운 누런색이며 복부는 부드럽고 압통은 없다. 손바닥은 황색이고 설질은 통통하며 치흔이 있다. 혈압 99/54 mmHg

처방: 당귀 15 g, 백작약 40 g, 천궁 15 g, 백출 20 g, 복령 20 g,

택사 20 g, 건강 5 g, 제부편(制附片) 10 g. 15일분을 5-2 복용법으로 처방하였다.

2018년 11월 7일: 변비는 그대로이며 배가 그득한 것을 참지 못해 번사엽(番瀉葉)을 복용해도 호전이 없다. 잠을 자고 싶어하지만 막상 깊게 잠들지는 못한다. 항상 허리가 아프며 소변을 참기 어렵다. 황색 대하가 있다. 설질은 부어있고 설태는 활(滑)하며 치흔이 있다. 복부는 부드럽다.

처방 1: 당귀 15 g, 천궁 20 g, 백작약 60 g, 백출 30 g, 복령 20 g, 택사 20 g

처방 2: 제부편(制附片) 10 g, 백출 20 g, 복령 20 g, 백작약 15 g, 건강 20 g, 생감초 10 g

상기의 두 처방을 격일로 교대복용하도록 하고 각각 10일분을 처방하였다.

2018년 11월 28일: 월경량이 늘었고 황대하는 소실되었다. 피로감도 개선되었으며 대변 상태도 좋아져서 2-3일에 한 차례 변을 본다. 설질이 크고 혀 주변에 치흔이 있다. 원방을 각각 15일분씩 처방하였다.

(3) 계지복령환

[적용소견]

복통과 과다출혈이 나타나는 태반잔류, 분만 후 출혈, 자궁내막증, 자궁외임신 등. 또는 복통이나 월경량 감소 및 흑색 월경이 나

타나는 자궁내막염, 자궁내막증, 만성골반염, 만성부속기염, 난소낭종, 자궁근종, 다낭성난소증후군, 폐경 등

[참고사항]

1. 계지복령환을 적용할 환자들은 비교적 체격이 건장하고 얼굴은 붉거나 검붉은 경우가 많다. 피부는 건조하거나 인설이 있으며 입술이 검붉고 어두운 보라색 설질 등의 소견이 있다. 복부는 대체로 충실하며 배꼽 양측 특히 좌측하복부가 단단하고 충실하여 만지면 저항감이 있고 대부분의 환자가 압통을 호소한다.

2. 일부 환자는 본 처방으로 출혈, 설사 등이 나타날 수 있다. 응고기전장애 환자는 금기로 한다.

3. 임산부에는 신중히 활용하거나 금기로 한다.

4. 처방의 장기복용이 필요한 경우 환제로 만들어 투약할 수 있다.

5. 변비, 요통, 복통, 하지부종이 있다면 법제대황 5 g, 우슬 30 g을 더하여 처방한다. 두통과 흉통, 천식이 있는 경우 단삼 15 g, 천궁 15 g을 더하여 처방한다. 월경불통 혹은 월경량 감소가 있거나 두 눈이 어둡고 피부가 거칠면서 혹 설질에 보라색 점이 있으면 자충, 수질(하루 3g을 가루내어 복용)을 더하여 처방한다.

[참고사항]

모씨. 여성. 44세. 2017년 7월 24일 초진

병력: 월경이 멈춘지 4개월째로 전문 진료과에서 조기난소부전

진단을 받았다. 항상 가슴이 답답하고 숨이 차며 수면 상태가 좋지 않고 꿈을 많이 꾼다. 변비가 있다.

체징: 체격은 중간 정도이며 얼굴이 누렇고 무관심한 표정을 하고 있다. 얼굴의 기미가 뚜렷하다. 유방이 쳐져있고 눈꺼풀이 붉으며 입술은 건조하고 색이 어둡다. 설하정맥이 팽창되어 두드러져 보인다.

처방: 계지 15 g, 목단피 15 g, 복령 15 g, 적작약 15 g, 도인 15 g, 당귀 15 g, 천궁 15 g, 회우슬 30 g, 법제대황 5 g, 수질 15 g, 지별충(地別蟲) 10 g. 15일분을 처방하였다.

2017년 9월 6일: 이전 월경은 2017년 8월 20일이다. 월경기가 매우 편안했고 월경량도 늘었으며 6일차에 월경이 멈췄다. 현재 심리상태는 안정되어 있으며 얼굴 표정이 정신적으로 편안해보인다.

처방: 계지 15 g, 목단피 15 g, 복령 15 g, 적작약 15 g, 도인 15 g, 당귀 15 g, 천궁 15 g, 회우슬 30 g, 법제대황 5 g. 15일분을 1–2 복용법으로 처방하였다.

2017년 10월 18일: 매월 월경을 한다(마지막 월경: 2017년 10월 18일, 그 이전 월경: 2017년 9월 20일). 월경 기간은 6일로 그 이전과 동일하다.

(4) 황련아교탕

[적용소견]

조기난소부전, 선조유산, 월경과다, 경간기출혈, 혈소판감소,

월경과다 등. 대부분 선홍색의 출혈이 있으며 혹 월경량이 감소하거나 월경혈의 점성이 높아지는 등의 특징이 있다.

[참고사항]

1. 황련아교탕을 적용할 환자들은 대부분 입술과 설질이 붉으며 번조, 불면, 다몽, 발열, 빈맥, 맥삭(脈數) 소견이 있고 출혈이 잦다. 여성환자의 경우 월경주기가 앞당겨지는 경우가 많고 월경색은 선홍색이며 성상은 진흙처럼 찐득거리거나 덩어리가 진다. 설질이 연한 색이며 맥은 완(緩)하고 월경색도 옅은 환자에게는 신중히 투여한다.

2. 이 처방에는 황련이 다량 포함되어 있어 탕전한 약의 맛이 상당히 쓰다. 장기복용하기 어려우므로 증상이 완화되면 즉시 감량한다.

3. 월경색이 선홍색이고 대변이 건조하여 덩어리지는 경우 생지황 30 g을 더하여 처방한다. 피부의 자반과 혈소판 감소가 동반되는 경우 생대황 10 g을 더하여 처방한다.

[전형증례]

도모씨. 여성. 38세. 2010년 1월 16일 초진

병력: 반년 전부터 무월경 상태이다. 여성호르몬의 수치가 폐경 상태임을 나타내고 있다. 산부인과 진료에서 조기난소부전 진단을 받았다. 평소에 구강궤양, 위통, 피부건조, 기면(嗜眠), 얼굴이 달아오르면서 땀이 나는 증상, 건조하고 덩어리진 대변을 2–3일에

한 번 보는 소견 등이 있다.

체징: 피부가 희고 체격은 수척하다. 설첨이 붉고 입술은 두꺼우면서 진한 붉은색을 띤다. 유방의 발육이 불량하다.

처방: 황련 5 g, 황금 10 g, 백작약 30 g, 아교 15 g, 생감초 15 g, 생지황 20 g. 15일분을 처방하였다.

2010년 2월 8일: 직전 월경 1월 28일. 모든 증상이 소실되었다.

(5) 사역산

[적용소견]

월경색이 검고 양이 적으며 월경주기가 불규칙하거나 무월경이 있다. 월경기의 두통, 복통, 불면, 번조 등 소견도 보인다. 환자의 대다수에서 정신적 긴장, 업무 및 학업스트레스 등 유발 요인이 있다. 불규칙 월경 및 월경전증후군(PMS)이 많다.

[참고사항]

1. 사역산은 청장년층 환자에게 많이 활용한다. 여성에서 적응증이 많이 보이며 환자의 체격은 중등도에서 약간 마른 편이다. 얼굴은 누렇거나 푸르스름한 흰색이며 상복부 및 양늑하부 복근이 긴장되어 있는 편이어서 누르면 비교적 단단하다. 팔다리가 차고 맥은 현(弦)한 경우가 많다. 기운이 없고 복벽이 부드러운 환자에서는 신중히 투여한다.

2. 이 처방은 대용량으로 장기간 복용해야 한다. 설사나 기운이

빠지는 느낌이 생길 수 있는데 약을 중단하면 소실된다.

3. 정신적인 스트레스, 인후이물감, 배의 그득함, 오심구토에는 반하후박탕을 합방하여 투약한다. 월경 전 두통, 복통에는 당귀작약산을 합방하여 투약한다. 여드름에는 계지복령환을 합방하여 투약한다. 무월경 증상과 함께 얼굴이 누렇고 어두운 경우에는 당귀 10 g, 천궁 10 g, 도인 10 g, 홍화 5 g을 더하여 합방하여 투약한다.

[전형증례]

손모씨. 여성. 29세. 160 cm/46 kg. 2016년 5월 27일 초진

병력: 월경통이 있은 지 7–8년이 되었다. 증상이 반복적으로 발생하며 월경 전에는 유방이 붓고 온몸에 돌아다니는 통증이 있다. 수면 시 하지가 시리면서 붓고 이를 간다. 식후 배가 그득해지고 트림이 나오며 대변은 처음에는 건조하다가 나중에 묽어지고 항문이 찢어지기도 한다.

체징: 체격은 수척하고 얼굴이 날카롭다. 표정이 풍부하지 않고 말이 빠르다. 복근이 긴장되어 있고 표재정맥이 도드라져 보인다. 맥은 현(弦)하다.

처방: 시호 15 g, 백작약 15 g, 지각 15 g, 생감초 5 g, 당귀 10 g, 천궁 15 g, 도인 10 g, 홍화 5 g. 9일분을 3–2 복용법으로 처방하였다.

2016년 12월 21일: 전신상태 및 월경통이 개선되었다. 현재 변비와 혈변이 있으며 전문 진료과에서 치질 2기 진단을 받았다. 잠드는 것이 곤란하여 12시가 넘어서야 잠을 잘 수 있으며 꿈을 많

이 꾸고 항상 이를 간다. 허리에 돌아다니는 통증이 있으며 월경에 덩어리가 많이 섞여있다.

처방: 시호 20 g, 지각 20 g, 생감초 10 g, 생백작약 20 g, 황금 10 g, 대조 20 g. 10일분을 처방하였다.

2017년 1월 2일 WeChat 피드백: 환자는 처방이 매우 효과가 있어 월경통이 완화되었으며 꿈을 많이 꾸는 증상과 변비도 개선되었다고 전해왔다. 다만, 약을 복용한 후 설사와 속이 불편한 느낌이 든다고 하였다.

(6) 갈근탕

[적용소견]

연장월경이나 무월경, 다낭성난소증후군 환자가 체격이 건장하면서 비만, 여드름, 다모(多毛) 등 소견이 보이는 경우. 또한 난임, 월경통, 월경량 감소, 유즙적체 등에도 활용한다.

[참고사항]

1. 갈근탕은 빈발월경을 유발하거나 월경량을 늘릴 수 있으므로 월경기에는 용량을 줄이거나 중단하도록 한다. 과다월경이나 빈혈이 있거나 여윈 환자에는 신중히 투여한다.

2. 수유기에는 신중히 투여한다. 과량복용 시 영아가 쉽게 잠에서 깨거나 다한, 번조 등이 나타날 수 있다.

3. 몸이 약하고 병이 많은 환자(허약체질), 마르고 약하고 얼굴

이 창백한 환자, 땀이 많은 환자는 신중히 복용한다. 심기능이상, 부정맥 환자에게도 신중히 투여한다.

4. 이 처방은 식후 복용한다. 복용 후에는 찬 날씨를 피하고 운동을 많이 해서 땀을 내도록 한다.

5. 얼굴의 여드름이 자흑색(紫黑色)이고 하복부가 솟아있다면 도인 15 g. 대황 10 g, 망초 5 g을 더하여 처방한다. 비만하며 얼굴이 누렇고 건조하면서 빈혈이 있고 부은 듯한 얼굴이라면 당귀 10 g, 천궁 15 g, 백출 15 g, 복령 15 g, 택사 20 g을 더하여 처방한다.

[전형증례]

호모씨. 여성 27세. 166 cm/55 kg. 2019년 9월 25일 초진

병력: 1–2년 전부터 희발월경이 있다. 결혼 후 1년 동안 임신이 되지 않았다. 2–3개월에 한 차례 정도로 월경주기가 길어지고 있음을 호소하며 체중도 늘었다고 한다(이전에는 45–50 kg). 마지막 월경은 2019년 7월 13일이다. 식욕은 좋다. 대변은 하루에 한 번 보는 편이나 때때로 변비가 있다.

체징: 체격은 중간 정도이고 눈썹이 짙다. 등줄기에 여드름이 있으며 얼굴에도 여드름이 가득 흩어져 있다. 배가 나와있고 아랫배는 충실하다.

처방: 갈근 50 g, 생마황 15 g, 계지 15 g, 적작약 15 g, 도인 15 g, 복령 15 g, 목단피 15 g, 법제대황 5 g, 회우슬 30 g, 생감초 5 g, 건강 5 g, 홍조 20 g. 20일분을 5–2 복용법으로 처방하였다.

2019년 10월 23일: 약 복용 10일 후 월경이 있었으며 월경기간

7일이었다. 월경량은 정상이며 등 뒤의 여드름 소실되었다. 원방에 당귀 10 g, 천궁 15 g을 더하여 15일분을 처방하고 하루에 0.5일분씩 복용하도록 하였다.

(7) 형개연교탕

[적용소견]

골반염, 자궁경부미란, 난임 등. 대다수에서 허리와 복부가 처져있고 부으며 비린 냄새가 나는 황대하가 있다. 덩어리가 지고 끈적이는 다량의 월경이 있으며 성관계 시 출혈이 나타나는 경우가 있다. HPV감염 환자에게도 응용할 수 있다.

[참고사항]

1. 형개연교탕은 소염작용이 있고 임신을 도우므로 염증성 난임에 효과적이다.

2. 이 처방을 적용할 환자는 대다수가 젊은 여성으로 피부는 희거나 붉고 기름지며 입술과 혀도 붉다. 식욕은 왕성하다.

3. 이 처방은 고한(苦寒)하므로 복용 후 식욕부진이 나타날 수 있다. 위통 혹은 설사 등이 있다면 감량하거나 복약을 중단한다.

4. 빈혈, 식욕부진, 간기능부전 및 신부전 환자에는 신중히 투여한다.

[전형증례]

양모씨. 여성. 165 cm/60 kg. 2010년 6월 12일 초진

병력: 2008년 결혼한 이래 현재까지 난임 상태이며 자궁경관미란이 있고 서양의학적 치료 후에도 여전히 난임이 유지되고 있다. 월경 전 좌하복부에 은근한 통증이 있고, 백대하가 황록색으로 바뀐다. 때때로 구강궤양과 잇몸 출혈이 있다.

체징: 체격은 중간 정도이며 피부색이 희고 입술이 붉다. 손발은 차고 맥은 활(滑)하다.

처방: 형개 10 g, 방풍 10 g, 시호 15 g, 연교 20 g, 박하 10 g, 백지 10 g, 길경 10 g, 생감초 5 g, 지각 15 g, 황련 5 g, 황금 10 g, 황백 10 g, 치자 10 g, 당귀 10 g, 백작약 10 g, 생지황 15 g, 천궁 10 g. 14일분을 처방하고 격일로 1일분씩 복용하도록 하였다.

2010년 8월 14일: 복약 후 증상이 소실되었다. 환자의 심리상태가 안정되었으며 요통도 소실되었다. 원방을 격일로 복용하도록 하였다.

2011년 5월 4일: 득남하였다.

11. 소아질환

소아는 일차진료의 중요한 환자군으로 알러지질환, 자가면역질환, 정신심리질환, 기능성질환 등이 흔히 관찰되며 재발이 잦다. 보호자도 힘들어할 뿐더러 환아는 병원과 의사를 두려워한다.
경방은 환자의 개별적 차이를 중시하고 환아의 심리에 주의를 기울인다. 또한, 체질과 심신을 모두 조절하는 처방이 많으며 효과도 분명하다. 경방은 천연의약품으로 상대적으로 안전할 뿐만 아니라 경구투여 위주이므로 복용이 간단하고 편리하며 증에 맞는 탕약은 입에 쓰지도 않다. 그러므로 경방은 다른 치료법에 비해 고통과 위험이 적고 환아의 순응도도 높다.

(1) 반하후박탕

[적용소견]

소아의 식욕이상, 소화불량, 복통, 설사, 반복되는 코막힘, 기침, 인후통, 피부의 가려움 등이 있으면서 뱃속이 그득하거나 오심과 함께 가래가 많고 설태가 끈적이고 미끌미끌한 소견을 동반하는 경우에 이 처방을 활용할 수 있다.

[참고사항]

1. 반하후박탕을 적용할 소아 환자는 감정이 풍부하고 눈을 자

주 깜빡이며 윙크를 자주한다. 움직이기를 좋아하고 과민반응을 잘 보이며 편식을 한다. 구토가 잦으며 설태는 두텁거나 끈적이면서 미끌미끌한 경우가 많다. 이 처방은 이기지구(理氣止嘔)하고 지해화담(止咳化痰)하는 효능이 있어 항불안, 항우울, 항구토, 위장운동 촉진, 인후와 위 및 식도의 위산 역류 억제, 연하곤란 개선 등의 작용을 한다.

2. 이 처방을 사용할 때에는 심리요법을 병행하여 위로와 격려를 해주어야 한다.

3. 이 처방은 가미하여 투약할 수 있다. 기침이 반복될 때에는 소시호탕을 합방하여 처방한다. 인후통에는 길경, 감초, 치자, 연교를 더하여 처방한다. 식욕부진, 두꺼운 설태, 복통, 변비가 있으면 지각을 더하여 처방한다. 인후가 붉고 번조와 불면이 있으면 연교를 더하여 처방한다. 코피에는 치자, 연교, 황금을 더하여 처방한다.

[전형증례]

장모씨. 여아. 7세. 125 cm/22 kg. 2013년 9월 18일 초진

병력: 편도선의 반복되는 염증과 종대가 4년째 이어지고 있으며 증상이 매달 반드시 나타난다. 올해도 여름에 세차례이나 발생하였다. 식욕이 좋지 않고 오심(惡心)이 자주 있으며 대변은 건조하다. 수면상태도 좋지 않아 잠에 드는 것이 곤란하고 밤중에 땀을 많이 흘리며 이갈이를 한다.

체징: 표정이 풍부하고 움직이기를 좋아한다. 설첨이 붉고 설태

는 얇고 미끌미끌하다.

처방: 강반하 10 g, 후박 10 g, 복령 10 g, 소엽 5 g, 길경 5 g, 생감초 5 g, 지각 10 g, 연교 15 g. 9일분을 3-2 복용법으로 처방하였다.

2013년 10월 12일: 약을 복용한 후 편도선 종대의 재발이 없었으며 손발바닥의 열감도 줄었다.

(2) 온담탕

[적용소견]

오심구토, 현훈, 가슴 두근거림, 불면 및 자주 놀라는 증상 등을 특징으로 하는 소아질환에 활용한다. 외상후스트레스장애, 소아공포증, 소아수면장애, 소아불안증, 주의력 결핍 과잉행동장애, 간질, 뚜렛증후군, 소아비만, 소아근시 등

[참고사항]

1. 온담탕을 적용할 환자는 대다수가 영양상태가 좋고 비만한 편으로 얼굴이 둥근 경우가 많다. 눈동자는 크고 밝으며 상상을 좋아하고, 반응이 재빠르다. 쉽게 놀라거나 무서워하며 보통 고소공포증이 있다. 애완동물을 무서워하며 불안초조 등의 증상이 있고, 쉽게 수면장애가 생기고 악몽을 많이 꾼다. 쉽게 어지럽고 멀미를 잘하며 근육경련이 잦다. 공황의 유발원인은 다양한다.

2. 이 처방은 담을 키우고 수면을 도우며 어지러움과 구역질을

개선하고 가슴을 열어주는 등의 효능이 있어 진정, 항불안, 수면의 질 개선 등 작용을 한다.

3. 복약기간 중에는 환아를 혼내거나 심하게 혼내지 말고 무서운 것을 보지 않게 한다.

4. 가슴이 답답하고 번조가 있으며 배가 그득하면서 설질이 붉은 환아에게는 치자후박탕을 합방한다. 많이 움직이고 불안해하며 체격이 건장한 경우에는 마황을 더하여 처방한다.

[전형증례]

응모씨. 남아. 6세. 125 cm/36 kg. 2016년 6월 29일 초진

병력: 전간(癲癇)이 2개월 전부터 발병하여 지금까지 5번의 발작이 있었다. 항상 실신상태이고 잠에서 쉽게 깨어나며 꿈을 꾸다가도 갑자기 몸을 일으킨다. 놀랐을 때는 항상 주변에 뭔가 있다고 말하며(어두운 곳) 공룡 장난감을 무서워한다. 번조가 있고 쉽게 땀이 나며 가래도 많다. 많이 움직이고 자주 배고프며 먹고 마시는 양도 많다. 발병 이후 지금까지 양약 복용은 하지 않았다고 한다. 부비동염 및 편도선 비대가 있다.

체징: 신체는 비만하고 건장하며 입술은 붉고 복부를 두드리면 북소리가 난다.

처방: 강반하 20 g, 복령 20 g, 진피 20 g, 생감초 5 g, 지각 20 g, 죽여 10 g, 생마황 5 g, 생석고 30 g, 행인 15 g, 생강 15 g, 대조 20 g

2016년 7월 13일: 약 복용 후 지금까지 전간(癲癇)이 발작하지 않았으며 심리상태도 안정적이다. 진료를 받으면서 귀신이 무섭지

않다고 한다. 원방 15일분을 처방하고 계속하여 복용하게 하였다.

(3) 시호가용골모려탕

[적용소견]

소아의 기질적 뇌손상 및 뇌기능장애를 나타내는 질환으로 간질이나 뇌성마비 등. 소아 우울증, 소아 불안장애, 틱장애, 소아의 야경(夜警) 및 몽유병, 소아무도병 등

[참고사항]

1. 시호가용골모려탕을 적용할 소아는 대부분 체격이 보통이거나 건장하며 얼굴에 광택이 없고 무관심한 표정이다. 성격은 내향적이고 쉽게 울며 다수에서 야경증, 몽유병과 같은 수면장애가 있다. 공포, 불안, 초조 등의 심리상태에 빠지는 경우가 잦다. 설태는 누런색이거나 두껍고 변비와 구취가 수반된다.

2. 이 처방은 항불안 및 진정 효능이 있다. 전통적인 뇌질환 처방으로 항우울, 수면의 질 개선, 공포신경증 억제, 기억력 증진 등의 효과가 있다.

3. 대황의 용량을 조절하여 투약해야 한다. 변비에는 생대황을 활용하며 여위고 식욕부진이 있거나 설사가 있는 경우 대황의 용량을 조절하여 사용해야 한다.

4. 가슴이 답답하고 배가 그득하며 설첨이 붉은 환자에게는 치자후박탕을 합방하고, 대변불통에는 후박, 지각을 더하여 처방한다.

[전형증례]

1. 허모씨. 남아. 9세. 145 cm/33 kg. 2019년 4월 16일 초진

병력: 식욕이 좋지 않고 까다로워 채소를 먹지 않는다. 작은 동작이 많고 눈꺼풀을 자주 만지거나 항상 가래를 뱉어내고는 한다. 식욕이 좋지 않고 까다로워 채소를 먹지 않는다. 수면 상태가 나쁘며 잠에 잘 들지 못하고 잠이 들었더라도 쉽게 깬다. 꿈을 많이 꾼다. 대변은 2일 1회

체징: 몸은 마른 편이며 눈을 자주 깜빡인다. 민감하고 복근은 긴장되어 있다. 입술은 붉다.

처방: 시호 15 g, 황금 10 g, 강반하 15 g, 당삼 10 g, 계지 10 g, 복령 20 g, 용골 15 g, 모려 15 g, 건강 5 g, 홍조 20 g, 법제대황 5 g, 생석고 30 g. 15일분을 처방하고 하루에 0.5일분씩을 복용하도록 하였다.

2019년 9월 24일: 다양한 증상에 개선이 있으며 잔동작도 줄었다. 최근 입학 후 재발이 있다. 원방에 생감초 5 g, 부소맥 30 g을 더하여 20일분을 추가로 처방하였으며 복용법은 위와 같다.

2. 이모씨. 여아. 6세. 115 cm/19 kg. 2018년 11월 20일 초진

병력: 발육지연이 있고 다리에 힘이 없어 걸음걸이가 불안하고 쉽게 넘어지는 상태가 있은지 6개월이 경과하였다. 2018년 11월 18일 촬영한 MRI에서는 양측 대뇌반구백질의 제한 확산 병변(restricted diffusion)을 동반한 이상신호가 확인되었다. 유전대사성 뇌백질질환으로 생각된다. 서양의학적 치료는 효과가 분명하게 나지

않는다. 간헐적으로 복통이 있으며 수면시에 꿈이 많고 성격은 소심하다. 소변을 참기 힘들어 하며 코피가 자주 나고 대변이 건조하다.

체징: 무심한 표정이며 피부는 누렇고 눈 주위가 검다. 눈을 깜빡이는 속도가 느리며 운동 협조성이 감소되어 있다. 배꼽 주변에 두근거림이 있고 설질은 붉다.

처방: 시호 12 g, 황금 6 g, 강반하 12 g, 당삼 12 g, 계지 12 g, 복령 12 g, 법제대황 6 g, 용골 12 g, 모려 12 g, 건강 6 g, 홍조 15 g. 15일분을 처방하고 하루에 0.5일분씩 복용하도록 하였다.

2019년 7월 23일: 보행 상태가 좋아졌고 넘어지는 것도 줄었다. 심리상태도 좋아져서 학습 능력에 개선이 있으며 꿈도 줄었다고 한다. 대변 1일 1회. 모친에게 물어보니 약 복용 후 더 총명해졌다고 한다. 원방 25일분을 처방하였다. 복용법은 위와 같다.

(4) 소시호탕

[적용소견]

소아 감기 환자에서 발열이 지속되거나 땀이 나면서 가벼운 오한이 있고 구토나 식욕부진, 기침, 인후통 등이 동반되는 경우. 특히 바이러스성 감기, 풍진, 수두, 이하선염 등 바이러스성 질환에서의 발열. 또한 기관지염, 기관지천식 및 기침변이천식 등의 소아 알러지 질환에도 이 처방을 활용할 수 있다.

[참고사항]

1. 소시호탕에는 해열, 항염, 구풍(驅風), 해울(解鬱), 리허(理虛) 등의 효능이 있다. 체질을 개선하고 식욕을 증진하며 면역기능을 개선하여 항우울, 항알러지 효과를 나타낸다.

2. 해열을 목적으로 처방할 때는 시호를 대량 사용하며 통상 30 g 이상을 쓴다. 하루 4회 복용하여 땀이 나도록 한다.

3. 감기에 잘 걸리는 소아에는 증상 개선 후 간헐적으로 소시호탕을 복용하게 하여 체질을 조리하는 것이 좋다.

4. 소시호탕은 여러 가지 방법으로 약물을 가미하여 처방한다. 인후통, 마른기침에는 길경을 더하여 처방한다. 편도체종대, 림프절종대에는 생석고, 연교를 더하여 처방한다. 기침이 나고 가래가 많은 증상에는 반하후박탕을 합방하여 처방한다. 가래가 누렇고 끈적이는 환자에게는 소함흉탕을 합방하여 처방한다.

[전형증례]

양모씨. 남아. 22개월. 85 cm/11.5 kg. 2017년 6월 14일 초진

병력: 출생 후 3, 4개월쯤 지났을 때 장염이 생겼고 이후 변비가 시작되었다. 3–4일에 변을 한 차례 보며 관장을 해야 한다. 보호자는 "관장하지 않아도 변이 나왔으면 한다. 관장이 해로울까 걱정된다."고 한다. 대변은 검고 냄새가 나며 단단하고 커서 항문의 열상에 의한 출혈이 있다. 소아과 병원에서는 선천성 거대결장은 아니라고 확인해주었다. 한약을 복약했거나 만화를 보여준 후가 아니면 식욕이 좋지 않고 때때로 오심이 있다. 수면 불안이 있

어서 크게 울고 한밤중에 이를 간다.

체징: 여위고 작은 체격으로 천문이 아직 유합되지 않았고 설태는 약간 두껍다.

처방 1: 계지 10 g, 백작약 20 g, 자감초 3 g, 건강 2 g, 홍조 20 g, 맥아당 50 g

처방 2: 강반하 10 g, 복령 10 g, 후박 10 g, 소경 10 g, 연교 20 g. 맥아당을 적당히 넣어 쓸 수 있다.

상기의 두 처방을 각 7일분 처방하고 격일로 교대 복용하게 하였다.

2017년 7월 13일: 증상은 위와 같아서 대변을 4일째 보지 못하고 있다. 배변 시 오심과 마른 헛구역질이 있다. 마실 것을 좋아하며 식사 중에 누가 옆에 있는 것을 싫어하여 앉아서 집중해 밥을 먹지 못한다. 무관심한 표정이다.

처방: 시호 20 g, 황금 5 g, 강반하 10 g, 태자삼 10 g, 생감초 5 g, 후박 10 g, 복령 10 g, 소엽 5 g, 연교 20 g, 건강 3 g, 홍조 15 g. 15제을 5-2 복용법으로 처방하였고, 증상이 개선되면 격일로 복용하도록 하였다.

2017년 8월 2일: 식사 중에 오심이 없어졌으며 스스로 변을 볼 수 있고 변이 잘 통한다. 기분이 좋아졌으며(진료 시 할아버지라고 부름) 얼굴에 미소가 생기고 표정이 풍부해졌다(손오공, 저팔계 흉내를 냄). 식욕은 좋다. 원방에 후박 15 g을 더하여 20일분을 처방하였으며 복용법은 위와 동일하게 하였다.

(5) 마행감석탕

[적용소견]

소아의 각종 폐렴, 기관지천식, 급만성기관지염 등. 이 외에도 이 처방은 소아의 접촉성 피부염, 두드러기, 장미진(돌발진), 특발성 피부염, 산립종, 결막염, 아데노이드 비대, 유뇨 등에 효과적이다.

[참고사항]

1. 마행감석탕은 청열선폐(淸熱宣肺) 작용이 있어 지해(止咳), 평천(平喘), 화담(化痰) 효능뿐 아니라 가려움을 개선할 수 있다.

2. 이 처방을 적용할 환아는 대체로 영양상태가 좋지만 피부가 비교적 거칠고 어두운 누런빛을 띈다. 모발은 검고 윤기가 있으며 입술이 붉다. 얼굴이나 눈꺼풀에 가벼운 부종이 있다. 성격은 활발하고 명랑하며 움직이는 것을 좋아한다. 더운 것을 싫어하고 땀이 많으며 입이 말라 찬 음료나 과일을 좋아한다. 땀, 가래, 콧물의 점성이 높고 입안이 마르고 쓴 맛이 돌며 대변이 건조하고 덩어리지는 등의 소견이 있다. 인후통, 코막힘, 기침이 자주 있으며 피부에 발적, 두드러기, 가려움증이 잘 생긴다.

3. 소아 구루병, 심장질환자에는 신중히 투여한다.

4. 가래가 누렇고 끈끈한 환자에게는 소함흉탕을 합방하여 처방한다. 가슴이 답답하고 번소가 있으면 황금, 치자, 연교를 더하여 처방한다. 대변이 통하지 않을 경우에는 대황, 과루를 더해서

처방한다.

[전형증례]

진모씨. 남아. 4세. 102 cm/16 kg. 2019년 6월 5일 초진

주소: 기침, 천식이 반년 이상 지속되고 있다. 코의 가려움증을 수반하는 코막힘이 있고 코를 골며 땀이 많다.

체징: 체격이 건장하고 피부는 희다. 눈꺼풀이 약간 부었다. 장쑤성 중의병원 검사상(2019년 6월 4일): hsCRP 15 mg/L (<8 mg/L)

처방: 생마황 5 g, 행인 10 g, 생석고 30 g, 생감초 5 g, 배 1개. 복용 시 약간의 얼음사탕(氷糖)을 더하여 복용해도 된다고 지도하고 10일분을 처방하였다.

2019년 6월 26일: 그간 기침과 천식 발작이 없었으며 이갈이와 코골이도 개선되었다. 식욕은 뚜렷하게 좋아졌다. 원방 10일분을 격일로 1일분씩 복용하도록 하여 처방하였고 다른 복용법은 위와 같다.

(6) 소청룡탕

[적용소견]

소아기관지천식, 기침변이형 천식, 알러지 비염, 바이러스성 결막염 등

[참고사항]

1. 소청룡탕을 적용할 소아는 대다수가 푸르스름한 회색 얼굴빛을 띠고 있으며 얼굴이 매우 검고 양쪽 안와가 푸르스름한 경우도 있다. 비교적 증상은 안정적이나 찬 것을 매우 싫어하며 등줄기와 가슴이 차다고 한다. 기침으로 숨이 차고 콧물이 나며 수양성이거나 계란 흰자처럼 투명하고 거품이 섞인 많은 양의 가래가 나온다. 설태는 희고 습윤하며 설면은 물기가 많아 축축한 경우가 많아 입마름이 없다.

2. 이 처방에는 산한화음(散寒化飮)하는 효능이 있어 기침과 천식을 멈추고 항알러지 작용을 통해 가래와 콧물의 분비를 억제한다.

3. 처방 복용 후 가래, 콧물, 침의 분비량이 줄고 기침이 감소하면서 입이 마르는 것은 정상 소견이다. 찬물이나 차가운 과일을 섭취하지 않도록 한다.

4. 처방 복용 후 땀이 눈에 띄게 나고 밤에 잠을 깊게 들지 못하는 경우 마황을 제외하고 투약한다.

5. 상부호흡기감염에서 발열, 번조, 다한증, 활맥(滑脈) 등 소견이 있으면서 인후와 입술, 설질이 붉은 경우에는 생석고를 가한다.

[전형증례]

고모씨. 남아. 6세. 125 cm/21 kg. 2018년 11월 20일 초신

병력: 알러지성 비염 5개월. 감기에 걸리면 콧물, 기침, 맑은 콧

물이 있고 간혹 야뇨가 있다. 화를 잘 내고 조급한 성격이며, 대변은 건조한 편이다.

체징: 우측 편도선 3도 비대

처방: 건강 3 g, 세신 3 g, 오미자 5 g, 생마황 5 g, 생감초 5 g, 계지 10 g, 백작약 10 g, 강반하 10 g, 행인 10 g, 생석고 20 g. 7일분을 처방하고 식후 복용하도록 하였다. 증상이 개선된 후에는 격일로 복용하기로 하였다.

2018년 11월 27일: 맑은 콧물이 줄었고 야뇨도 이미 없어졌다(스스로 일어나 소변을 본다.) 편도선 비대의 상태도 개선되었으나 최근에 밀크티를 마시며 증상이 악화되었다고 한다. 원방 7일분을 처방하였다. 배 1개를 절편하여 전탕액에 넣고 얼음사탕(冰糖)을 넣어 먹도록 했다.

(7) 계지가용골모려탕

[적용소견]

소아칼슘결핍, 구루병, 소아폐렴지연기, 소아유뇨, 소아다한증, 소아야제, 전간, 뇌성마비, 대뇌발육불량, 소아심장병 등

[참고사항]

1. 강장(强壯), 진정, 안신(安神)의 효능이 있다. 수면상태에 대한 효과와 함께 칼슘의 보충을 통하여 뼈의 건강을 개선시킬 수 있다. 체질 개선의 효과도 있다.

2. 이 처방을 적용할 환아들은 대체로 여윈 체격이며 눈동자에 총기가 없고 피부는 곱고 촉촉하다. 모발은 가늘고 연하며 노란 빛이 돈다. 복직근이 긴장되어 있으며 쉽게 피로해하고 땀이 잘 난다. 잘 놀라고 불면이 잦으며 크게 우는 일이 많고 번조와 불안이 있다.

3. 식욕이 부진하면 당삼, 산약을 더하여 처방한다. 수척한 체격으로 단 것을 좋아하는 환자에게는 맥아당을 가미하여 처방한다.

[전형증례]

조모씨. 여아. 2세. 86 cm/10.6 kg. 2013년 4월 22일 초진

병력: 2년 전 뇌성마비가 발병하였으며 성장 발육이 지연되어 일어서거나 기어갈 수가 없다. 심리상태가 안정적이지 않아 큰소리로 잘 울고 다른 사람과의 의사소통이 불가능하다. 종종 기침과 천식이 있으며 식욕이 좋지 않다. 마르고 허약하며 머리는 노란빛이 돌고 머리숱이 적다. 눈동자에 총기가 없다.

처방: 육계 5 g, 백작약 10 g, 용골 15 g, 모려 15 g, 자감초 5 g, 건강 3 g, 홍조 20 g. 10일분을 처방하였다. 각 하루분 약을 200 mL로 탕전하여 1–2일에 나누어 복용하되, 하루에 3회 복용하도록 하였다.

2013년 8월 26일: 보호자에게서 환아가 약을 복용한 후 정신적 상태가 개선되었다는 연락이 왔다. 가족들과 눈빛으로 의사소통을 하며 도한과 기침이 줄어들었다고 한다. 식욕도 증가하였으며 몸을 가누어 일어설 수 있고 기어갈 수도 있다. 원방을 유지하였다.

(8) 소건중탕

[적용소견]

수척한 환아가 호소하는 복통, 단단하고 덩어리진 대변을 특징으로 하는 소아과질환. 알러지 자반증, 장중첩증, 장경련, 소아산증, 복부간질, 과민성대장증후군, 알러지 자반, 소아변비, 소아거대결장, 소아전간증 등. 환아가 마른 체격으로 식욕이 없어 체질적 관리가 필요한 경우로 소아 갑상선기능저하, 저체중, 영양불량, 빈혈, 빈뇨, 유뇨에도 쓸 수 있다.

[참고사항]

1. 이 처방은 강장(强壯), 진경(鎭痙), 지통(止痛), 통변(通便)하는 효능이 있다. 체질 개선을 통한 체중의 증가 효능이 있으며 배변을 촉진시키는 작용도 있다.

2. 이 처방을 적용할 환자는 대다수가 수척하며 흉곽이 편평하고 근육이 발달하지 않았거나 위축되어 있다. 복부를 누르면 복직근 경련이 있거나 부드럽고 무력하다. 피부는 누런 빛을 띄거나 희고 광택이 없으며 손바닥도 누렇다. 머리카락은 누렇고 가늘며 연하고 숱이 적다. 쉽게 배고파하고 배불리 먹고 싶어하지만 많이 먹지 못하고 천천히 먹으며 단 것을 좋아한다. 추위, 배고픔, 긴장 등을 이유로 쉽게 복통이 생긴다. 발작성이거나 은근하게 나타나는 통증이 있다. 대변은 건조하고 덩어리져 있으며 심하면 밤톨처럼 굳어있는 경우도 있다. 설질은 연하고 설태는 얇고 희며 두껍

거나 미끌미끌한 설태는 없다.

3. 비만하고 발열과 오한이 있으며 땀이 없는 환자로 발열과 번조가 있으며 입이 말라서 물을 마시려고 하는 소견이 있으면서 설질이 붉고 설태가 건조하거나 누렇고 미끌미끌하다면 본 처방을 금기로 하거나 신중히 투여한다.

4. 일부 환자는 처방 복용 후 장명음이 들리고 설사를 할 수 있는데 백작약의 용량을 줄인다.

5. 불면, 도한(盜汗)에는 용골 15 g, 모려 15 g을 더하여 처방한다.

[전형증례]

1. 신모씨. 남아. 6세. 115 cm/16.7 kg. 2018년 10월 29일 초진

병력: 특발성 피부염을 7년 남짓 앓았다. 한밤중부터 새벽까지 가려워서 깨어있다. 대변이 염소똥 모양으로 나오며 식사량이 적고 단 음식과 떡을 좋아한다. 달걀 및 먼지진드기에 알러지가 있다.

체징: 체격이 수척하고 피부는 건조하다. 설질은 검붉은 색이며 입술도 붉다.

처방: 계지 10 g, 백작약 20 g, 자감초 5 g, 건강 2 g, 홍조 20 g, 맥아당 30 g. 20일분을 5-2 복용법으로 처방하였다.

2018년 11월 26일: 복약 2주 후 식욕이 개선되었고 피부의 가려움증도 뚜렷하게 호전되었다. 피부에 광택이 돌아왔으며 얼굴도 붉고 촉촉하다.

2. 추모씨. 남아. 11세. 141 cm/28 kg. 2017년 11월 7일 초진

병력: 발육지연이 있다. 상시로 복통이 있으며 아침에 일어나거나 학교에 갈 때 발작한다. 언제나 침을 흘리며 구강궤양이 있다. 대변을 하루에 4번 보며 변이 건조한 편이다.

체징: 얼굴이 어둡고 누런빛을 띄며 입술은 붉고 말라서 갈라졌다. 설질은 붉고 설태는 얇으며 머리카락이 노랗다.

처방: 계지 10 g, 백작약 20 g, 자감초 5 g, 건강 3 g, 홍조 20 g, 맥아당 30 g(沖服). 20일분을 처방하였다.

2017년 12월 5일: 체중 29.6 kg. 복통은 때때로 있다. 원방 30일분을 5-2 복용법으로 처방하였다.

(9) 오령산

[적용소견]

구토, 설사, 과다발한, 소변이상을 특징적 증상으로 하는 소아과질환으로 급성위장염, 위장형 감기, 유행성 설사, 소화불량, 항생제 설사, 영유아 설사, 소아일유(溢乳) 구토, 신생아 구토, 지루성 및 삼출형 습진, 소아유연부지(流涎不止), 소아유뇨, 수두증, 음낭수종 등

[참고사항]

1. 오령산은 통양이수(通陽利水)의 효능이 있어 구토를 멈추고 소변을 통하게 하며 위장관의 수분흡수량을 증가시킨다.

2. 오령산을 적용할 환아는 대다수가 누렇고 광택이 없는 피부, 부어있고 연하여 치흔이 관찰되는 설질 등 소견이 보이며 설태는 희고 두터우며 미끌미끌하거나 물기가 많아 축축하다. 잘 붓고 땀이 많으며 입이 말라 마실 것을 찾는다. 간혹 물을 잘 토하는 증상도 있다. 소변량이 적고 황색이면서 양이 많고 빈뇨가 있다. 위내진수음, 장명음, 설사, 풀어시는 변 등이 나타나고 찬 음식 또는 과일을 섭취하면 쉽게 설사한다. 피부손상 부위에 삼출물이 잘 생기고 수포가 많다.

3. 오령산은 복용 후 뜨거운 물을 마셔야 한다. 이는 張仲景이 말한 "多飮暖水, 汗出愈"에 근거한 것이다. 임상에서도 처방 복용 후 뜨거운 물을 천천히 마시면 편해진다. 찬물을 복용하면 설사나 풀어지는 대변, 물을 마실수록 목이 마르는 증상 등이 유발될 수 있다. 이와는 별도로 오령산을 복용한 후에 찬 음식을 먹지 않도록 한다.

4. 구토환자에게는 산제를, 상부소화관 증상이 없다면 탕제를 준다.

5. 여름에 발열을 동반한 설사와 함께 땀이 많이 나고 열이 내리지 않는 환자가 오한, 입마름, 누런색의 양이 적은 소변, 두통 등 소견을 보이는 경우 계령감로음(桂苓甘露飮)을 상용한다(오령산에 생석고, 육일산, 한수석을 더한 처방).

6. 발열이 반복되고 설사하는 경우에는 소시호탕을 합방한다.

[전형증례]

1. 5세 남아가 이질을 앓고 있다. 고열이 내려가지 않고 번조가 생겨 이불을 덮으려 하지 않는다. 입이 마르고 물을 마시면 바로 토하는 증상이 있어 한 모금을 마시면 두세 모금을 토한다. 소변불리가 있고 맥은 부삭(浮數)하고 크고 무력하다. 오령산 2 g을 미음에 타서 복용하도록 하였다. 1일분 복용 후 구토가 멎고, 소변이 나오며 식욕이 호전되어 점점 회복되었다(《韓方臨床》, 4卷 12號. 矢數道明 案例).

2. 3세 남아가 침흘림이 멈추지 않아 턱받이를 하루 50개 바꿀 정도이다. 항상 습진이 생기며 입이 마르고 소변은 적으므로 오령산을 투여했다. 10일 복용으로 턱받이가 25개로 줄었고, 다시 10일 복용하니 15개로 더 줄었다. 소변은 늘었다. 2개월 후에는 턱받이가 10개로 줄었다.(《臨床應用漢方處方解說》, 寺師睦濟醫案)

(10) 죽엽석고탕

[적용소견]

소아의 장기 미열, 장기간 해수, 식욕부진, 과다발한 등. 특히 소아의 발열성 질환 회복기에서의 미열, 소아의 계절성 식욕부진에 동반되는 미열, 소아의 재발성 구강궤양 등에 활용한다.

[참고사항]

1. 죽엽석고탕은 청열양음(淸熱養陰)하는 효능이 있어 체중을 늘리고 식욕을 증진시킬 수 있으며 과다발한을 멈춘다.

2. 이 처방을 적용할 환아는 대개 수척하고 창백하며 복벽이 얇은 경우가 많다. 맥은 삭(數)하고 무력하며 발열이 있기도 하고 없기도 하지만 땀은 많다. 목이 마르고 입과 설질은 건조하다. 대부분 식욕이 저하되고 있어 식사량이 많지 않고 대변은 건조하여 덩어리져 있으며 소변은 노랗다.

3. 땀이 나지 않고 목마름이 없으며 몸이 차고 맥이 가라앉아 있는 환자에게는 신중히 투여한다. 설사가 있는 환자에게도 신중히 투여한다. 일부 환자들은 열은 없어도 맥이 삭(數)한데 이런 경우에는 체질적인 회복을 기다리면 맥이 정상소견으로 돌아온다.

4. 이 처방을 적용할 환자들은 대변이 마르고 덩어리지는 경우가 많은데, 반대로 설사 환자에게 죽엽석고탕을 주면 대변이 굳어지는 경우가 많다.

[전형증례]

유모씨. 남아. 3세. 2012년 3월 19일 초진

병력: 2011년 10월 28일에 림프절염이 발생하였고 10월 30일 촬영한 X-ray상 폐부의 결절이 보이며 EB바이러스 감염 진단을 받았고, 병리절편진단상 신경모세포종을 확인하였다. 화학요법을 세 자례 받은 후 수술을 하였다. 현재 5차 화학요법 준비 중이며 검사상 PLT 64×10^{9}L, WBC 4.06×10^{12}L. 식욕이 부진하며 몸의

절반은 뜨겁고 절반은 차다(신경모세포종의 증상).

체징: 피부는 희고 촉촉하다. 설질은 붉고 설태는 누런색이며 설면에 궤양이 있다.

처방: 담죽엽 10 g, 생석고 15 g, 북사삼 15 g, 맥문동 20 g, 생감초 5 g, 산약 20 g, 강반하 5 g, 7일분을 처방하였다.

2013년 6월 10일: 불편했던 증상들이 현저하게 줄었다. 밤중에 몸의 우측에서만 땀이 나며 물을 많이 마시고 상초열(上焦熱)이 잘 올라와 구강궤양과 코피가 자주 생긴다. 원방 10일분을 처방하고 하루에 0.5일분씩 복용하도록 하였다.

12. 피부질환

피부는 인체 최대의 장기로 신체의 어떠한 이상 소견이라도 피부 표면에 반영되어 나타날 수 있다. 피부질환의 종류는 매우 많아 1,000개 이상으로 추정된다. 일차진료 현장에서 일반적으로 볼 수 있는 질환은 단순포진, 대상포진, 편평사마귀, 농포창, 단독, 모낭염 등이다. 피부의 알러지 반응에 의한 피부질환으로는 습진, 두드러기, 아토피성 피부염 등이 있다. 신경기능장애성 피부질환으로는 신경성피부염, 만성단순성양진이 있다. 홍반 및 구진인설성 피부질환으로는 건선 등이 있다. 여드름은 젊은 남성과 여성에게 흔히 발생하는 질환이다.
피부 질환은 전신질환의 축소판이다. 많은 전신질환들이 서로 다른 피부 변화를 나타내므로 피부질환의 치료는 매우 복잡하다. 거의 모든 경방이 피부병 치료에 사용될 수 있다. 서로 다른 개인의 특징에 따라 피부질환의 치료에 일상적으로 선택하는 경방은 아래의 예와 같다.

(1) 계지탕

[적용소견]

피부의 구진, 미란, 궤양 등이 보이고 피부가 희고 메말랐으며, 국소 환부는 붉지 않고 색이 옅은 환자의 모낭염, 여드름, 겨울의

피부염, 동창, 두드러기, 습진, 하지궤양, 피부균열 등

[참고사항]

1. 계지탕을 적용할 환자의 대다수는 수척한 체격, 메마른 피부, 자한(自汗), 어둡고 옅은 색조의 설질 등 소견을 보인다.

2. 노인 혹은 허약체질에 많이 사용된다. 신체가 건장하고 설질이 붉으며 맥이 삭(數)한 환자에게는 신중히 투여한다. 응고기전 장애환자에게도 신중히 투여한다.

3. 여드름, 모낭염 등에서 색이 붉지 않고 통증이 없거나 가벼우며 손상부위가 납작하다. 피부색은 약간 광택이 있다. 한량약(寒涼藥)이 효과가 없는 환자에게 적용하며 국소 환부가 붉게 붓고 열감과 통증이 있다면 신중히 투여한다.

4. 이 처방을 복용한 후에는 몸을 따뜻하게 하고 바람을 피한다.

5. 부종이나 궤양이 오래되어 낫지 않는다면 황기 30 g을 더하여 처방한다. 피부가 건조하고 누렇게 뜬 색조일 경우에는 당귀 15 g을 더하여 처방한다.

[전형증례]

이모씨. 여성. 33세. 158 cm/40 kg. 2013년 6월 28일 초진

병력: 1개월 전부터 두드러기가 있다. 전신에 두드러기가 있으며 바람을 맞으면 증상이 발작한다.

체징: 피부색은 희고 수척하며 설질은 색은 옅고 연하다. 맥은

약하다.

처방: 육계 5 g, 계지 10 g, 백작약 15 g, 자감초 5 g, 건강 10 g, 홍조 30 g, 15일분을 3-2 복용법으로 처방하였다. 약물 복용 후 뜨거운 죽 한 그릇을 마시고 바람을 피하도록 하였다.

2014년 4월 18일: 위 처방을 5일분 복용하니 두드러기가 소실되었다. 최근 방게를 먹고 나서 가려움증과 발진이 나타났다. 원방에 자소엽 10 g, 복령 15 g을 더하여 10일분을 처방하였다.

(2) 갈근탕

[적용소견]

피부질환 환자에게서 풍만한 근육과 건조하고 거친 피부, 구진, 인설이 보이며 피부손상 부위가 머리, 목 등에 있는 경우

[참고사항]

1. 갈근탕을 적용할 환자는 대체로 체질이 비교적 충실하고 특히 외견상 근육이 단단하다. 피부는 검푸르거나 황암하고 거친 경우가 많다. 주로 육체노동을 하는 환자들이나 평소 체력이 건장한 청장년환자에게 쓸 기회가 많다. 고령의 허약자나 체격이 수척하고 피부가 희며 땀이 많이 나는 환자, 심기능부전 환자에는 신중히 투여한다.

2. 처방을 복용한 후 바람을 피하고 땀이 약간 나도록 하면 좋다.

3. 여드름, 모낭염에는 대황 10 g, 천궁 15 g을 더하여 처방한

다. 두드러기에는 생석고 30 g을 더하여 처방한다. 건선에서 변비가 있다면 법제대황 10 g, 망초 5 g, 도인 15 g을 더하여 처방한다.

[전형증례]

J모씨. 남성. 30세. 175 cm/75 kg. 2017년 6월 28일 초진

병력: 얼굴, 입술 주위 및 목 뒤의 모낭염이 10년째 반복되고 있다. 상초열(上焦熱)로 잇몸출혈이 있으며 자주 감기에 걸리고 맑은 콧물이 나온다. 식욕은 정상이고 끈적이는 대변을 본다.

체징: 체격은 건장하고 입술이 붉으며, 얼굴에 반흔이 있고 인후도 붉다.

처방: 갈근 50 g, 생마황 10 g, 계지 15 g, 적작약 15 g, 생감초 10 g, 건강 5 g, 홍조 20 g, 생대황 10 g, 황금 15 g, 황련 5 g. 15일분을 처방하고 증상이 개선되면 하루에 0.5일분씩을 복용하기로 하였다.

2018년 6월 11일 전화 회신: 약을 복용한 후 효과가 있어 지금까지 모낭염이 생기지 않았다고 전해왔다.

(3) 소시호탕

[적용소견]

피부질환으로 구진, 포진, 미란, 태선화, 심한 가려움 등의 특징이 보이는 경우. 단순포진, 대상포진, 수족구병, 신경성 피부염, 습진, 아토피피부염, 일광성 피부염 등 알러지 피부염, 바이러스

피부염 등에 널리 응용가능하다.

[참고사항]

1. 가려움이 있으면 형개 15 g, 방풍 15 g을 더하여 처방한다. 대상포진으로 국소 열감과 부종 및 통증이 있는 경우 황련 5 g, 황금 10 g, 황백 10 g, 치자 15 g을 더하여 처방한다. 국소 피부가 검게 변하고 찌르는 듯한 통증이 수반되는 경우 과루 30 g, 지각 10 g, 백작약 10 g, 홍화 10 g을 더하여 처방한다. 단순포진에는 연교 30 g을 더하여 처방한다. 신경성 피부염, 아토피피부염에는 후박 15 g, 복령 15 g, 소엽 10 g을 더하여 처방한다. 습진으로 많은 양의 국소 분비물과 부종이 생기는 경우에는 계지 10 g, 복령 15 g, 저령 15 g, 백출 15 g, 택사 20 g을 더하여 처방한다.

[전형증례]

1. 허모씨. 여성. 2016년 12월 24일 초진

병력: 얼굴 피부의 발적이 10년째 반복되고 있다. 특히 햇빛이나 바람에 노출된 후 증상이 악화된다. 눈 주위에 발적과 가려움이 있다. 전문 진료과에서 일광성 피부염 진단을 받았다.

처방: 시호 20 g, 황금 10 g, 강반하 10 g, 당삼 10 g, 생감초 10 g, 백작약 20 g, 건강 5 g, 홍조 15 g, 형개 15 g 방풍 15 g. 15일분을 처방하였다.

2017년 1월 7일: 피진 증상이 가벼워졌다. 원방 15일분을 처방하였다.

2017년 2월 11일: 피진이 호전되었다. 춘절에 약간 악화되었으나 현재 회복 중이다.

2. 엽모씨. 여성. 38세. 169 cm/74 kg. 2017년 12월 18일 초진

병력: 양측 허벅지의 피진이 5–6년 전부터 있었으며, 최근 1년 반 사이 악화되었다. 호산성근막염/지방층염(panniculitis) 진단. 입이 말라 물을 마시고 싶고 찻잔을 보면 목이 마르다. 무른 대변을 하루 두 차례 본다.

유인: 건강식품을 복용한 후 심해지기 시작하였다.

체징: 체격은 비만하고 건장하며 양측 허벅지에 궤양을 동반하는 부종, 피진, 경결이 있다. 좌측의 증상이 더 심하다.

처방: 시호 25 g, 황금 15 g, 강반하 10 g, 당삼 10 g, 생감초 10 g, 창출 30 g, 백출 20 g, 복령 30 g, 저령 30 g, 계지 20 g, 택사 40 g, 건강 5 g, 홍조 15 g, 백작약 20 g. 20일분을 처방하였다.

2018년 1월 29일: 약물 복용 후에는 하지부종이 감소하였고 피진과 가피도 없어졌다. 입마름 역시 뚜렷하게 줄었다. 원방 30일분을 5–2 복용법으로 처방하였다.

(4) 계지복령환

[적용소견]

피부질환으로 피부건조, 인설, 궤양, 구진, 낭종, 결절, 국소 부위의 색소침착, 어두운 보라색의 피부착색 등 특징이 나타나는 경

우. 이 처방은 피부질환 중 여드름, 습진, 건선, 탈모, 하지궤양 등에 적용할 수 있다.

[참고사항]

1. 건선에는 마황 10 g, 대황 10 g, 의이인 30 g, 생감초 5 g, 망초 5 g을 더하여 처방한다. 여드름에는 법제대황 10 g, 천궁 15 g을 더하여 처방한다. 탈모에는 천궁 15 g을 더하여 처방한다. 하지피부궤양에는 회우슬 30 g을 더하여 처방한다. 변비에는 생대황 10 g을 더하여 처방하고, 심한 경우에는 망초 10 g을 더한다. 얼굴이 붉고 기름기가 도는 환자에는 삼황사심탕을 합방하여 처방한다.

2. 출혈이 잦거나 응고기전장애가 있는 환자에게는 신중히 투여한다.

3. 처방 복용 후 설사를 하거나 풀어지는 대변을 보는 경우 투약을 중단하면 회복된다.

[전형증례]

모씨. 여성. 1989년생. 156 cm/48 kg. 2018년 1월 12일 초진

병력: 불면을 수반한 여드름이 4년째이다. 여드름은 밤샘을 하면 나타나며 스테로이드 복용 후 이 증상이 더 심해졌다. 아래턱에 많이 나타나고 농포가 있으며 월경 전에 심해진다. 치은염이 있어 잇몸에서 출혈이 자주 있다. 겨울에 손발이 얼음처럼 차고 수면상태와 기억력이 좋지 않으며 하지가 차다. 쉽게 화를 내고

성격이 급하다.

체징: 입술이 붉고 두터우며 설태는 두껍고 미끌미끌하고 얼굴에 기름기가 있다. 아랫배 왼편에 압통이 있으며 눈꺼풀에 붉은기가 돈다.

처방: 계지 10 g, 육계 5 g, 복령 15 g, 목단피 15 g, 적작약 15 g, 도인 15 g, 법제대황 5 g, 황련 5 g, 황금 10 g. 10일분을 5–2 복용법으로 처방하였다.

2018년 1월 24일: 여드름이 호전되었고 피부의 손상과 하얀 고름 등이 모두 소실되었다.

(5) 오령산

[적용소견]

습진, 편평사마귀, 황색류(기미), 지루성피부염, 탈모, 다형성홍반, 수두, 대상포진 등 피부병변에서 삼출물이 분명하거나 수포가 있으며 이와 더불어 전신증상으로 입마름, 배뇨이상, 부종, 설사, 다한증 등이 있는 경우

[참고사항]

1. 오령산은 탕제로 쓸 수 있다. 저령 3, 택사 5, 백출 3, 복령 3, 육계 2의 비율로 산제를 만들어 매번 5 g씩 하루 1–3회 복용한다.

2. 처방의 복용 후에는 뜨거운 물을 조금 마셔서 땀을 내는 것이 좋으며 찬물을 먹지 않도록 한다.

3. 편평사마귀에는 의이인 30–60 g을 더하여 처방한다. 단순포진에는 소시호탕을 합방하여 처방한다.

[전형증례]

L모씨. 여성. 28세. 2011년 9월 24일 초진

병력: 습진이 3년째 반복되고 있으며 3주 사이에 악화되었다. 팔다리에 피부 손상이 있고 가려움증이 심하며 삼출물이 많은 편이다. 현재 임신 2개월째로 입이 말라 물을 마시고 싶어하며 풀어진 변을 자주 본다. 하지가 쉽게 붓고 땀은 비교적 많다.

체질: 체격이 중간 정도이며 얼굴은 누렇고 양쪽 다리에 가벼운 부종이 있다.

처방: 백출 100 g, 복령 100 g, 저령 100 g, 택사 100 g, 육계 60 g, 생의이인 200 g. 가루내어 매번 5 g씩 하루 세 차례 뜨거운 물이나 미음과 같이 복용하도록 하였다.

후기: 2012년 4월 24일 환자가 만삭이 되어 내원하여 감사를 표했다. 약물 복용 1개월 반만에 습진이 완전히 해소되었다고 한다.

(6) 황련해독탕

[적용소견]

피부질환에서 농포, 미란, 반진, 구진, 출혈이 보이거나 홍(紅), 종(腫), 열(熱), 통(痛), 번(煩)의 소견이 보이는 경우에 쓴다. 본 처방은 습진, 농포진(황수창), 대상포진, 다발성절종, 단독, 건선,

베체트병, 임질, 콘딜로마, 생식기포진 등에 활용할 수 있다.

[참고사항]

1. 이 처방을 적용할 환자는 대다수가 체격이 건장하며 근육이 단단하게 긴장되어 있고 얼굴이 붉으면서 기름기가 있다. 안구는 충혈되어 있고 눈꼽이 잘 끼며 입술은 어두운 붉은 색이다. 설질은 뻣뻣하고 맥은 활삭(滑數)하다. 번조와 수면장애가 잦고 피부에는 항상 부스럼이 있으며 구강궤양이 잦고 소변은 누렇거나 붉은빛을 띈다. 찬 기운을 싫어하며 신경쇠약과 식욕부진이 있고 얼굴빛이 초췌하며 누르스름한 환자에게는 신중히 투여한다. 간기능 및 신기능 부전 환자에게는 금기이다.

2. 이 처방은 장기복용해서는 안되며 효과를 보면 즉시 중단한다.

3. 대변이 건조하고 덩어리진 경우에는 대황 10 g을 더하여 처방한다. 림프절 종대, 발열, 다한(多汗)에는 연교 30 g을 더하여 처방한다. 피부가 건조하고 붉거나 쉽게 출혈이 생기면 생지황 30 g, 백작약 15 g, 당귀 10 g, 천궁 10 g을 더하여 처방한다. 소양이 심한 경우 형개 15 g, 방풍 15 g, 박하 10 g, 시호 15 g, 감초 5 g, 백지 10 g, 길경 10 g을 더하여 처방한다.

[전형증례]

이모씨. 여성. 27세. 168 cm/65 kg. 2014년 6월 7일 초진

병력: 얼굴에 다년간 여드름이 있었다. 부인과적 염증이 반복적

으로 발생하고 황색 대하가 있다. 월경 2−3일차에 복통이 심해지며 월경에 덩어리가 섞여서 나온다. 치질이 있다.

체징: 체형은 비만한 편. 얼굴빛이 촉촉하며 기름기가 돈다. 여드름이 얼굴에 가득하며 색이 붉고 농포가 돌출되어 있다. 설질은 붉고 맥은 활(滑)하다.

처방: 황련 5 g, 황금 10 g, 황백 10 g, 치자 10 g, 법제대황 10 g, 생감초 20 g. 10일분을 5−2 복용법으로 처방한다.

2014년 6월 21일: 얼굴의 여드름이 뚜렷하게 줄어들었으며 생리통도 완화되었다.

(7) 방풍통성산

[적용소견]

피부질환으로 두드러기, 구진, 태선화, 가려움 등이 특징적인 증상으로 나타나는 경우. 본 처방은 두드러기, 여드름, 습진, 모낭염, 편평사마귀, 소양증, 아토피피부염, 건선, 일광성피부염 등에 활용할 수 있다.

[참고사항]

1. 방풍통성산을 적용할 환자는 대체로 체격이 건장하며 모발이 검고 배가 크다. 배를 누르면 저항감이 있고 특히 배꼽 부분에 꽉 찬 느낌이 있다. 피부는 거칠고 건조하고 쉽게 과민하여 발적, 가려움, 여드름 등이 잘 생긴다. 식욕이 좋고 변비가 있으며 입술

이 붉거나 검붉다. 여성의 경우 월경량이 적고 색이 옅은 편이고 심하면 무월경이 되기도 한다. 고혈압, 고지혈증 등이 많이 보인다. 체격이 수척하고 빈혈이 있거나 식욕부진이 있는 환자는 신중히 투여하며, 임산부에게도 신중히 투여한다.

2. 투약 중에 설사, 발한, 가슴 두근거림 등이 나타날 수 있다. 이 경우 투약 용량을 줄이거나 복용을 중단한다.

3. 환자가 복용 후 증상이 더 심해질 수 있으나, 걱정할 필요 없이 계속 복용하면 자연스레 호전된다.

4. 이 처방은 환제로 사용가능하다. 상시 복용하기 편리하고 체질 개선에 효과적이다.

5. 변비가 없는 환자에게는 망초를 쓰지 않는다.

6. 아토피피부염, 알러지성 피부염 등 소양성 피부질환에서는 다음과 같이 처방을 조절한다. 생마황 10 g, 생석고 30 g, 생감초 5 g, 법제대황 10 g, 형개 15 g, 방풍 15 g, 연교 30 g, 박하 10 g, 길경 10 g. 소아의 아토피피부염 치료에 사용하는 경우 일반적으로 탕액 300 mL를 매번 30–50 mL 복용하여 하루 두세 차례 차례 복용하도록 한다.

[전형증례]

왕모씨. 남성. 27세. 172 cm/92 kg. 2014년 6월 17일 초진

병력: 최근 3년간 만성 두드러기가 있어 왔으며 알러지 비염도 2년째 앓고 있다. 항상 재채기, 콧물, 코막힘이 있으며 피부 스크래치 검사상 양성 반응을 보인다. 피곤해하고 자고 싶어하며 지방

간과 요산수치 상승 소견이 있다.

체징: 체격이 비만하고 건장하며 털이 검고 배가 크다.

처방: 방풍 15 g, 형개 15 g, 생마황 10 g, 활석 15 g, 생감초 5 g, 생석고 20 g, 법제대황 10 g, 망초 5 g, 창출 20 g, 황금 10 g, 치자 10 g, 연교 20 g, 당귀 10 g, 천궁 10 g, 백작약 10 g, 길경 10 g, 박하 5 g, 건강 10 g. 15일분을 1–2 복용법으로 처방하였다.

2014년 9월 16일: 약물 복용 후 두드러기가 없어졌다. 피부 스크래치 검사가 양성으로 유지되는 시간이 현저하게 줄었으며 체중도 약간 줄었다. 원방의 생마황을 15 g으로 늘려서 15일분을 처방하였다. 복용법은 상기와 같다.

(8) 형개연교탕

[적용소견]

피부질환에서 피부가 기름지고, 삼출물, 홍반, 농포, 소양 등이 있는 경우. 이 처방은 피부질환의 상용처방으로 여드름, 모낭염, 습진, 알러지 자반, 건선, 농포창, 홍반성 낭창, 경피증, 결절성 양진 등에 활용할 수 있다.

[참고사항]

1. 이 처방을 적용할 체질은 대다수가 체격이 건장하며 청장년층이 많다. 얼굴에 기름기가 돌고 입술과 설질은 붉은색이며 인후가 충혈되어 있다. 번조와 불안초조, 두통, 어지러움, 피부의 가려

움, 코피, 인후통, 구강궤양, 림프절 종대가 자주 나타난다. 여성 환자는 월경의 양이 증가하고 끈적이며 덩어리가 진다. 빈혈, 식욕부진, 간기능부전, 신부전 환자에게는 신중히 투여한다.

2. 이 처방은 장기복용해서는 안되며, 1개월 이상 복용 시 간기능검사가 필요하다.

3. 대변이 건조하고 덩어리지면 대황 10 g을 더하여 처방한다. 입이 마르며 땀이 많고 더운 날씨에 노출되었을 때 질환이 악화되는 경우에는 생석고 30 g을 더하여 처방한다.

[전형증례]

기모씨. 남성. 60세. 2009년 7월 13일 초진

병력: 2009년 2월부터 온 몸에 미만성의 검붉은색 습진이 발생하였다. 몸 전체에 속립상 농포와 수포가 있으며, 일부 홍반은 융합하여 판을 형성하고 있다. 왼쪽 넓적다리 바깥쪽을 보면 콩 크기만한 긴장성 수포가 있으며, 기본적으로 홍반은 없다. Nicolsky sign 음성. 호산구성농포성 모낭염이 의심된다. 기왕력으로 뇌간출혈, 전립선비대, 폐결핵 등이 있다.

현증상: 전신에 홍반, 구진, 농포, 가려움이 있으며 아침기상, 저녁, 밤중에 심하여 수면에 영향을 준다. 더운 것을 싫어하고 끈적이는 땀을 많이 흘리며 가래가 많고 무좀이 있다. 혈압조절이 잘 되지 않는다(143−130/98−100 mmHg).

체징: 얼굴이 붉고 기름기가 돌며 설질은 검붉고 맥은 현활(弦滑)하며 유력하다.

처방: 형개 15, 연교 30 g, 시호 15 g, 방풍 15 g, 생감초 5 g, 길경 10 g, 박하 5 g, 지각 10 g, 당귀 10 g, 천궁 10 g, 백작약 15 g, 생지황 15 g, 황련 5 g, 황금 10 g, 황백 10 g, 치자 10 g, 백지 10 g, 법제대황 10 g. 15일분을 처방하고 매일 1일분씩 복용하도록 하였다.

2009년 7월 20일 재진: 가려움증은 호전되었고 현재 매일 1-2시간 정도의 발작이 있다. 혈압은 안정적이다. 원방에서 시호와 생석고를 각 20 g으로 증량하여 처방하고 계속 복용하도록 하였다.

(9) 온경탕

[적용소견]

여성의 피부병으로 국소의 피부가 건조하고 거칠며 월경부조나 폐경 및 월경량 감소, 난임, 검사상 에스트로겐 수치 및 기초체온 저하 등 소견을 수반하는 경우. 여드름, 수족균열, 수장각화증, 습진, 입술염, 탈모, 기미, 조갑박리 등 피부질환에서 본 처방을 활용할 기회가 많다.

[참고사항]

1. 과다월경, 자궁근종, 월경 전 유방의 창통이 보이는 경우 본 처방을 신중히 사용해야 한다.

2. 체형이 비만하고 건장하며 영양상태가 좋고 얼굴이 붉으면서 윤기가 흐르는 환자에게는 본 처방을 신중히 사용해야 한다.

3. 체격이 수척하고 여드름이 많다면 갈근 30 g, 생마황 5 g을

더하여 처방한다. 국소 환부의 피부가 손상되어 어두운 보랏빛을 띠고 피부가 건조한 경우에는 도인 15 g을 더하여 처방한다.

[전형증례]

황모씨. 여성. 21세. 165 cm/55 kg. 2017년 6월 21일 초진

병력: 3년 전부터 희발월경이 발병하였으며 월경량도 적다. 3개월 전부터는 입술염도 있다. 반년 전 검사상 에스트로겐 수치 저하 소견이 있었다. 최근 입술의 염증과 종창 및 가려움이 심해져 로라타딘(loratadine)을 3일 복용하였으나 종창은 호전이 없다. 최근 2년 사이 손발바닥의 피부가 쉽게 갈라진다.

원인: 월경부조가 반년 전부터 더 심해졌다. 환자는 입술염이 심해진 것이 4개월 전 시술받은 임플란트 및 오랫동안 온보(溫補)하는 약을 복용한 것과 관련이 있다고 생각한다.

기왕력: 소아기의 습진, 알러지 피부염, 기관지천식, 폐렴, 수두, 먼지 및 바퀴벌레 알러지(재채기, 안구 소양)

체징: 입술이 두껍고 손은 연약하고 가늘다. 배꼽털과 체모가 없고 손바닥에 땀이 나며 설태는 벗겨져 있다.

처방: 오수유 5 g, 당삼 10 g, 맥문동 20 g, 강반하 10 g, 자감초 5 g, 육계 10 g, 백작약 10 g, 당귀 10 g, 천궁 10 g, 목단피 10 g, 아교 10 g, 건강 5 g, 홍조 30 g. 15일분을 5–2 복용법으로 처방하였다.

2017년 7월 26일: 위 처방 복용 후 입술염이 호전되었고 월경은 3개월간 연속으로 있었으며 월경량은 적다. 원방의 자감초를

10 g 증량하여 동일한 복용법으로 20일분을 처방하였다.

2017년 8월 30일: 월경은 아직까지 없다. 유방창통이 1주일 전부터 있고, 입술염이 발생하였으나 외관상으로 뚜렷한 소견은 보이지 않는다. 원방에 갈근 30 g, 생마황 5 g, 황금 10 g을 더하여 15제일분을 처방하였다. 월경이 있으면 격일로 복용하도록 하였다.

2017년 10월 12일: 입술염은 완전히 회복되었고 종창이나 가려움은 없다.

(10) 황련아교탕

[적용소견]

피부가 메마르고 가려움, 홍반, 갈라짐이 있고 국소 환부가 약간 붉은색을 띠며 건조하다. 인설이나 가려움은 심하지 않고 피부 종창은 불명확하며 바람이나 일광에 의해서 악화된다. 얼굴의 피부가 비교적 많이 손상되어 있으며 대부분 수면장애나 잦은 피로를 수반한다.

[참고사항]

1. 경과가 길고 잘 낫지 않으며 고식적 치료에 반응하지 않는 환자인 경우 이 처방을 고려해본다.

2. 이 처방의 적용 대상에는 여성이 많으며 설진과 맥진 소견은 중요하지 않다.

3. 황련아교탕은 대부분 투약을 시작한 후 7일 이내에 효과가

나타난다. 수면상태의 개선, 피부홍반의 소실 등의 효과를 관찰할 수 있다.

4. 출혈경향이 있는 환자에게는 생지황 30 g, 목단피 15 g을 더하여 처방한다.

[전형증례]

여성. 42세. 163 cm/53 kg. 2017년 12월 4일 초진

병력: 호르몬성 피부염이 4–5년째 반복되고 있다. 얼굴의 발적이 이마, 뺨 및 콧날개 양쪽에 뚜렷하다. 결혼 후 2년째 난임상태이며 희발월경이 있다.

체징: 수척한 체격이고 피부는 희다. 입술과 설질은 붉은색이며 다리의 피부가 건조하다.

처방: 황련 5 g, 황금 10 g, 아교 10 g, 백작약 15 g, 생지황 30 g, 자감초 5 g, 여정자 15 g, 묵한련 15 g. 15일분을 5–2 복용법으로 처방한다.

2018년 1월 15일: 복약 후 10일 후 월경(2018년 1월 3일). 이마 및 코 주변 발적이 줄어들고 색이 옅어졌다. 원방 15일분을 처방하고 격일로 복용하도록 하였다.

(11) 당귀사역탕

[적용소견]

습진, 건선, 모공각화증, 여드름 등. 국소 피부가 건조하고 인

설이 있으며 추우면 악화된다. 손이 차고 동상 기왕력이 있다. 피부에 옅은 보라색의 망상청피반이 있다.

[참고사항]

1. 당귀사역탕을 적용할 환자의 대다수는 한열착잡의 상태로 잇몸출혈, 구강궤양, 변비, 관절종통 등이 많이 보인다. 이 경우 황금탕, 사심탕, 황련아교탕, 황련해독탕, 오매환 등을 합방하여 처방할 수 있다.

2. 처방 복용 후 대다수는 손발이 따뜻해지고 입이 마르는 느낌이 있을 수 있으나 이는 정상적인 반응이다.

[전형증례]

장모씨. 여성. 48세. 165 cm/70 kg. 2011년 12월 19일 초진

병력: 양측 종아리와 아래팔에 망상청피반이 생긴 지 8년 정도 되었다. 사천성의 화서병원에서 혈관염을 진단받았다. 현재 발가락에 궤양이 있어 찬 것에 닿으면 통증이 있고, 더운 것에 닿으면 가려움이 있으며 전신의 통증이 동반된다.

체징: 체격이 건장하고 얼굴빛이 검붉으며 손바닥이 차고 발바닥은 얼음처럼 차다. 발가락에 청색증 소견이 있고 오른쪽 새끼발가락에는 궤양이 있다.

처방: 당귀 10 g, 계지 10 g, 육계 10 g, 백작약 10 g, 적작약 10 g, 북세신 10 g, 생감초 5 g, 건강 5 g, 홍조 20 g, 통초 5 g. 7일분을 처방하였다.

2012년 2월 9일: 전신의 청색증 소견이 뚜렷하게 줄어들었고, 오른발과 새끼발가락의 궤양도 유합되었다. 원방을 계속 복용하도록 하였다.

1개월 후 회신: 발가락의 청색증이 뚜렷하게 개선되어 복약을 중단한 뒤에도 통증이 심하지 않다고 전해왔다.

(12) 월비가출탕

[적용소견]

본 처방은 각종 피부염, 습진, 두드러기, 일광성피부염, 건선 등에서 부종, 삼출물, 국소 피부의 비후, 환부의 작열감이 있는 환자에게 쓴다. 각종 사마귀에도 쓸 수 있다.

[참고사항]

1. 본 처방을 적용할 환자는 체격이 건장하거나 부종이 있고 피부는 황백색이나 홍백색을 띈다. 입술과 인후가 붉고 눈동자가 충혈되어 있으며 익상편 등이 생기기도 한다. 대다수가 더운 것을 싫어하고 땀이 많으며 다리의 부종이나 관절종통이 있다. 무덥고 습한 여름에 잘 발병하며 평소에 미식을 즐기는 사람들에게 자주 보인다.

2. 삼출물과 가려움 소견이 현저한 경우 마황연교적소두탕, 마행감석탕 등을 합방한다.

[전형증례]

이모씨. 남성. 51세. 178 cm/87 kg. 2016년 4월 18일 초진

병력: 1년여 전부터 음낭습진이 있다. 더운 것을 싫어하고 땀이 나서 "면을 한그릇만 먹어도 머리에 땀이 흥건해진다"고 한다. 매일 오후 4–5시쯤에 등허리에 열감이 느껴진다.

체징: 체형은 비만한 편이고 눈꺼풀이 약간 부어있다. 피부는 희고 입술은 붉다. 눈꺼풀이 충혈되어 있고 인후와 설질은 검붉다. 양쪽 다리에 가벼운 부종이 있다. 맥은 활(滑)하다. 100회/분

처방: 생마황 10 g, 생감초 5 g, 생석고 40 g, 창출 30 g, 건강 5 g, 홍조 15 g. 7일분을 처방하였다.

2016년 4월 25일: 음낭습진에 호전이 있고 하지부종이 소실되었으며 등허리가 타는 듯한 증상도 개선되었다. 원방 14일분을 처방하였다.

13. 구강점막질환

구강점막질환은 구강 내 점막의 손상을 지칭하며, 통상적인 구강 점막질환에는 다음이 있다.

1. 헤르페스 구내염 및 구순포진: 모두 단순 포진 바이러스에 의해 발생한다. 헤르페스 구내염은 유아와 청소년에 많다. 급성의 구내염으로 나타나며 많은 수포가 형성되고, 수포가 터진 후에는 궤양이 생긴다. 전신 증상으로는 피로, 발열, 림프절종대 등이 있다. 구순 포진은 단순포진 바이러스 감염의 재발로 증상이 경미하며 환부도 입술 및 입 주변 피부에 국한된다. 물집이 생기기 전에 작열통이 있고 물집은 매우 작지만 무리지어 발생할 수 있다. 이들은 서로 합쳐져 짙은 갈색 딱지를 형성한다. 약 10일 후에 자연히 낫지만 재발할 수 있다.
2. 재발성 구내염: 아프타성 구내염이라고도 한다. 어떤 연령대라도 발생할 수 있으며, 소아나 청년 및 여성에게 좀더 많다. 재발성 구내염은 자연적으로 호전되지만 주기적으로 재발한다. 특별한 치료를 하지 않아도 통상 7–10일 이내에 점진적으로 치유된다. 재발 주기는 며칠에서 몇 달까지 다양하며 불규칙하다. 재발성 괴사성 점막주위염은 입안의 대규모 재발성 궤양으로 아프타성 구내염 병력이 있는 경우가 많다. 궤양면은 통상 0.5–2 cm이며 1–2개월 동안 지속되고, 유합 후에는 반흔을 형성한다. 베체트 증후군의 세

가지 징후는 재발성 구내염, 포도막염 및 생식기궤양으로 이 가운데 두가지 소견만 나타난 것을 불완전형이라고 한다. 이 세 가지 주요 징후 외에도 위장 출혈 및 혈전 정맥염, 중추신경장애 등이 있으면 중증을 의미한다(베체트증후군의 진단기준으로는 1990년에 발표된 International Study group Criteria for Behçet Disease, 소위 ISBD 기준이 가장 널리 활용되고 있으나 최근에는 이 기준의 연구과정에 있어 지역적 차이 및 증상의 유병률 등이 반영되지 않았다는 논란이 제기되고 있다. 한편, 본서의 베체트증후군 관련 기술은 기존의 진단 기준을 정확히 따르지 않고 있다. 따라서 베체트증후군의 진단에 있어서는 최신의 가이드라인 및 연구를 참고해야 한다. – 역자 주).

3. 구강편평태선: 일종의 비감염성, 만성 염증성 질환으로, 특징은 구강점막에 출현한 백색 진주빛의 작은 구진이 나타나며 줄무늬(Wickham's striae – 역자 주)를 이룬다. 일부 환자들에서는 망상, 수지상으로 나타나며 암으로 진행되는 사례도 있다. 통계에 따르면 12.7%의 환자가 구강암, 인후암, 편평세포암으로 진행될 수 있다고 보고하고 있다.

이 외에도 치은염, 치주염, 치주 농양 등과 같은 치주 조직의 염증과 혀 통증, 혀 마비, 비정상적인 미각 등과 같은 비정상적인 혀 감각도 경방 치료가 적합한 증이다.

경방에 의한 구강점막질환 치료 시 고려사항은 다음과 같다. 첫 번째, 특정 질환에 효과적인 처방을 사용하는 것으로 질환의 특수

한 증상에 초점을 맞추어 처방한다. 두 번째, 전신의 소견을 살펴 치료한다. 구강질환은 국소적 병변이지만 항상 전신에 걸친 소견을 찾을 수 있으므로 이에 상응하는 경방을 활용할 수 있다.

(1) 감초사심탕

[적용소견]

청장년의 구강궤양. 감초사심탕은 고대의 호혹병(狐惑病) 처방이다. 재발성 구내염 및 베체트병의 기준처방으로 활용할 수 있다.

[참고사항]

1. 감초사심탕에는 청열의 효능이 있어 피부 유합을 촉진하고 재발을 늦추며 궤양 크기와 수를 감소시키는 효과와 더불어 항불안, 수면 개선, 건위, 지사 효과가 있다.

2. 이 처방은 체질이 건장한 청장년환자의 구강궤양에 효과적이다. 설사 등 소화기증상 및 불안, 수면장애가 있을 때 효과가 좋다. 노인, 빈혈환자의 구강궤양에는 효과가 좋지 않다.

3. 이 처방을 적용할 환자는 영양상태가 비교적 좋으며 입술과 설질이 검붉고 결막이 충혈된 마른 체격의 청장년 환자인 경우가 많다. 구강과 인후의 점막미란, 질염, 외음부궤양 등이 잦으며 불안, 우울, 수면장애 등이 있다. 소화기증상도 비교적 많아서 설사, 끈적이고 냄새가 나는 대변, 복부불쾌감, 복창, 위통, 트림, 입냄새

등이 있다. 적응증의 주요 발생유인은 생활습관 불규칙, 밤샘, 음주, 매운 음식 섭취 등이 있다.

4. 수족구병에도 쓸 수 있다. 발열에는 시호를 더하여 처방하고, 림프절 종대에는 연교를 더하여 처방한다. 두꺼운 설태와 변비가 있는 환자에게는 대황을 더하여 처방한다. 통상 1-3일 복용하고 증상이 개선되면 복용을 중난한다.

5. 감초는 처방의 주요 약물로 점막을 수복시킬 수 있으므로 고용량으로 투여한다. 성인에서 하루 용량을 10 g 이상으로 하며 30 g까지도 쓴다. 다만 감초의 주요 부작용으로 위산역류, 복창, 부종, 고혈압이 발생할 수 있다.

[전형증례]

고모씨, 남, 31세. 2012년 1월 3일 초진

병력: 2007년 공막염이 처음 발병했으며 이어 3년 후 배체트병이 확진되었다. 강직성척추염을 여러해 동안 앓은 과거력이 있다. 눈동자가 충혈되어 있고 귀두의 궤양과 조조강직 증상도 있다. 아침에 구역질과 설사가 잦다.

처방: 생감초 10 g, 황련 3 g, 황금 10 g, 당삼 15 g, 강반하 15 g, 건강 5 g, 대조 20 g. 20일분, 5-2 복용법.

2012년 3월 5일: 외음부 궤양은 개선되었으며 구강궤양의 발작은 한 차례 있었다. 원방의 황련을 5 g으로 증량하여 20일분을 5-2 복용법으로 처방하였다.

2013년 11월 2일 회신: 처방을 2년간 지속적으로 복용하였는데 경과가 안정적이라고 전해왔다.

(2) 자감초탕

[적용소견]

영양불량 혹은 빈혈환자의 구강점막궤양. 빈혈노인에서의 편평태선. 구강암말기의 체질조리, 고령노인에서의 방사선화학요법 후 구강건조

[참고사항]

1. 이 처방은 강장영양(强壯營養), 보혈자음(補血滋陰)의 효능이 있어 빈혈증상 및 영양장애를 개선하며 체중을 증가시킨다. 과도한 식이제한 및 장기간의 투병으로 인하여 영양장애와 빈혈이 생긴 노인의 구강점막 질환에 투약할 수 있다.

2. 이 처방을 투약할 환자들은 대다수가 극도로 수척한 체격, 위축된 근육, 메마른 피부, 초췌한 얼굴 등의 소견을 보인다. 빈혈양의 외모로 얼굴이 생기가 없고 누렇거나 창백하다. 입술은 옅은 흰색이며 설질은 색이 옅고 설태도 적다. 구강점막은 다수에서 어둡고 색이 옅어 붉은기가 없으며 부정맥 소견이 있다. 맥은 세약(細弱)하거나 삭(數)하기도 하고 완(緩)한 경우도 있다. 대변이 건조하고 덩어리져 잘 풀리지 않는 경우가 많다.

3. 비만, 부종, 고혈압 환자에게 혈전이 있거나 혈액의 점도가 높다면 신중하게 투여한다.

4. 이 처방에는 지황, 아교, 맥문동이 포함되어 있으므로 과다 복용 시 식욕저하, 복창, 설사를 야기할 수 있다. 체질적으로 식욕이 좋지 않거나 허약한 환자에게 자감초탕을 투여할 경우 반드시 1일분을 2–3일에 나누어 복용토록 하거나 끓는 물로 탕액을 희석하여 복용하여 창만 증상이 발생하지 않도록 한다.

[전형증례]

범모씨. 남성. 64세. 170 cm/69 kg. 2014년 7월 2일 초진

병력: 구강궤양이 5년째 재발되며, 2년 사이에 악화소견이 있다. 매년 5–6회 발작하고 한 차례의 증상이 가라앉으면 다음 차례의 증상이 연이어 나타난다. 외용 분무제는 효과가 없고 여름철에 증상이 악화된다.

체징: 수척하고 얼굴이 누렇다. 설질은 연하다.

처방: 자감초 10 g, 생감초 10 g, 당삼 15 g, 맥문동 20 g, 생지황 20 g, 아교 10 g, 육계 5 g, 계지 10 g, 건강 5 g, 구기자 15 g, 홍조 30 g, 황주 3 숫가락를 넣어 달인다. 7일분을 처방하였고 매일 1일분을 복용하도록 하였다.

2014년 8월 22일: 현재까지 복용하는 기간 동안 구강내 궤양이 거의 발생하지 않았다. 체중은 71 kg가 되었다. 원방에 숙지황 15 g을 더하고 당삼을 생쇄삼 10 g으로 변경하여 15일 분을 5–2 복용법으로 처방하였다.

(3) 사심탕

[적용소견]

잇몸출혈, 입과 혀의 미란과 함께 변비 및 구취가 있는 경우. 치주염, 치은염, 구강편평태선, 양성유천포창, 박리성 치은염 등에 적용한다. 구강궤양에 감초사심탕이 효과가 없거나 구취, 변비가 있으며 국소 환부 궤양의 발적 및 부종과 통증이 극심한 경우. 또한, 노인의 설유두염에서 유두의 발적과 충혈, 작열감 및 혀를 움직이거나 밥을 먹을 때 화끈거리면서 매운 것을 먹으면 매우 아픈 소견 등이 보일 때 활용 가능하다.

[참고사항]

1. 사심탕에는 청열사화(清熱瀉火), 지혈제비(止血除痞) 등 효능이 있으므로 부종을 없애고 지혈을 촉진한다.

2. 처방을 적용할 환자들은 대체로 체격이 건장하고 얼굴은 붉게 달아오르며 광택이 있다. 설질은 검붉고 견로(堅老)하며 설태는 두텁거나 누렇다. 복부가 충실하고 유력하며 상복부의 불쾌감이 있기도 하다. 대변은 건조하고 덩어리지며 혹 끈적이고 냄새가 난다. 두통과 어지러움, 코피, 잇몸출혈, 토혈, 피하출혈, 두면부의 감염 등이 잦다. 건강검진 시 혈압, 혈중지질, 혈액점도가 높다.

3. 편평태선, 양성점막류천포창, 재발성 아프타구내염 등에서 점막의 충혈과 통증이 심하게 나타나거나 치관주위염, 치주농양에서 국소 환부의 발적, 부종과 열감 및 통증, 림프절종대, 두꺼운

설태, 구취 등에 쓴다. 보통 이 처방에 생대황 10 g, 황련 5 g, 황금 15 g, 치자 10 g, 황백 10 g, 생감초 20 g을 더하여 활용하며 물에 달여 복용한다. 이 처방은 감초를 대용량으로 사용하므로 쉽게 부종이 나타날 수 있어 증상이 개선된 후 약물양을 줄이거나 복용을 중단한다.

4. 이 처방은 단기복용뿐 아니라 장기간의 복용도 가능하다. 단, 체질을 정확하게 변별하는 것은 필수적이다. 건장한 체격에 얼굴이 붉게 달아오르고 기름기가 있으며 입술은 붉거나 검붉고 설질도 검붉으며 설태가 누렇고 미끌미끌하나 건조한 경우에 적합하다.

5. 사심탕에는 약한 사하작용이 있다. 복용 후 경미한 설사가 있는데 매일 3회 이하로 유지된다면 정상 소견이다.

6. 이 처방은 구강세정제로 사용할 수 있다.

7. 처방에 포함된 세 약물은 목적에 따라 증량할 수 있다. 출혈에는 황금을 증량하고 변비에는 생대황을 증량하며 번조, 불면, 입마름 및 입맛이 쓴 증상에는 황련을 증량한다.

8. 한열착잡(寒熱錯雜)체질, 혹은 허한(虛寒)체질에서 구강출혈, 미란이 있을 때는 사물탕, 부자이중탕, 온경탕, 당귀사역탕 등과 합방하여 처방한다.

[전형증례]

장모씨. 남성. 70세. 164 cm. 2015년 2월 16일 초진

병력: 7년 전 구강점막에 유천포창이 생겼다. 구강점막에 충혈,

미란, 통증이 있어 수면시에 입안에 분무제를 뿌려야 한다. 대변을 보기 어렵고 치질이 있다.

체징: 입술이 검붉고 입냄새가 심하다. 맥은 활(滑)하다. 88회/분. 조기수축이 있다.

처방: 황련 5 g, 황금 10 g, 황백 10 g, 치자 10 g, 생대황 10 g, 생감초 20 g. 10일분을 처방하였다.

2015년 3월 10일: 복약기간 중 대변이 잘 통하게 되었고 구강점막의 미란이 심해지지 않았으며 통증도 줄었다. 밤중에 분무제를 뿌리지 않아도 된다. 원방 15일분을 1–2 복용법으로 처방하여 계속 복용하게 하였다.

(4) 황련아교탕

[적용소견]

구강궤양, 잇몸출혈, 설염, 입술염 등에서 심번불면, 점막피부의 충혈 및 건조, 맥삭(脈數) 등의 소견이 나타나는 경우. 체격이 수척하고 허약한 청장년 여성에게서 많이 보인다.

[참고사항]

1. 황련아교탕을 적용할 환자는 입술이 진한 붉은색이거나 검붉은 색으로 화장을 한 것처럼 입이 붉고, 입술이 건조하여 피부가 일어나 통증과 갈라짐이 있는 경우가 많다. 모발이 건조하고 노란색이며 갈라지거나 빠지는 경우가 많다. 월경량은 적고 선홍

색이며 간혹 경간기 출혈이 있고 월경주기 단축이 잦다. 피부와 질이 건조하여 성욕이 저하되어 있고 난임이나 잦은 유산이 있다.

2. 수면장애에 본 처방을 활용하기 위해서는 방증을 식별하여야 한다. 대다수에서 주의력 및 집중력부족이나 기억력 감퇴, 어지러움, 신열, 도한 등이 있다.

3. 통상 감초를 10–30 g 더하여 처방한다. 변비, 월경량이 적고 색이 붉거나 피하의 자반이 있다면 생지황 20–30 g을 더하여 처방한다.

[전형증례]

L모씨. 여성. 28세. 161 cm/49 kg. 2015년 4월 18일 초진

병력: 2014년 경간기출혈로 타 병원에 방문하여 다낭성난소증후군 진단을 받았다. 구강궤양 및 입마름으로 물을 자주 마시고 싶어하고 쉽게 잠에 들지 못한다.

체징: 피부는 희고 입술은 붉다. 모발은 치밀하며 아래턱에 여드름이 산재해 있다. 설첨이 붉고 맥은 활(滑)하다. 92회/분. 두근거림이 현저하다.

처방: 황련 5 g, 황금 15 g, 백작약 20 g, 아교 10 g. 15일분을 5–2 복용법으로 처방하였다.

2015년 8월 29일(4개월 후): 약을 복용한 후 수면과 구강궤양이 호전되었고 월경주기는 37일로 안정되었다고 한다. 현재 월경 예정일에서 9일이 지나 임신 여부의 배제진단을 요청해왔다.

2015년 8월 31일: 임신검사 양성

(5) 반하후박탕

[적용소견]

혀가 부은 듯한 느낌, 혀의 감각저하, 움직일때의 이상감각, 설태가 두껍고 미끌미끌한 느낌 및 미각의 이상 또는 미각상실이 있는 환자. 불안초조, 우울, 신경증 환자의 인후이물감으로 장년층 및 노년층에게서 많이 보이는 구강작열증후군과 같은 경우에 많이 활용한다.

[참고사항]

1. 반하후박탕에는 이기제창(理氣除脹), 화담이인(化痰利咽)의 효능이 있어 항우울, 항불안, 전신증상 개선, 인후부 이물감 완화 등의 효과를 기대할 수 있다.

2. 이 처방을 적용할 환자의 다수가 불안신경증을 수반하며 영양상태는 비교적 좋다. 모발은 치밀하고 피부색은 촉촉하거나 기름기가 번들거린다. 표정은 풍부하고 눈을 자주 깜빡인다. 끊임없이 말을 하는데 두서가 없고 내용이 중복되며 이상한 이야기를 장광설로 상세히 늘어놓는다. 대부분이 전신불쾌감과 이상감각을 호소하며 전신불쾌감은 특히 인후와 구강에서 뚜렷하다. 설태는 찐득거리고 미끌미끌하며 혀위에 가득하다. 많은 환자가 병력이 길고 우울감과 불안감 관련 가족력이 있다.

3. 많은 환자가 가슴이 답답하고 번조가 있으며 설첨이 붉다. 통상 치자, 황금, 연교, 지각을 더한다.

4. 증상이 뚜렷한 환자에게 이 처방을 충분히 투약하기 위해서는 張仲景의 방법에 따라 낮에 세차례, 밤에 1번 복용하게 한다. 또한 환자가 스스로 약을 달이면서 그 약 냄새를 맡도록 하는 것이 좋다. 약에 대한 심리적 의존을 줄이기 위해 3일 복용 후 3일 중단하는 방식의 복용법을 채택할 수도 있다.

5. 중년층 및 고령 여성에서 월경이상 혹은 무월경을 동반하는 혀의 통증이 있는 경우 온경탕증, 계지가부자탕증, 혹은 마황부자세신탕증일 수 있으므로 주의하여 해당 여부를 검토하여야 한다.

[전형증례]

1. 모씨. 여성. 59세. 160 cm/47 kg. 2015년 4월 20일 초진

병력: 구강내의 감각저하 및 작열감이 반년째 지속되고 있으며, 전문 진료과에서 구강작열증후군으로 진단받았다. 가슴이 답답하고 이명이 있으며 입이 마르고 맥은 활(滑)하다.

처방: 강반하 15 g, 복령 15 g, 후박 15 g, 소경 15 g, 지각 15 g, 황금 10 g, 치자 15 g, 황련 30 g. 9일분을 3-2 복용법으로 처방하였다.

3일분 복용 후 입안의 감각저하 및 작열감이 호전되었다. 가슴이 답답한 것도 풀렸고 수면 상태에도 호전이 있다.

2. 왕씨. 여성. 45세. 택시운전. 2015년 4월 17일 초진

병력: 미각의 이상이 3개월째 지속 중이다. 짠 음식이 달게 느껴지며 인후이물감이 있다. 오후에는 하지에 종창이 생기며 평소

식사가 불규칙하다.

체징: 복부가 약간 팽륜되어 있고 설변에 치흔이 있으며 맥이 활(滑)하다.

처방: 강반하 25 g, 복령 20 g, 후박 15 g, 소엽 10 g, 생강 5편. 7일분을 처방하고 낮에 3회, 밤에 1회 복용하도록 하였다.

2016년 11월 5일: 3일분을 복용한 후 증상이 완화되었다.

(6) 부자이중탕

[적용소견]

허한성 구강궤양, 치주염, 치주농양, 인후염 등. 국소 치주가 어두운 보라색으로 심하게 부어올라 있고 농은 없으나 통증이 지속되는 경우. 이 처방은 소아의 유연(流涎) 증상이 멈추지 않거나 구취, 구강궤양이 있을 경우에 활용하며, 반복적으로 항생제를 투여해야 하는 치통 환자에도 활용할 수 있다.

[참고사항]

1. 부자이중탕은 온양거한(溫陽去寒)의 효능이 있다. 복약 후 환자는 복부 상태가 편안해지며 심리상태도 개선되고 치주의 농이나 부종이 소실되거나 쉽게 유합된다.

2. 이 처방을 적용할 환자는 대다수가 얼굴이 어두운 누런빛이며 신경쇠약이 있고 찬 것을 싫어하며 침이 많이 나오며 갈증이 없다. 설질은 비대하고 연한 흰색을 띄며 설태는 희고 미끌미끌하거

나 축축하다. 설태가 회흑색인 경우도 있다. 식욕부진, 구토, 복창, 복부의 냉통(冷痛)과 같은 소화기 증상이 동반되는데 따뜻하게 해주면 낫는다.

3. 입이 쓰고 번조가 있으며 설태가 누런 환자에게는 황련을 소량 더하여 처방한다.

[전형증례]

조모씨. 남아. 7세. 120 cm/26 kg. 2012년 7월 16일 초진

병력: 3일 전 찬 날씨에 노출되어 발열이 생겼으며, 한약을 복용한 후 열이 내렸다. 현재 입안과 혀끝에 노란 콩 크기의 궤양이 있어 통증을 참기 어렵고 말하는 데에도 영향이 있다. 얼굴은 어둡고 검다.

처방: 당삼 10 g, 건강 5 g, 백출 10 g, 생감초 5 g, 제부편 5 g, 황련 2 g. 5일분을 처방하고 매일 1일분을 복약하게 하였다.

2012년 8월 18일: 약을 3일분 복용한 후 궤양이 유합되었다.

처방: 당삼 10 g, 백출 15 g, 건강 5 g, 생감초 5 g. 7일분을 처방하고 1일분을 2일에 나누어 복용하도록 하였다.

(7) 당귀사역탕

[적용소견]

구강궤양이 빈복적으로 발작하며 고식적 치료에 반응하지 않는 환자

[참고사항]

1. 당귀사역탕을 적용할 환자는 비교적 체격이 건장하고 팔다리가 얼음처럼 차며 손발 끝의 차가운 느낌이 특히 심하다. 현재 동상이 있거나 기왕력 중에 동상이 있다.

2. 처방 중 통초는 무엇인가? 일설에 의하면 목통과(科)의 목통을 말하고 다른 주장으로는 오가과의 통탈목의 경수 즉, 현재의 통초를 말한다고도 한다. 저자의 경험에 따르면 원문의 통초는 현재의 통탈목(通脫木)이라고 본다. 이 처방의 투약 시에 통초는 쓸 수도 있지만 쓰지 않고 황금을 더하는 것을 고려해 볼 수 있다.

3. 입술이 검붉고 건조하여 갈라지며 잇몸출혈, 항문의 작열감 및 출혈, 관절종통, 조조강직 등이 있는 환자에게는 황련, 황금, 법제대황, 황백 등을 더하여 쓴다.

[전형증례]

왕모씨. 여성. 26세. 160 cm/50 kg. 2019년 6월 18일. 초진

병력: 구강궤양이 15년간 지속적으로 재발해 왔다. 겨울철에 손이 검게 변하면서 차고 인후통, 희발월경 및 월경통이 있다.

체징: 지도설(地圖舌), 푸르스름하고 누런 빛의 얼굴이 보이며 입술이 붉고 손이 차다. 맥은 세(細)하다.

처방: 당귀 15 g, 계지 15 g, 백작약 15 g, 세신 10 g, 생감초 15 g, 황금 15 g, 홍조 50 g. 10일분을 처방하고 증상이 경감되면 격일로 복용하기로 하였다. 뚜껑을 열고 달인다.

2019년 7월 2일: 구강궤양 환부의 수가 감소하였고 인후의 증

상은 3일간의 복약 후 완전히 나아졌다. 인후궤양은 1-2곳만 남아 있으며 전신상태도 개선되었다. 원방 15일분을 5-2 복용법으로 처방하였다.

부록 1

상용경방 추천 처방

한국에서는 통상 2첩분량을 상용 1일 복용량으로 두고 있으나, 본 처방표의 용량은 제시된 약재량이 대부분 1일 분량에 해당하므로 처방량 계산에 혼동 없으시기 바랍니다(역자 주).

감맥대조탕(《金匱要略》)

자감초 10−20 g, 회소맥 혹은 부소맥 30−100 g, 대조 10매. 이들을 물 1,000 mL와 달여 300 mL가 되도록 하고 2−3회에 나누어 따뜻하게 복용한다.

감초사심탕(《傷寒論》)

자감초 15−30 g. 황련 5 g, 황금 15 g, 강제반하 10 g, 건강 10 g, 당삼 15 g, 대조 20 g. 이들을 물 1,100 mL와 같이 300 mL가 되도록 달인 뒤 2−3회에 나누어 따뜻하게 복용한다.

갈근탕(《傷寒論》)

갈근 30 g, 생마황 10 g, 계지 10 g, 백작약 10 g, 생감초 5 g, 생강 15 g, 홍조 20 g. 이들을 물 1,100 mL와 달여 300 mL가 되도록 하여 2−3회에 나누어 따뜻하게 복용한다.

갈근금련탕(《傷寒論》)

갈근 40 g, 황련 10 g, 황금 10 g, 생감초 10 g. 이들을 물 900 mL와 같이 달여 200 mL가 되도록 하여 2회에 나누어 복용한다.

계령감로음(《宣明論方》)

저령 20 g, 택사 30 g, 백출 20 g, 복령 20 g, 계지 15 g, 혹 육계 10 g, 생석고 20 g, 한수석 20 g, 활석 20 g, 감초 3 g. 이를 물 1,100 mL와 같이 달여 300 mL가 되도록 하여 2회에 나누어 복용한다.

계지가갈근탕(《外台祕要》)

갈근 40–80 g, 계지 25 g(혹은 계지 10 g, 육계 10 g), 적작약 15 g, 자감초 10 g, 생강 40 g, 혹은 건강 10 g, 홍조 20 g. 이들을 물 1,100 mL에 달여 300 mL가 되도록 하여 3회에 나누어 따뜻하게 복용한다.

계지가부자탕(《傷寒論》)

계지 15 g, 백작약 15 g, 자감초 10 g, 생강 15 g, 홍조 20 g, 제부자 15 g. 물 1,000 mL와 같이 300 mL가 되도록 달여 3회에 나누어 따뜻하게 복용한다.

계지가인삼탕(《傷寒論》)

육계 10 g, 계지 10 g, 백작약 15 g, 자감초 10 g, 생강 15 g, 홍조 20 g. 이들을 물 1,000 mL와 같이 달여 300 mL가 되도록 한 뒤 2–3회에 나누어 따뜻하게 복용한다.

계지가용골모려탕(《金匱要略》)

계지 15 g, 백작약 15 g, 자감초 10 g, 생강 15 g, 홍조 20 g, 용골 15 g, 모려 15 g. 이들을 물 1,100 mL와 같이 달여 300 mL가 되도록 한 뒤 2-3회에 나누어 따뜻하게 복용한다.

계지복령환(《金匱要略》)

계지 15 g, 복령 15 g, 적작약 15 g, 목단피 15 g, 도인 15 g. 이들을 물 1,000 mL에 달여 탕액이 300 mL가 되도록 한 뒤, 2-3회에 나누어 따뜻하게 복용한다. 전통적인 조성을 참조하여 환을 복용하거나 캡슐로도 복용할 수 있다.

계지인삼탕(《傷寒論》)

육계 10 g, 계지 10 g, 자감초 20 g, 백출 10 g, 인삼 10 g, 건강 10 g. 육계를 뺀 나머지 약재를 물 1,300 mL와 같이 달이고 육계를 후하한다. 600 mL가 되도록 달여 하루 3회 나누어 따뜻하게 복용한다.

계지작약지모탕(《金匱要略》)

계지 20 g, 백작약 15 g, 감초 10 g, 마황 10 g, 생강 25 g, 백출 25 g, 지모 20 g, 방풍 15 g, 법제부자 10-30 g. 부자를 물 1,100 mL와 같이 선전(先煎)하여 30-60분 달여 나머지 약물을 후하(後下)한다. 탕액이 300 mL가 되도록 달여 하루 2-3회 나누어 따뜻하게 복용한다.

계지탕(《傷寒論》)

계지 15 g, 백작약 15 g, 자감초 10 g, 생강 15 g, 홍조 20 g. 이들을 물 1,000 mL와 같이 달여 300 mL가 되도록 한 뒤 3회에 나누어 따뜻하게 복용한다. 약을 복용한 후 목이 마르면 따뜻한 맑은 죽 한 그릇을 마시도록 하며, 바람을 피하도록 이불을 덮는다.

당귀사역탕(《傷寒論》)

당귀 10 g, 계지 10 g, 백작약 10 g, 북세신 10 g, 자감초 6 g, 통초 10 g, 대조 20 g. 이들을 물 1,000 mL와 같이 뚜껑을 열고 달여 300 mL가 되도록 하여 2-3회에 나누어 복용한다.

당귀작약산(《金匱要略》)

당귀 10 g, 백작약 30-50 g, 천궁 20 g, 백출 15 g, 복령 15 g, 택사 20 g. 이들 약물을 물 1,100 mL와 같이 300 mL가 되도록 달이고 이를 2일에 3회분으로 나누어 따뜻하게 복용한다. 또는《傷寒論》원문의 약물 비례에 따라 가루를 내어 쌀죽이나 홍주(紅酒), 요구르트와 같이 복용한다. 매번 5 g씩 하루에 2회 복용한다.

대승기탕(《傷寒論》)

생대황 20 g, 후박 30 g, 지실 20 g, 지각 30 g, 망초 10 g. 먼저 지실, 지각, 후박을 물 1,200 mL와 같이 넣고 끓기 시작하면 문화(文火)로 30분간 달이고 대황을 넣고 다시 달여 300 mL가 되게 한다. 여기에 망초를 넣어 녹이고 2일에 3회분으로 나눠서 따뜻하게 복용한다. 대변이 잘 통하게 되면 복용을 중단한다.

대시호탕(《傷寒論》)

시호 20 g, 황금 15 g, 법제반하 15 g, 지각 20 g, 백작약 15 g, 법제대황 10 g, 생강 25 g, 홍조 20 g. 이들 약물을 물 1,100 mL에 달여 300 mL가 되도록 해서 여러 번에 나눠 따뜻하게 복용한다.

대청룡탕(《傷寒論》)

생마황 15–30 g, 계지 10 g, 자감초 10 g, 행인 15 g, 생강 15 g, 대조 20 g, 생석고 50 g. 이들 약물을 물 1,100 mL에 달인다. 먼저 마황을 20분 달이고 남은 약을 넣는다. 탕액이 300 mL가 되도록 달이고 이를 2–3회에 나누어 따뜻하게 복용한다. 땀이 나면 복용을 중단한다.

대황감초해독탕(저자 경험방)

황련 5 g, 황금 10 g, 황백 10 g, 치자 10 g, 법제대황 10 g, 생감초 20 g. 이들을 물 800 mL와 같이 하여 200 mL가 되도록 달이고 1–2회 나누어 복용한다.

도핵승기탕(《傷寒論》)

도인 15 g, 법제대황 15 g, 계지 15 g, 자감초 5 g, 망초 10 g. 이들을 물 1,000 mL와 같이 탕액이 300 mL가 되도록 달인다. 망초는 녹여서 섞는다. 2–3회에 나누어 공복에 복용하고 용량은 설사가 있을 정도로 조절한다.

마황부자세신탕(《傷寒論》)
마황 10 g, 세신 10 g, 부자 10–20 g. 이들을 물 1,000 mL와 같이 300 mL가 되도록 달여 2–3회에 나누어 따뜻하게 복용한다.

마황탕(《傷寒論》)
마황 15 g, 계지 10 g, 자감초 5 g, 행인 15 g. 이들을 물 1,000 mL와 같이 300 mL가 되도록 달여 2–3회에 나누어 따뜻하게 복용한다.

마행감석탕(《傷寒論》)
마황 15 g, 행인 15 g, 생감초 10 g, 생석고 30 g. 이들을 물 1,000 mL와 같이 300 mL가 되도록 달여, 2–3회에 나누어 따뜻하게 복용한다.

맥문동탕(《金匱要略》)
맥문동 70 g, 법제반하 10 g, 인삼 10 g, 생감초 10 g, 갱미 20 g 혹은 산약 30 g, 대조 20 g. 이들을 물 1,100 mL와 같이 300 mL가 되도록 달여, 2–3회에 나누어 따뜻하게 복용한다.

반하사심탕(《傷寒論》)

강제반하 15 g, 황금 15 g, 건강 15 g, 당삼 15 g, 자감초 10 g, 황련 3-5 g, 대조 20 g. 이들 약물과 물 1,000 mL를 300 mL가 되도록 달여 하루 2-3회 따뜻하게 복용한다.

반하후박탕(《傷寒論》)

반하 25 g, 복령 10 g, 후박 15 g, 건소엽 10 g, 생강 25 g. 이를 물 1,000 mL에 달여 300 mL로 졸이고 3-4회에 나누어 따뜻하게 복용한다. 통상 3일 복용, 2일 휴약 복용법을 사용한다.

방풍통성산(《宣明論方》)

마황 6 g, 대황 6 g, 방풍 6 g, 연교 10 g, 박하 6 g, 망초 6 g, 산치자 6 g, 황금 6 g, 석고 15 g, 천궁 6 g, 당귀 6 g, 백작약 10 g, 백출 10 g, 형개 6 g, 길경 6 g, 활석 15 g, 감초 3 g, 생강 3편. 이들을 물 1,100 mL와 같이 300 mL가 되도록 달인 뒤 1-2일에 나누어 복용한다.

백호탕(《傷寒論》)

석고 30-120 g, 지모 30-60 g, 생석고 10 g, 갱미 50-100 g을 물 1,100 mL에 달이다가 먼저 석고를 30분 선전하고 나머지 약을 넣는다. 한번 끓인 후 문화(文火)로 쌀끓인 물처럼 될 때까지 다시 끓인다. 탕액을 300 mL를 취해 2-3회에 나누어 복용한다.

백호가인삼탕(《傷寒論》)

석고 30-120 g, 지모 30 g, 생감초 10 g, 갱미 50-100 g, 생쇄삼 15 g 따로 탕전한 후 혼합하여 복용한다. 탕전법 및 복용법은 백호탕과 같다.

복령음(《金匱要略》附方)

복령 40 g, 백출 15 g, 당삼 10 g, 지각 30 g, 진피 30 g, 생강 15 g 혹 건강 5 g. 이들을 물 1,200 mL와 같이 300 mL가 되도록 달인 뒤 1-2일에 걸쳐 나누어 복용한다.

부자이중탕(《三因極一病證方論》)

법제부자편 혹은 포부자 10-20 g, 당삼 15 g 혹은 홍삼 10 g, 건강 10 g, 백출 15 g, 자감초 10 g. 물 1,000 mL에 먼저 부자를 30-40분 선전하고, 이후 남은 약재를 넣어 300 mL가 되도록 달인다. 2-3회에 나누어 따뜻하게 복용한다. 혹 부자이중환을 만들어 매번 8알씩 하루 3회 복용한다.

사심탕((《金匱要略》)

대황 10 g, 황련 5 g, 황금 10 g. 이들을 물 900 mL와 같이 450 mL가 되도록 달여 3회 나누어 복용한다. 따뜻한 물에 희석해서 복용해도 좋다.

사역산(《傷寒論》)

시호 15 g, 백작약 15 g, 지각 15 g, 생감초 5 g. 이들 약물을 물 1,000 mL와 같이 300 mL가 되도록 달이고 2–3회에 나누어 따뜻하게 복용한다. 또한 이들을 등분하여 잘게 가루내어 쌀죽이나 요거트, 홍주(紅酒) 등과 같이 복용할 수 있다. 매번 5 g, 하루 2회 복용한다.

사역탕(《傷寒論》)

법제부자 15–30 g, 자감초 10 g, 건강 10 g. 먼저 물 1,000 mL에 부자를 30–60분간 선전하고 남은 약을 넣어 탕액이 300 mL가 되도록 달인다. 2–3회에 나누어 따뜻하게 복용한다.

산조인탕(《金匱要略》)

산조인 30 g, 자감초 5 g, 지모 10 g, 복령 10 g, 천궁 10 g. 이들 약물을 물 1,000 mL와 같이 300 mL가 되도록 달이고 2–3회에 나누어 따뜻하게 복용한다.

삼인탕(《溫病條辨》)

행인 15 g, 활석 20 g, 통초 5 g, 백구인 5 g, 담죽엽 10 g, 후박 10 g, 생의인 30 g, 반하 20 g. 이들을 물 1,100 mL와 같이 300 mL가 되도록 달여 2–3회에 나누어 따뜻하게 복용한다.

삼황사역탕(《傷寒論》《金匱要略》, 저자경험합방)
대황 10 g, 황련 5 g, 황금 5 g, 법제부자편 10 g, 건강 10 g, 감초 5 g. 이들을 물 1,000 mL와 같이 300 mL가 되도록 달여 2–3회에 나누어 따뜻하게 복용한다.

서여환(《金匱要略》)
산약 30 g, 생쇄삼 10 g, 백출 10 g, 복령 10 g, 자감초 5–15 g, 당귀 10 g, 천궁 10 g, 백작약 10 g, 숙지황 10 g, 아교 10 g, 계지 10 g, 맥문동 15 g, 신곡 10 g, 대두황권 10 g, 행인 10 g, 길경 10 g, 시호 10 g, 방풍 10 g, 백렴 10 g, 건강 10 g, 대조 30 g. 이들을 물 1,600 mL와 같이 600 mL로 달이고 1–3일에 걸쳐 나누어 복용한다. 또 원서의 용량을 바탕으로 밀환(蜜丸)이나 고제(膏劑)를 만들어 장기간 복용할수 있다. 환제(丸劑)로 만드는 경우 매일 10–20 g 복용한다.

소건중탕(《傷寒論》)
계지 15 g, 생백작 30 g, 자감초 10 g, 생강 15 g, 홍조 30 g, 이당 30 g. 이들을 물 1,100 mL와 같이 300 mL가 되도록 달여 2–3회에 나누어 따뜻하게 복용한다. 이당은 탕액에 녹여넣는다.

소시호탕(《傷寒論》)
시호 20–40 g, 황금 10 g, 법제반하 10 g, 당삼 10 g, 생감초 5 g, 생강 15 g, 홍조 20 g. 이들을 물 1,100 mL와 같이 300 mL가 되도

록 달여 2-3회에 나누어 복용한다. 감기로 발열이 있는 환자에서는 시호를 증량하고 소견에 따라 하루 4회까지 복용하여 땀이 나도록 한다. 오심, 구토하는 환자는 약물의 용량을 섣불리 늘리지 않도록 한다.

소시호탕거깅가황백백작탕(저자 경험방)

시호 25 g, 황금 15 g, 강반하 15 g, 당삼 10 g, 생감초 5 g, 백작약 30 g, 황백 15 g, 홍조 20 g. 이들을 물 1,100 mL와 같이 300 mL가 되도록 달여 2-3회에 나누어 따뜻하게 복용한다.

소승기탕(《傷寒論》)

대황 10-20 g, 후박 10-20 g, 지각 30 g. 이들을 물 900 mL와 같이 250 mL가 되도록 달여 하루 2회에 나누어 복용한다.

소청룡탕(《傷寒論》)

건강 10 g, 세신 10 g, 오미자 10 g, 계지 10 g, 생감초 10 g, 백작약 10 g, 자마황 10 g, 강반하 10 g. 이들을 물 1,000 mL와 같이 300 mL가 되도록 달여 2-3회에 나누어 따뜻하게 복용한다.

속명탕(《金匱要略》附方)

마황 15 g, 계지 15 g, 당귀 15 g, 인삼 15 g, 석고 15 g, 건강 15 g, 감초 15 g, 천궁 5 g, 행인 15 g. 이들을 물 1,000 mL와 같이 300 mL가 되도록 달여 하루 2-3회 나누어 따뜻하게 복용한다.

시귀탕(《傷寒論》《金匱要略》, 저자경험방)

시호 15 g, 황금 10 g, 강반하 10 g, 당삼 10 g, 생감초 5 g, 당귀 10 g, 천궁 15 g, 백작약 20 g, 백출 15 g, 복령 15 g, 택사 15 g, 건강 5 g, 홍조 20 g. 이를 물 1,200 mL와 같이 300 mL가 되도록 달여 매번 150 mL씩 복용한다. 위 하루분 분량을 1–2일에 복용한다.

시령탕(《萬病回春》)

시호 15 g, 황금 10 g, 강반하 10 g, 당삼 10 g, 감초 5 g, 계지 15 g, 복령 20 g, 저령 20 g, 백출 20 g, 택사 20 g, 생강 15 g, 홍조 15 g. 이들 약재를 물 1,200 mL와 같이 300 mL가 되도록 달여 2–3회에 나누어 따뜻하게 복용한다.

시박탕(일본경험방)

시호 15 g, 황금 10 g, 강반하 10 g, 당삼 10 g, 감초 5 g, 후박 15 g, 복령 15 g, 자소엽 10 g, 생강 15 g, 홍조 15 g. 이를 물 1,100 mL와 같이 300 mL가 되도록 달여 2–3회에 나누어 따뜻이 복용한다.

시호가용골모려탕(《傷寒論》)

시호 15 g, 법제반하 10 g, 당삼 10 g, 황금 10 g, 복령 10 g, 계지 10 g 혹은 육계 5 g, 용골 10 g, 모려 10 g, 법제대황 10 g, 건강 10 g, 홍조 15 g. 이를 물 1,100 mL에 넣어 탕액이 300 mL가 되도록 달여서 2–3회 나누어 따뜻하게 먹는다.

신가탕(《傷寒論》)

계지 10 g, 육계 5 g, 백작약 20 g, 자감초 10 g, 생강 20 g, 홍조 20 g, 인삼 15 g. 이들을 물 1,000 mL와 같이 300 mL가 되도록 달여 2-3회에 나누어 따뜻하게 복용한다.

신기환(《金匱要略》)

생지황 20-40 g, 산약 15 g, 산수육 15 g, 택사 15 g, 목단피 15 g, 복령 15 g, 육계 5 g, 제부자 5 g. 이들을 물 1,100 mL와 같이 300 mL가 되도록 달여 2-3회 나누어 따뜻하게 복용한다. 원방의 조성대로 환으로 복용하여도 된다.

오령산(《傷寒論》)

저령 20 g, 택사 30 g, 백출 20 g, 복령 20 g, 계지 15 g, 혹은 육계 10 g. 이들을 물 1,100 mL와 같이 탕액이 300 mL가 되도록 달여 2-3회 나누어 따뜻하게 복용한다.

오매환(《傷寒論》)

오매 20 g, 황련 10 g, 황백 5 g, 당삼 10 g, 당귀 10 g, 세신 3 g, 육계 10 g, 제부자 5 g, 천초 5 g. 이들을 물 1,000 mL와 같이 300 mL가 되도록 달여 하루 2-3회 나누어 복용한다. 봉밀 2 수저 정도를 녹여 복용해도 좋다. 원 처방의 약물 비례에 따라 밀환(蜜丸)을 만들 수도 있다. 매번 5 g, 하루 3회 복용한다.

온경탕(《金匱要略》)

오수유 5 g, 인삼 10 g 혹 당삼 15 g, 맥문동 20 g, 법제반하 10 g, 자감초 10 g, 계지 10 g, 백작약 10 g, 당귀 10 g, 천궁 10 g, 목단피 10 g, 아교 10 g, 생강 10 g. 이들 약물을 물 1,300 mL와 같이 탕액이 500 mL가 되도록 달인다. 아교는 녹여서 복용한다. 하루 2–3회에 나누어 따뜻하게 복용한다. 홍조, 용안육 등을 넣어 고제(膏劑)를 만들어 장기복용할 수 있다.

온담탕(《三因極一病證方論》)

강제반하 15 g, 복령 15 g, 진피 15 g, 생감초 5 g, 지각 15 g, 죽여 10 g, 건강 5 g, 홍조 15 g. 이들을 물 1,000 mL와 같이 탕액이 300 mL가 되도록 달인다. 2–3회에 나누어 따뜻하게 복용한다.

온비탕(《備急千金要方》)

생대황 10–15 g, 현명분 10 g, 자감초 10 g, 제부편 15 g, 건강 15 g, 홍삼 10 g, 당귀 15 g. 먼저 물 1,100 mL와 같이 부자를 30분간 달이고 남은 약을 넣어 탕액이 400 mL가 되도록 달인다. 하루 세차례 나누어 복용하고 현명분은 2–3회 정도 약에 타서 그 물을 복용한다.

온청음(《萬病回春》)

당귀 10 g, 천궁 10 g, 백작약 15 g, 생지황 20 g, 황련 5 g, 황금 10 g, 황백 5 g, 치자 10 g. 이들을 물 1,000 mL와 같이 탕액이 300

mL가 되도록 달이고 2-3회에 나누어 따뜻하게 복용한다.

월비가출탕(《金匱要略》)

마황 10-30 g, 석고 15-40 g, 생강 15 g, 감초 10 g, 백출 혹 북창출 20 g, 대조 30 g. 이들을 물 1,100 mL와 함께 300 mL가 되도록 달여 2-3회에 나누어 따뜻하게 복용한다.

이중탕(《傷寒論》)

당삼 15 g, 건강 15 g, 백출 15 g, 자감초 5 g. 이들을 물 1,000 mL와 같이 300 mL가 되도록 달여 2-3회에 나누어 따뜻하게 복용한다.

자감초탕(《傷寒論》)

자감초 20 g, 인삼 10 g, 맥문동 15 g, 생지황 20 g, 아교 10 g, 육계 15 g, 생강 15 g, 화마인 15 g, 홍조 60 g. 이들을 물 1,200 mL와 같이 달이면서 황주나 미주를 50 mL 더한다. 탕액이 300 mL가 되도록 하여 아교를 녹여넣고 2-3회 나누어 따뜻하게 복용한다.

작약감초탕(《傷寒論》)

백작약 혹 적작약 30-60 g, 자감초 10-30 g. 물 900-1,000 mL와 같이 250 mL로 달여 2회에 나누어 따뜻하게 복용한다.

저령탕(《傷寒論》)

저령 15 g, 복령 15 g, 택사 15 g, 아교 15 g, 활석 15 g. 이들을 물 1,000 mL와 같이 300 mL가 되도록 달인다. 아교를 녹여 넣고 2–3회 나누어 따뜻하게 복용한다.

제생신기환(《張氏醫通》)

숙지황 20–40 g, 산약 15 g, 산수육 15 g, 택사 15 g, 목단피 15 g, 복령 15 g, 육계 5 g, 법제부자 5 g, 회우슬 30 g, 차전자 20 g. 이들을 물 1,200 mL와 같이 300 mL까지 달인 뒤, 2–3회에 나누어 따뜻하게 복용한다. 이 비례대로 환을 만들어 복용해도 된다.

조위승기탕(《傷寒論》)

대황 20 g, 망초 10 g, 감초 10 g을 물 900 mL와 같이 달여 탕액이 200 mL가 되도록 한다. 망초는 녹여서 넣는다. 소량을 여러차례에 나누어 복용하도록 한다.

증액승기탕(《溫病條辨》)

현삼 30 g, 맥동 25 g, 생지황 25 g, 대황 15 g, 망초 5 g. 이들을 물 1,000 mL와 같이 300 mL가 되도록 달인다. 망초는 녹여넣는다. 하루 2회 공복에 복용한다.

죽엽석고탕(《傷寒論》)

죽엽 15 g, 생석고 30 g, 법제반하 10 g, 맥문동 30 g, 태자삼 15 g, 생감초 10 g, 갱미 30 g. 이들을 물 1,100 mL에 넣어 300 mL가 되도록 달이고 매번 30−50 mL씩 복용한다. 하루에 2−3회 따뜻하게 복용한다.

진무탕(《傷寒論》)

복령 20 g, 백작약 혹 적작약 20 g, 생강 15 g, 건강 10 g, 백출 15 g, 법제부자 15−30 g. 이중 부자를 먼저 물 1,000 mL와 같이 30분간 선전(先煎)하고 나머지 약물을 넣어 달인다. 약액이 300 mL가 되도록 하여 2−3회에 나누어 따뜻하게 복용한다.

치자후박탕(《傷寒論》)

산치자 20 g, 후박 20 g, 지각 20 g. 이들을 물 1,000 mL와 같이 300 mL가 되도록 달인다. 2−3회 나누어 따뜻하게 복용한다.

풍인탕(《金匱要略》)

대황 10−20 g, 건강 20 g, 계지 15 g, 감초 10 g, 용골 20 g, 모려 10 g, 한수석 30 g, 활석 30 g, 적석지 30 g, 백석지 30 g, 자석영 30 g, 석고 30 g. 이들을 물 1,000 mL와 같이 300 mL가 되도록 달인 뒤 2−3회 나누어 복용한다. 혹은 위 비례로 가루를 내어 매번 30 g을 포에 싸서 뜨거운 물에 녹여 복용한다.

황기계지오물탕(《傷寒論》)

생황기 30–60 g, 계지 15 g, 적작약 15 g, 생강 30 g, 대조 20 g. 이들을 물 1,100 mL와 같이 탕액이 300 mL가 되도록 달인 뒤 2–3회에 나누어 따뜻하게 복용한다.

황금탕합백두옹탕(《傷寒論》, 저자 경험합방)

황금 15 g, 백작약 15 g, 생감초 5 g, 홍조 20 g, 백두옹 10 g, 황백 5–15 g, 황련 5–15 g, 진피 15 g. 이들을 물 1,100 mL와 함께 300 mL까지 달인 뒤 2–3회에 나누어 따뜻하게 복용한다.

황련아교탕(《傷寒論》)

황련 5–20 g, 황금 15 g, 백작약 15 g, 아교 15 g, 계자황 2매. 이들을 물 1,100 mL와 같이 달여 탕액 300 mL를 얻는다. 아교를 녹여 식힌 후 계란 노른자를 섞어 복용한다. 하루 2–3회 나누어 따뜻하게 복용한다.

황련탕(《傷寒論》)

황련 5–15 g, 육계 10–15 g, 당삼 15 g 혹은 인삼 10 g, 강반하 15 g, 감초 5–15 g, 건강 5–15 g, 홍조 20 g. 이들을 물 1,000 mL와 같이 달여 탕액이 300 mL가 되도록 한다. 2–5회에 나누어 복용하도록 한다.

황련해독탕(《肘後備急方》)

황련 5-15 g, 황금 10 g, 황백 10 g, 산치자 15 g. 이들 약물을 1,000 mL와 같이 달여 물 300 mL가 되도록 달인 뒤 2-3회에 나누어 따뜻하게 복용한다.

혈부축어탕(《醫林改錯》)

시호 10 g, 적작약 10 g, 지각 10 g, 감초 10 g, 당귀 10 g, 천궁 5 g, 도인 10 g, 홍화 10 g, 생지황 10 g, 길경 5 g, 우슬 10 g. 이들을 물 1,000 mL와 같이 300 mL가 되도록 달여 하루 2회 복용한다.

형개연교탕(矢數道明,《新版漢方後世要方解說》)

형개, 연교, 방풍, 시호, 백지 각 12 g. 감초, 길경, 박하 각 6 g. 황련 3 g, 황금 12 g, 황백 6 g, 산치자 12 g, 생지황, 당귀, 천궁, 적작약 각 12 g. 이들을 물 1,100 mL와 같이 300 mL가 될 때까지 달여 1-2일에 걸쳐 복용한다.

부록 2

경방의 탕액 전탕법

경방의 상용제형은 탕액이다. 탕액은 탕제라고도 한다. 탕제는 흡수가 쉽고 효과가 빠르다는 특징이 있으며 일반적으로 급성 및 열성 질환에 적합하다. 탕제의 전탕용기는 일반적으로 질그릇(砂鍋)이 좋다. 사호(砂壶)나 사기그릇(瓷锅), 도자기병(陶土瓶)도 좋다. 달이기 전 약 20분 동안 냉수에 약재를 담궈 수용성 성분이 탕액에 우러나도록 하고 동시에 약액의 농도를 높인다. 겨울에는 약재를 20−30℃의 따뜻한 물에 담글 수 있지만 끓는 물에는 담그지 않도록 한다. 이렇게 약재를 담근 후에는 다시 약재가 물에 살짝 잠길 정도의 수위를 만들어 달일 준비를 한다. 물의 양은 한번 넣는 것으로 족하며 중간에 물을 추가할 필요는 없다. 이미 전탕한 약에는 다시 물을 부어 재탕하지 않는다. 저자는 약을 달일 때 보통 다음과 같은 방법을 권장한다. 물의 양(mL) = 600 mL + 1.5 × 약재 무게(g) + 목표로 하는 탕액량(mL). 세간에서는 6그릇을 끓여 2그릇을 얻는다는 말이 있다. 그러나 물의 양은 약재의 종류, 필요한 약물의 중량, 의사의 견해 등을 바탕으로 증감할 수 있다. 전탕법은 문화(文火)로 달이는 것을 기준으로 끓기 시작한 후 30−40분이 적절하다. 일반적인 전탕법에는 2가지가 있다. 한 가지는 고전적인 방법으로 약은 한 번만 달이고 물을 넣고 소화(少火)로 끓인 후 30−40분간 달여 탕약을 걸러내 2−3회에 나누어 복용하는 방식이다. 이 방법은 급성질환 및 중증질환에서 계지탕, 마황탕, 대시호탕, 대승기탕, 이중탕 등을 달이는데 적합하다. 다른 방식은 후세의 당진법으로 2번 달이는 것이다. 먼저 30분 정도 달여 약액을 걸러내고 다시 물을 부어 15분간 달여 약액을 거른 후에 두

탕액을 섞는 것이다. 이를 2-3회로 나누어 복용한다. 이와 같은 방법은 자감초탕, 온경탕 등 자보(滋補)하는 처방에 사용한다. 복용법은 급성질환에서는 공복에 복용하고 만성질환에서는 식간에 복용한다. 실증에서는 식전에 복용하고 허증에서는 식후 복용한다. 사하약(瀉下藥)은 식전에 복용하며 발한약(發汗藥)은 식후에 복용한다. 급성질환은 하루 3회 이상, 만성질환에서는 하루 2회나 1회, 또는 격일 및 격주로 복용할 수 있다.

황황교수의 임상의를 위한 근거기반 상한금궤 처방 매뉴얼

임상에서 널리 활용되는 상한금궤 처방과 후세방 91종 및 저자 경험방 15종에 대한 간결한 해설서. 제 4판 개정에서는 776건의 근거기반 참고문헌이 추가되었다. 황황 교수는 이 책에서 고전 정보와 현대적 근거의 조합을 통해 한약 처방의 적응증을 가능한 객관적이고 정확하게 설명하는 것에 역점을 두고 있다.

저자 황황은 1954년 강소성 강음에서 태어났으며, 현재 남경중의약대학 기초의학원에서 박사과정 지도교수로 근무하고 있다. 주요 연구주제는 상한론 및 금궤요략 등 고전 처방의 적응증이며, 관련 한약 처방의 대중화 및 홍보에 전념하고 있다.

황황 편저 / 조희근 옮김 / 군자출판사